권리 정동 윤리

모바일공동체

KB074036

이 저서는 2018년 대한민국 교육부와 한국연구재단의 지원을 받아 수행된 연구임
(NRF—2018S1A6A3A03043497)

권리 정동 윤리

모바일공동체

배진숙 정채연 김경민
이용균 이은정 김은하
정은혜 정의철 정미영
김숙현 김재기

앨피

모빌리티인문학은 기차, 자동차, 비행기, 인터넷, 모바일 기기 등 모빌리티 테크놀로지의 발전에 따른 인간, 사물, 관계의 실재적·가상적 이동을 인간과 테크놀로지의 공-진화co-evolution라는 관점에서 사유하고, 모빌리티가 고도화됨에 따라 발생하는 현재와 미래의 문제들에 대한 해법을 인문학적 관점에서 제안함으로써 생명, 사유, 문화가 생동하는 인문-모빌리티 사회 형성에 기여하는 학문이다.

모빌리티는 기차, 자동차, 비행기, 인터넷, 모바일 기기 같은 모빌리티 테크놀로지에 기초한 사람, 사물, 정보의 이동과 이를 가능하게 하는 테크놀로지를 의미한다. 그리고 이에 수반하는 것으로서 공간(도시) 구성과 인구 배치의 변화, 노동과 자본의 변형, 권력 또는 통치성의 변용 등을 통칭하는 사회적 관계의 이동까지도 포함한다.

오늘날 모빌리티 테크놀로지는 인간, 사물, 관계의 이동에 시간적·공간적 제약을 거의 남겨 두지 않을 정도로 발전해 왔다. 개별 국가와 지역을 연결하는 항공로와 무선통신망의 구축은 사람, 물류, 데이터의 무제약적 이동 가능성을 증명하는 물질적 지표들이다. 특히 전 세계에 무료 인터넷을 보급하겠다는 구글Google의 프로젝트 룬Project Loon이 현실화되고 우주 유영과 화성 식민지 건설이 본격화될 경우 모빌리티는 지구라는 행성의 경계까지도 초월하게 될 것이다. 이 점에서 오늘날은 모빌리티 테크놀로지가 인간의 삶을 위한 단순한 조건이나 수단이 아닌 인간의 또 다른 본성이 된 시대, 즉 고-모빌리티high-mobilities 시대라고 말할 수 있다. 말하자면, 인간과 테크놀로지의 상호보완적·상호구성적 공-진화가 고도화된 시대인 것이다.

고-모빌리티 시대를 사유하기 위해서는 우선 과거 '영토'와 '정주' 중심 사유의 극복이 필요하다. 지난 시기 글로컬화, 탈중심화, 혼종화, 탈영토화, 액체화에 대한 주장은 글로벌과 로컬, 중심과 주변, 동질성과 이질성, 질서와 혼돈 같은 이분법에 기초한 영토주의 또는 정주주의 패러다임을 극복하려는 중요한 시도였다. 하지만 그 역시 모빌리티 테크놀로지의 의의를 적극적으로 사유하지 못했다는 점에서, 그와 동시에 모빌리티 테크놀로지를 단순한 수단으로 간주했다는 점에서 고-모빌리티 시대를 사유하는 데 한계를 지니고 있었다. 말하자면, 글로컬화, 탈중심화, 혼종화, 탈영토화, 액체화를 추동하는 실재적·물질적 행위자agency로서의 모빌리티 테크놀로지를 인문학적 사유의 대상으로서 충분히 고려하지 못했던 것이다. 게다가 첨단 웨어러블 기기에 의한 인간의 능력 향상과 인간과 기계의 경계 소멸을 추구하는 포스트-휴먼 프로젝트, 또한 사물인터넷과 사이버 물리 시스템 같은 첨단 모빌리티 테크놀로지에 기초한 스마트시티 건설은 오늘날 모빌리티 테크놀로지를 인간과 사회, 심지어는 자연의 본질적 요소로 만들고 있다. 이를 사유하기 위해서는 인문학 패러다임의 근본적 전환이 필요하다.

이에 건국대학교 모빌리티인문학 연구원은 '모빌리티' 개념으로 '영토'와 '정주'를 대체하는 동시에, 인간과 모빌리티 테크놀로지의 공-진화라는 관점에서 미래 세계를 설계할 사유 패러다임을 정립하려고 한다.

차례

고-모빌리티 시대 포용과 공생의 공동체

_ 배진숙

최근 지구화로 인해서 인간뿐 아니라 사물을 비롯한 다양한 주체들의 이동과 이들 간의 상호작용이 비약적으로 증가해 왔고, 이는 학제적 · 정책적 관심의 대상이 되어 왔다. 모빌리티mobility 연구에서는 단순히 물리적인 이동이나 이주 자체만이 아니라 이동과 이주를 통해 생겨나는 다양하고도 상호의존적인 관계들과 모빌리티 실천에 따른 다양한 감정, 가치 체계에도 주목한다. 또한 모빌리티는 사람들의 삶을 유지하고 확장하는 데 필수적이지만 모두에게 공평하지도 자유롭지도 않기 때문에 권력의 문제를 내포하고 있다.

본 연구총서《모바일 공동체, 권리 정동 윤리》는 고-모빌리티 시대 이동성 증가에 따른 불안의 증가와 공동체의 다양한 재편성, 그 과정에서 발생하는 인권과 권리 문제를 다루고 있다. 최근 한국 사회는 난민 · 무슬림을 비롯하여 다양한 특성을 가진 외국인의 입국이 증가하면서 일반인의 국제이주와 다문화사회에 대한 인식이 경계심과 위협감으로 변모해 가고 있으며,[1] 코로나19 상황에서 제노포비아xenophobia의 민낯이 더욱 여실히 드러났다. 코로나19 사태로 공적 마스크, 긴급재난지원금을 분배하며 '국민'이 아니라는 이유로 외국인 주민을 배제한 것도 이들에 대한 배타적 태도를 보여 준다고 할 수 있다.[2] 이러한 배경에서 본 연구총서는 다문화사회로의 급격한 변화를 경험하고 있는 한국 사회에서 대안적 윤리와 공동체, 도시공간의 바람직한 형성 방안을 모색하고자 한다.

이러한 맥락에서 본서는 권리, 정동, 윤리의 세 가지 주제를 중심으로 그 의미를 분석하는 작업을 시도한다. 필진들은 모빌리티를 중심으로 초국적 이주민, 사회적 약자와 소수자, 인권, (다중)정체성, 미디어 테크놀로지, 도시공간의 상호관계적 복합성과 관련된 국내외 이슈와 현상에 대해 천착하고 있다. 본서에서 다루고 있는 이동하는 행위자들은 빈곤과 압제를 피해 한반도에서 일본과 멕시코 · 쿠바로 떠난 후 여러 사유로 연속적 이주를 감행했던 한인디아스포라Korean diaspora와 그 후손들과, 비교적 최근 국내로 유입되고 있는 난민과 베트남 이주민에 이르기까지 다양하다. 또한 한국 내부의 인적 모빌리티와 공간적 불평등과 관련된 지방 출신 대학생과 노령층도 포함된다. 《모바일 공동체, 권리 정동 윤리》는 이동성과 부동성의 생성 과정에서 발산되는 다양한 정동affect과 감정, 가치, 그리고 공간의 경험, 공동체의 구성과 재구성에 주목하여 그 이론적 · 실천적 함의에 관해 논의한다. 도시에서는 차이

---

[1] Yoon, In-Jin, "The Rise and Fall of Multicultural Discourse and Policy in South Korea," *Multiculturalism and Humanity* 8, 1, 2019, p. 18.

[2] 윤인진, 〈사회적 약자와 소수자의 인권문제와 인권개선에 대한 사회심리학적 접근: 범주화와 보편적 성원권을 중심으로〉, 《이화젠더법학》 12. 2, 2020, 222쪽.

와 다양성의 마주침encounters이 야기되기도 하고 국경을 넘으면서 인종, 문화, 정체성의 경계가 교차하며 혼종화되기도 하는 상황에서 공존의 윤리를 탐색한다.

본 연구총서는 1부 '모빌리티와 인권/기본권', 2부 '이동과 정동, 그리고 공동체', 3부 '모바일 공동체의 윤리', 총 3부로 구성되어 있다. 1부에서는 고-모빌리티 시대 국경과 문화의 경계를 넘어서 다양한 형태로 촉발되는 이동과 이주, 그리고 이와 관련된 인권/기본권으로서의 이동에 대한 논의를 시도하며, 모빌리티와 인권·기본권의 문제에 대한 이해의 기본적인 틀과 이론적 바탕을 제공한다. 국제적 층위에서만 다뤄졌던 난민 문제가 최근에는 국내 사안으로도 전환되었다는 점에 주목할 필요가 있다. 1부에서는 난민과 캐나다 이누이트Inuit와 같은 소수자의 문제를 법제적, 문학적, 지리학적 렌즈를 통해 고찰하고 대안을 제시하고자 하였다.

2부에서는 다양한 시기와 연령에 속한 한국인들의 국내적·초국가적 이동/머무름, 그에 따른 정동과 끊임없이 유동하고 변형하는 공동체의 문제를 사유한다. 원폭과 같은 재난으로 인해 강요된 이주를 행한 디아스포라의 경험을 성찰하고, 또한 더 나은 교육·경제적 기회, 노화로 인한 신체·경제적 제약 등에 의해 발생하는 물리적·사회적 (임)모빌리티의 사례와 그 문학적 재현, 시공간적 경험에 대해 살펴본다.

2부에서 한국인의 국내외적 모빌리티에 주목했다면, 3부에서는 외부에서 국내로 유입되는 해외이주민 사례에 초점을 두어 이주와 문화적 시민권cultural citizenship 문제로 논의를 확장한다. 3부는 초국적 이주와 정착의 과정에서 윤리적 문제를 제기하고, 새로운 공동체 관계와 맥락 창출에 관해 조망하는 글들로 구성되어 있다. 진입장벽이 낮은 팟캐스트podcast와 같은 미디어와 도시축제 행위를 통한 새로운 문화적 생산과 주체적 참여가 베트남 이주민이나 도시민의 권리와 관련해서 갖는 문화정치적 함의를 논한다. 본 연구총서의 주요 내용은 다음과 같다.

◆ ◆ ◆

1부 첫 번째 글 정채연의 〈세일라 벤하비브의 세계주의 구상: 이주의 도덕성과 민주적 정당성의 역설〉은 세일라 벤하비브Seyla Benhabib의 세계주의에 주목하여 난민 문제의 법철학적 쟁점을 다룬다. 난민 문제를 다루는 데 있어서 '세계주의', '타자에 대한 윤리', 그리고 '민주적 헌정질서에서 시민권 자격'은 중요한 법철학적 의제이다. 벤하비브는 외국인, 이주민, 난민, 망명자와 같은 소위 '이방인'의 보편적 인권을 국민국가의 민주적 헌정질서를 통해 구현하기 위한 이론적 바탕과 실천적 구상을 제시한다. 벤하비브는 칸트Immanuel Kant의 세계주의, 아렌트Hannah Arendt의 인권 이해, 하버마스Jurgen Habermas의 대화윤리를 철학적 원천으로 하여 데리다Jacques Derrida의 해체주의 및 문화이론 등과 같은 포스트모던적 사유와 결합시키고자 한다. 이를 통해 난민을 비롯한 이방인의 보편주의적이고 세계주의적인 인권의 보장과, 공화주의적 연방국가로 조직된 정치공동체의 민주적 승인이 조화를 이룰 수 있는 가능성을 탐구하였다. 정채연은 세계사회에 대한 벤하비브의 진단을 영토성의 위기, 국제인권레짐 형성, 시민권 분해의 맥락에서 살펴보고, 벤하비브의 세계주의 구상에 있어서 사상적 기초라고 할 수 있는 칸트의 세계주의적 권리와 아렌트의 '권리를 가질 권리the right to have rights' 개념, 그리고 이들의 논의에서 공통적으로 나타나는 민주적 정당성의 역설을 면밀하게 검토한다. 또한 세계주의적 지향점에서 보편주의적 인권과 민주적 주권의 변증 가능성을 제시하고자 하는 벤하비브의 세계연방주의적 시민권 논의의 핵심인 '민주적 반추democratic iteration' 개념에 대하여 이론적으로 평가한다.

두 번째 김경민의 〈경계 위의 인권: 난민 문학의 인권 담론〉은 탈국경 이동이 일상화된 유동성의 시대에 난민 문학 인권 담론의 역할과 가능성을 논한다. '난민'이란 인종이나 종교 또는 정치적·사상적 차이로 인해 국경 밖으로 강제적으로 쫓겨나거나 탈출한 자들을 지칭한다.[3] 난민에 대한 기존 연구들은 주로 한국문학이나 문화물 속에서 이들 경계적 존재들이 재현되는 양상을 살펴보고 그 의미를 논구해 왔다.[4] 문학작품은 현대사회의 다양한 사회적 담론을 대변하는 방식으로서 난민들의 초국적 삶과 경험을 이해할 수 있는 매개가 되는 문화적 재현물이다. 유사한 맥락에서 김경민은 한국문학에서 난민을 본격적으로 다룬 작품이 거의 부재한 가운데 난민을 대상으로 한 한국소설《어느 날 난민》과《스페인 난민수용소》두 작품을 중심으로, '문학적 상상력'이 난민의 인권과 관련하여 어떤 역할을 하는지 살펴본다. 문학적 담론장은 구체성·개별성·접근성을 가지며, 문학적 상상력은 실체를 상상할 수 없는 추상적 존재가 아니라 고유한 이름을 가진 한 사람 한 사람의 구체적인 상황과 내면의 감정 변화를 들여다보고 공감할 수 있다는 특징이 있다. 김경민에 따르면, 문학적 상상력은 난민들과 함께 살아가야 할 미래사회를 낙관하는 것이 아니라 오히려 디스토피아적으로 그림으

---

3 김경연, 〈마이너리티는 말할 수 있는가: 난민의 자기역사 쓰기와 내셔널 히스토리의 파열〉,《人文硏究》64, 2012, 301쪽.
4 김경연, 〈마이너리티는 말할 수 있는가: 난민의 자기역사 쓰기와 내셔널 히스토리의 파열〉, 302쪽.

로써, 그러한 갈등과 충돌을 예방하기 위한 준비와 노력의 필요성을 보여 준다. 또한 난민을 상상하고 이야기하는 문학작품이 많아질수록 난민에 대한 이해와 공감의 폭은 넓어지고 그들을 향한 '우리'의 상상력도 더 풍부해질 것이라고 제언한다. 이주가 보편화되는 시대에 난민 문학은 한국문학에서 문학을 통해 난민 문제에 접근하고 대안을 제시하였다는 점에서 의의가 있다.

1부 마지막 글 이용균의 〈인구 변화와 이주의 발생학적 이해: 캐나다 이누이트를 사례로〉는 그동안 연구가 미진하였던 북극 지역 주민의 이주에 주목한다. 이용균은 캐나다 누나부트Nunavut의 이누이트를 사례로, 이들의 캐나다 국가 내 물리적 · 사회적 모빌리티를 다방면에서 조망한다. 이누이트의 인구 변화 특성, 이주의 발생학적 요인, 도시로 이주한 이누이트의 주변부 삶과 공동체 정치의 특성에 관해 탐구한다. 기후변화climate change는 이누이트에게 생존의 위기를 초래할 정도로 심각한 문제이다. 환경난민environmental refugee의 생존권 맥락에서 이누이트의 사례는 기후변화 문제를 환경과 생태 관점뿐만 아니라 인권 차원에서 주목하는 계기가 되기도 했다.[5] 하지만 이용균은 누나부트 이누이트의 타지역 이주는 급격하게 나타나지 않았으며, 또한 이주 요인이 단순히 기후변화에 의한 것만이 아니라 모빌리티의 증가, 주택, 교육, 의료 등의 문제가 복합적으로 작용한 결과라고 설명한다. 이용균에 따르면, 인구 사회학적 특성 면에서 유소년 인구 비율이 높은 누나부트에서 사회적

---

5   김홍주, 〈북극의 기후변화와 이누이트의 먹거리 미보장 실태: 캐나다 케임브리지 베이를 사례로〉, 《기후연구》 15. 2, 2020, 68쪽; 박병도, 〈기후변화와 인권의 연관성에 관한 국제 법적 검토〉, 《一鑑法學》 42, 2019, 120쪽.

· 경제적 발전 수준이 개선되지 않는다면 향후 전출하는 이주의 규모는 커질 것으로 예상된다. 하지만 이누이트는 도시문화의 적응 수준이 낮고 공동체 삶을 지향하기 때문에 주류사회와의 거주지 분리가 지속될 가능성이 있다. 이러한 주류사회로부터의 주변화를 극복하고 로컬에 이누이트 문화를 뿌리내리는 실천은 공동체 정치를 통해 가능할 것으로 전망된다.

◆　◆　◆

2부의 첫 번째 글 이은정의 〈식민지 조선인의 이주와 문화적 실천: 한국인 원폭피해자의 경험을 중심으로〉는 한국인 원폭피해자들에 주목하여 원폭 재난atomic bomb disaster과 연속적 이주 경험에 관해 성찰한다. 한국인 원폭피해자는 1945년 히로시마·나가사키 피폭자의 약 10퍼센트를 차지하고 있지만, 원폭과 관련된 기억과 기념물들 속에서 차별적이고 주변적인 위치를 점하고 있다.[6] 이은정은 구술생애사 면담자료와 구술채록 자료집을 활용하여 일제강점기 식민지 조선인들의 이주와 귀환을 추동한 거시적·미시적 차원의 배경과 경로, 일련의 이주 실천 과정에서 포착되는 문화적 실천 양상을 생생하면서도 심층적으로 고찰한다. 식민지 조선인들은 애초에 생존과 실존의 문제에 대응하기 위해 일본행을 선택했는데, 1945년 히로시마·나가사키에 투하된 원자폭탄의 피해를 경험하고 다시 조선으로 귀환하기도 하였다. 연속적

6　박경섭, 〈조선인원폭피해자와 초국적 시민(권)〉, 《현대사회과학연구》 13, 2009, 153쪽.

이주의 과정에서 이들은 가족, 친족, 지역사회 차원에서 경로의존적 이주 시스템을 구축하였다. 이후 치료 목적으로 다시 반복적으로 일본으로 건너가기도 하고, 모국에 재정착하는 과정에서 '정상적'이지 않은 존재로 부정당하는 고통을 경험하거나 산업구조 변화에 기인하여 귀환정착지를 떠나기도 하였다. 식민지 조선인의 도일, 조선으로의 재도항 과정에서 드러난 문화적 실천은 친족공동체 의례, 제사, 결혼 등의 맥락에서 포착할 수 있었다. 한편으로 한국에 재정착하는 과정에는 일본에서 구축한 이주네트워크가 사회적·문화적 자본으로 활용되기도 하였다. 기존에는 피폭 경험과 고통에 관한 논의가 주로 이루어졌는데 이은정은 '이주'의 관점에서 천착하여 한국인 원폭피해자의 경험을 문화적 실천에 초점을 두어 검토하였다는 점에서 의의가 있다.

2부 두 번째 글 김은하의 〈모더니티의 이동성과 난민이 된 청춘의 서사: 김승옥 소설에 나타난 지방 출신 대학생의 도시 입사식入社式을 중심으로〉는 〈환상수첩〉(1962), 〈역사力士〉(1963), 〈서울 1964년 겨울〉(1965), 〈더 많은 덫을〉(1966) 등 김승옥 소설에 나타난 1960년대 지방에서 서울로 입성한 대학생의 경험과 의식에 주목한다. 1960년대 이후 한국은 도시화를 지향하며 급격하게 변화하였다. 특히 역동적인 발전의 도시로 변모한 서울은 산업화 과정에서 생겨난 근대문화의 상징이었다. 현대 도시 및 도시인에 대한 문제의식은 김승옥의 소설에서 중요하고 대표적인 주제이다.[7] 김승옥은 다수의 작품에서 지방 출신 남성 상경 대

---

7 이은애, 〈소설 속에 나타난 대도시인의 '정체성' 연구: 김승옥의 몇 가지 모티브에 관하여(1); 보들레르, 벤야민 그리고 김승옥; 〈서울 1964년 겨울〉을 중심으로〉, 《한중인문학연구》 49, 2019, 115쪽.

학생을 그림으로써, 그들의 모빌리티를 통해 확연히 드러난 계급·지역·젠더 등 사회 갈등을 다루었다. 김승옥의 소설은 근대화의 중핵적 장소로서 서울을 무대로 하고 있고, 서울은 등장인물들에게 좌절감을 일깨우는 선망의 대상으로 그려진다. 김은하에 따르면, 김승옥은 더 나은 교육의 기회를 찾아 도시로 이동한 지방 출신 대학생의 내면적, 정신적 성숙을 문학적 주제로 삼았다. 지리 공간적 이동이 사회적 이동과도 연관되어 있는데, 지방 출신 대학생들의 도시생활은 의식주가 열악할 뿐더러 탄탄한 삶의 기반이 마련되지 못하였고, 이로 인해 이들은 소외와 불안을 느끼게 된다. 이러한 맥락에서 김은하는 상경 대학생들이 도시난민의 성격을 보인다고 지적한다. 아울러 이 글은 김승옥의 문학에서 크게 주목받지 못한 지방민 의식을 통해 주변화된 남성성이 근대, 발전의 도시로 진입해 가는 과정에서 어떤 식으로 자기혐오와 수치심을 여성에게 투사하는지를 살펴본다는 점에서 의의가 있다.

2부의 마지막 글 정은혜의 〈사회적 배제자로서 노인의 모빌리티가 머무는 공간: 탑골공원과 락희거리를 사례로〉는 노인층의 모빌리티와 소외, 도시공간의 포용성에 대해 성찰한다. 한국은 빠른 추세로 고령화되고 있고 2020년 기준 65세 노인인구의 비중이 15퍼센트를 상회하면서 본격적인 '고령사회'가 되었다. 노후의 시간이 길어졌지만 핵가족화로 인해 가족의 보살핌도 받기 어려워진 노인들을 사회적 안전망으로 포섭하는 것이 시급하지만, 우리 사회에는 노인에 대한 차별과 사회적 배제의 관념이 여전히 팽배하다. 노인문제에 대한 다각적이고 총체적인 대응이 필요하다. 정은혜는 사회적 배제자이자 약자인 노인의 모빌리티가 머무는 공간으로 가시화된 종로 3가 탑골공원과 락희거리를 현장조사하여 노인의 공간이 지니는 경관 및 현황과 문제점을 살펴보았다. 편리한 대중교통 접근성, 노인들을 위한 서비스 기능 집약 등이 노인들을 이곳으로 많이 모이게 한다. 미디어상의 부정적 이미지에 반해서 정은혜는 탑골공원과 락희거리를 노인들이 능동적으로 삶의 의미를 찾아내고자 하는 공간으로 바라보며, 두 지역을 '공유의 공간', '외로움 해소의 공간', 그리고 '질서와 규칙이 존재하는 구별짓기 공간'이라는 세 가지 의미로 재해석한다. 이들 공간에서 노인들의 사회적 배제가 진행되지 않도록 하기 위해, 이 지역이 문화적으로 포용하지 못하는 부분들을 지적하고 그 개선 방향을 제언한다. 이 글은 실증적인 공간적 연구를 통해 현재의 고-모빌리티 사회에서 노인들의 일상과 문제점을 고찰하고, 노인친화적 도시공간에 대한 관심과 지원에 대해 재조명했다는 점에서 의의를 찾아볼 수 있다.

◆ ◆ ◆

3부 첫 번째 글 정의철 · 정미영의 〈이주여성의 공동체 미디어 참여가 문화적 시민권 구축에 미치는 영향: 부산 지역 〈베트남 목소리〉 팟캐스트 사례를 중심으로〉는 이주민의 미디어 참여와 소통권the right to communicate 확대, 그리고 그 영향에 관해 논한다. 미디어 발전은 정보 미디어가 비단 기술적 요소만이 아닌 개인의 정체성과 소속감을 이끌어낼 수 있는 새로운 사회문화적 요소로 작용할 수 있는 여지를 높인다.[8] 이런 배경 하에 이 글은 점점 다문화사회로 변모하는 한국 사회에서

---

8 백현희 · 이찬, 〈도시공간의 정보플랫폼화에 의한 장소성 표현 특성 연구〉,《한국실내디자인학회논문집》20. 6, 2011, 140쪽.

소수자로 살아가는 이주민이 미디어 테크놀로지를 통해 네트워크자본 network capital을 축적하고 활용할 수 있는 가능성을 제시한다.[9] 정의철·정미영은 부산에 거주하는 베트남 이주여성들이 주체가 되어 운영한 〈베트남 목소리Tieng Noi Viet〉 팟캐스트 방송 사례에 주목하여, 〈베트남 목소리〉 참여자와 청취자, 관련 기관 관계자와 심층면담을 실시했다. 필자들은 이주민의 미디어 참여 사례를 통해 그 과정과 성과를 조사함으로써 다문화 맥락에서 필요한 시민권 논의로 확장하고자 했다. 〈베트남 목소리〉가 이주민의 소통권을 강화하고 문화적 시민권 형성의 토대가 되는 과정을 면밀하게 분석한 결과에 따르면, 베트남 이주여성들은 모국어로 방송을 제작해서 송출하거나 청취함으로써 필요한 정보와 사회적 지지를 나누면서 소통과 문화의 주체가 되고, 초국적 정체성과 공동체를 형성하고 있었다.

3부의 두 번째 글 김숙현의 〈도시공간과 축제, 그 윤리적 사유〉는 도시공간과 축제의 의미를 고찰한다. 앙리 르페브르Henry Lefebvre가 주창한 '도시에 대한 권리the right to the city'는 도시에 거주하는 주민 누구나 도시가 제공하는 편익을 누릴 권리, 도시 정치와 행정에 참여할 권리, 자신들이 원하는 도시를 스스로 만들어 나갈 권리를 의미한다.[10] 르페브르는 도시를 도시의 다양한 도시 거주자들이 함께 만들어 가는 일종

---

9 네트워크자본은 사람들 사이의 사회적 관계에 더 중점을 둔다. 네트워크자본이란 물리적인 근접성 정도에 큰 영향을 받지 않고 감정적, 재정적 또는 실제적인 혜택을 주는 사람들과의 사회적 관계를 만들고 유지하는 역량을 의미한다(Urry, John, *Mobilities*, Cambridge: Polity, 2007; 윤신희, 〈모빌리티스 주요구성요인의 타당성 검증〉, 《대한지리학회지》 53. 2, 2018, 212쪽 재인용).

10 강현수, 〈도시에 대한 권리〉, 《한국공간환경학회 학술대회 논문집》 1, 2014, 91쪽.

의 집합적 '작품'으로 보고, 일상 공간에서 새로운 대항 공간을 형성하여 일상을 혁명하는 것을 실천 목표로 삼았다.[11] 김숙현은 르페브르의 사유를 중심에 두고 우리나라의 도시 현황을 고찰한 뒤, 도시에서 동질화된 시민들의 일상 리듬을 파열하는 공간의 변위와 공공공간의 전유 appropriation 가능성에 대해 성찰한다. 특히 '축제'를 도시를 전유하는 형식으로 간주하고 그 위상에 주목한다. 하지만 현재 국내의 수많은 축제들은 일회성으로 관 주도나 위계적인 톱다운top-down 방식으로 진행되고, 정작 시민은 배제되거나 상업적 측면에 치중하여 동일한 구성으로 이루어진다는 점을 문제시한다. 시민이 주체적으로 참여하고 거주민들이 축제 공연을 하는 사례를 소개함으로써 예술가와 시민, 사적 공간과 공적 공간, 삶과 예술의 이분법적 경계 너머에서 운위되는 도시축제를 탐색한다. 김숙현은 도시민의 권리로서 도시공동체에 참여하고 그러한 경험을 통해 기성의 감각을 재분배하는 축제의 가능성을 정치/미학적 · 윤리적으로 조망한다.

3부의 마지막 글 배진숙 · 김재기의 〈쿠바 한인 100년의 오디세이: 재미 쿠바 한인의 연속(돌발)적 트랜스내셔널 모빌리티 경험을 중심으로〉는 재미 쿠바 한인들의 재이주re-migration 경험과 현황을 다룬다. 디아스포라의 이주는 한 세대 또는 여러 세대에 걸쳐서 연쇄적인 이주로 이어지기도 하고, 이 과정에서 국적 · 문화 · 인종정체성은 더욱 다양화되고 유동적 의미를 가지게 된다. 이 글에서는 설문조사를 통해 한인들이

---

11 강현수, 〈'도시에 대한 권리' 개념 및 관련 실천 운동의 흐름〉, 《공간과 사회》 32, 2009, 50쪽; 김민지, 〈도시공간과 실천적 일상전술의 예술적 실행〉, 《현대미술학 논문집》 16. 2, 2012, 43쪽; 앙리 르페브르, 《공간의 생산》, 양영란 옮김, 에코리브르, 2011, 106쪽.

어떠한 배경과 경로로 수세대에 걸쳐 한반도-멕시코-쿠바-미국으로 연쇄적인 이주serial migration를 하게 되었는지, 특히 쿠바에서 미국으로의 재이주 동기와 경로에 대해 고찰한다. 또한 재미 쿠바 한인들의 정체성, 한국과 쿠바 양국 문화에 대한 지식과 관심도, 그리고 사회적 관계에 대해 살펴본다. 중남미 초기 한인들과 그 후손들은 '생존'을 위한 일자리를 찾아서 멕시코와 쿠바 내에서도 여러 지역으로 부단한 이동을 감행했고 다양한 모빌리티 시스템, 이주중개인, 이주네트워크를 통해 국경을 넘나들었다. 또한 차후에는 쿠바혁명 등의 사유로 미국으로 재이주를 하기도 하였다. 현재 재미 쿠바 한인들은 민족·인종정체성 면에서 대부분 다중적 정체성을 가지고 있고, 쿠바계로서의 정체성이나 쿠바 문화에 대한 애착보다는 미약하지만 한국 문화에 관심을 보이고 스스로를 한국계로도 인식하고 있었다. 이 글은 쿠바 한인의 연쇄적 이주를 재조명함으로써 재외한인의 초국적 모빌리티 경험을 다각적·심층적으로 이해하는 데 기여할 것이다.

마지막으로, 본 연구총서 작업에 참여한 필진께 진심 어린 감사를 표한다. '법학', '국문학', '지리학', '인류학', '언론학', '연극비평학', '지역학', '정치외교학' 등에 이르기까지 다양한 분야의 전문 연구자들이 필진으로 참여했다. 이러한 학문적 다양성이 만나 치열한 고민과 탐구를 통해 산출한 소중한 연구 결과물을 한 권의 의미 있는 연구총서로 담아내게 되어 감사하다. 《모바일 공동체, 권리 정동 윤리》는 이주와 이동에 의한 인권, 사회 및 공동체의 의미와 실천에 대한 관심과 이해를 고양할 것이며, 고-모빌리티 시대 포용과 공생에 관한 논의를 확장 및 심화할 것으로 기대된다.

참고문헌

강현수, 〈'도시에 대한 권리' 개념 및 관련 실천 운동의 흐름〉, 《공간과 사회》 32, 2009, 42~90쪽.

강현수, 〈도시에 대한 권리〉, 《한국공간환경학회 학술대회 논문집》 1, 2014, 91~98쪽.

김경연, 〈마이너리티는 말할 수 있는가: 난민의 자기역사 쓰기와 내셔널 히스토리의 파열〉, 《人文研究》 64, 2012, 301~336쪽.

김민지, 〈도시공간과 실천적 일상전술의 예술적 실행〉, 《현대미술학 논문집》 16. 2, 2012, 37~84쪽.

김흥주, 〈북극의 기후변화와 이누이트의 먹거리 미보장 실태: 캐나다 케임브리지 베이를 사례로〉, 《기후연구》 15. 2, 2020, 67~88쪽.

박경섭, 〈조선인원폭피해자와 초국적 시민(권)〉, 《현대사회과학연구》 13, 2009, 153~166쪽.

박병도, 〈기후변화와 인권의 연관성에 관한 국제법적 검토〉, 《一鑑法學》 42, 2019, 111~143쪽.

백현희·이찬, 〈도시공간의 정보플랫폼화에 의한 장소성 표현 특성 연구〉, 《한국실내디자인학회 논문집》 20. 6, 2011, 135~144쪽.

앙리 르페브르, 《공간의 생산》, 양영란 옮김, 에코리브르, 2011.

윤신희, 〈모빌리티스 주요구성요인의 타당성 검증〉, 《대한지리학회지》 53. 2, 2018, 209~228쪽.

윤인진, 〈사회적 약자와 소수자의 인권문제와 인권개선에 대한 사회심리학적 접근: 범주화와 보편적 성원권을 중심으로〉, 《이화젠더법학》 12. 2, 2020, 219~255쪽.

이은애, 〈소설 속에 나타난 대도시인의 '정체성' 연구: 김승옥의 몇 가지 모티브에 관하여(1): 보들레르, 벤야민 그리고 김승옥; 〈서울 1964년 겨울〉을 중심으로〉, 《한중인문학연구》 49, 2019, 115~144쪽.

Urry, John, *Mobilities*, Cambridge: Polity, 2007.

Yoon, In-Jin, "The Rise and Fall of Multicultural Discourse and Policy in South Korea," *Multiculturalism and Humanity* 8, 1, 2019, pp. 1-27.

1부

모빌리티와 인권/기본권

세일라 벤하비브의 세계주의 구상

: 이주의 도덕성과 민주적 정당성의 역설

정채연

이 글은 《법철학연구》 제22권 제3호(2019. 12.)에 게재된 원고를 수정 및 보완하여 재수록한 것이다.

보편적 인권, 민주적 시민권, 그리고 세계주의

'이방인stranger'의 존재는 고대철학에서부터 진지하게 다루어져 온 주제이다. 이방인은 낯선 주인국가host country에 당도해 물음을 받기도 하고 물음을 던지기도 하는, 때로는 위협적인 방문자이고 때로는 기존의 정형화된 틀에서 벗어나도록 하는 석방자로 묘사되어 왔다. 세계사회의 이방인이라고 할 수 있는 난민·망명자 등의 문제를 다루는 데 있어 세계주의cosmopolitanism, 타자에 대한 윤리, 그리고 민주적 헌정질서에서 시민권 자격 등은 중요한 법철학적 쟁점들이다.

이 글에서는 이러한 법철학적 주제와 쟁점들을 아우르는 학자들 중 세일라 벤하비브Seyla Benhabib에 주목하고자 한다. 벤하비브는 예일대학교의 정치철학 교수로서 비판이론과 페미니즘 철학을 바탕에 두고 현대 서구 사회의 정치철학 담론을 이끌고 있다. 그녀는 터키 이스탄불에서 태어났으며, 레콩키스타reconquista(국토회복운동)로 인해 1492년 스페인에서 강제추방된 유대인 혈통이다.[1] 유대계, 여성, 비서구 사회, 이방인이라는 다양하고 중첩적인 정체성을 가지고 있는 개인적 배경 역시 철학자로서의 학문적 여정과 밀접하게 관련되어 있다고 할 수 있다. 이러한 배경을 바탕에 두고 벤하비브는 근대철학의 사상적 원천이 현대사회에서 어떻게 재구성되고 재해석될 수 있는지를 주된 연구 주제로 삼고 있다. 그녀의 연구 관심은 다문화주의·정체성 문제·페미니즘

---

[1] S. Benhabib, "Philosophic Iterations, Cosmopolitanism, and the 'Right to Have Rights'," *Conversations with History*, Institute of International Studies at the University of California, Berkeley, March 17, 2004.

등 다방면에 걸쳐 있으며, 특히 외국인·이주민·난민·망명자와 같은 이방인의 보편적 인권을 국민국가의 민주적 헌정질서를 통해 구현해 내기 위한 이론적 바탕과 실천적 구상을 제시하고자 하였다.

벤하비브는 2003년 이주노동자자유연대의 "어떤 인간도 비합법적이지 않다"라는 문구를 인용하면서 자신의 저서《타자의 권리The Right of Others》의 문을 연다. 여기에서 벤하비브는 정치적 성원권political membership에 집중하여, 정치공동체에서 외국인·이민자·난민·망명자 등 이방인의 포함과 배제 문제를 권리와 정체성의 재구성을 통해 다루고자 한다. 인간의 이주migration 문제는 벤하비브의 철학적 기반을 잘 드러내 보여 주는 중요한 쟁점이다. 벤하비브는 외국인과 이방인, 그리고 이민자를 기존의 정치체에 통합하는 원칙인 정치적 성원권이 국내적·국제적 정의에 대한 현대 정치이론에서 중요하게 다루어지지 않고 있다고 지적한다.[2] 그녀는 초국가적 이주transnational migration와 같이 국경을 넘나드는 인구 이동을 다루는 헌법적이고 정책적인 문제들이 세계사회의 규범적인 정의 이론에 있어서 핵심적인 의제이며, 기존의 국가 및 시민 개념을 넘어서는 새로운 사유를 요청하고 있다고 한다.[3] 여기에서 그녀는 칸트Immanuel Kant의 세계주의, 아렌트Hannah Arendt의 인권 이해, 하버마스Jürgen Habermas의 대화윤리를 철학적 원천으로 삼아, 이들 사상가들의 이론을 자기 나름의 방식으로 재해석하고 발전적으로 계승하기 위해 데리다Jacques Derrida의 해체주의 및 문화이론 등과 같은 포스트모던적 사유와

---

2 S. Benhabib, "Transformations of Citizenship: The Case of Contemporary Europe," *Government and Opposition* 37-4, 2002, p. 444.

3 세일라 벤하비브,《타자의 권리: 외국인, 거류민 그리고 시민》, 이상훈 옮김, 철학과현실사, 2008, 27쪽.

결합시키고자 한다. 이를 통해 난민을 비롯한 이방인의 보편주의적이고 세계주의적인 인권의 보장과 공화주의적 연방국가로 조직된 정치공동체의 민주적 승인이 조화를 이룰 수 있는 가능성을 탐구하였다.

이 글에서는 먼저 세계사회에 대한 벤하비브의 진단을 영토성의 위기, 국제인권레짐의 형성, 시민권의 분해라는 맥락에서 살펴보고, 벤하비브의 세계주의적 연방주의cosmopolitan federalism 구상에 있어서 사상적 기초라고 할 수 있는 칸트의 세계주의적 권리와 아렌트의 '권리를 가질 권리' 개념, 그리고 이들의 논의에서 공통적으로 나타나는 민주적 정당성의 역설을 검토한다. 다음으로 세계주의적 지향점에서 보편주의적 인권과 민주적 주권의 변증 가능성을 제시하고자 하는 벤하비브의 세계연방주의적 시민권 논의에서 핵심적인 '민주적 반추'에 대한 이론적 평가를 시도해 본다.

벤하비브의 세계사회 진단과 새로운 규범적 지도에 대한 요청

벤하비브는 다음과 같은 세 가지 지층에서 세계사회의 변화 양상을 바라보고자 한다: ① 영토성territoriality의 위기, ② 세계주의적 규범으로서 국제인권레짐의 형성, ③ 시민권의 분해disaggregation와 성원권의 새로운 양상.

영토성의 위기

벤하비브의 세계사회 진단은 세계화 시대와 다문화사회에서 국민국가가 직면하고 있는 위기와 밀접하게 관련된다. 근대 자유민주주의의 성취는 자기지배의 원리와 영토적으로 한정된 국민국가의 이상에 상당 부분 빚을 지고 있다고 할 수 있다.[4] 17세기 이래로 민주주의와 국민국가는 함께 성장해 왔으며, 이를 통해 공화주의적 이상과 자유민주주의적 가치, 그리고 공적 자율성과 사적 자율성의 성공적인 통합을 이루어 왔다.[5] 하지만 이러한 통합이 현대사회에 이르러 위기에 처했다고 벤하비브는 진단한다. 그리고 특히 민주주의 자체의 위기보다는 영토적으로 경계 지어진 국민국가의 위기에 주목한다. 즉, 세계주의적 권리를 다루는 데 있어 근본적인 문제는 국가주의에 근간하는 정치적인 경계 및 영토에 대한 관념이라고 할 수 있다.

벤하비브는 현대사회에서 근대적 국민국가의 주권 행사 및 내정內政에 있어 근본적인 패러다임 변화가 이루어지고 있음에도 불구하고, 국제법 및 국경을 넘어서는 상호작용은 여전히 '베스트팔렌Westphalia 체제'에 머물러 있다는 점에서 분명한 불일치가 발생하고 있다고 한다. 곧, 국가주권에 대한 베스트팔렌 모델은 정치적 국경과 성원권에 대한 기존의 관념을 넘어서는 데 제약으로 작용한다. 베스트팔렌 모델은 통합된 정치적 권위와 뚜렷한 경계를 갖는 특정 영토에 대한 절대적인 관할권을 상정하고 있지만, 이러한 모델의 실효성과 규범적 타당성이 다양한 맥락에서 도전에 직면하게 된 것이다. 자본·금융·노동에서의 자유시장 형성을 통한 세계경제의 부상, 무기·미디어·정보통신기술의 국제화, 국가 하부 단위 및 초국가적 단위에서 정치적 행위자의 성장

---

4 S. Benhabib, "Borders, Boundaries, and Citizenship," *Political Science and Politics* 38-4, 2005, p. 673.

5 S. Benhabib, "The Rights of Others. Aliens, Residents and Citizens," Conference on 'Migrants, Nations and Citizenship', CRASSH, July 5-7, 2004.

등으로 인해 정치적 성원권, 개인적 정체성, 그리고 정치적 경계 사이의 연관 관계는 약화되어 왔다.[6] 이러한 변화들은 국가가 제공할 수 있는 역량을 넘어서는 행정 기능을 요청한다는 점에서, 국가는 이들을 수용하기에 적절한 크기의 공간이 더 이상 아니라고 할 수 있다.

국민국가는 새로운 환경에 의해 창출되는 경제적·생태적·면역적, 그리고 정보적 문제를 다루기에는 너무 작고, 반면 정체성이 추동하는 사회적이고 지역적인 운동의 열망을 수용하기에는 너무 크다.[7]

결국 영토성은 국가에게 요청되는 중요한 기능의 수행과 문화적 정체성 형성에 있어서 점차 '시대착오적인 경계선anachronistic delimitation'이 되어 가고 있는데, 이렇듯 전통적인 주권 개념이 붕괴되어 감에도 불구하고 영토에 대한 독점이 이민 및 시민권 정책을 통해 행사되고 있다는 데 근본적인 문제를 제기해야 하는 것이다.[8]

벤하비브는 이러한 상황을 오래된 지도에 의지해 잘 알려지지 않은 미지의 지역에서 길을 찾아 헤매는 여행자에 비유하며, "우리가 여행하는 지역, 곧 국가들의 세계사회는 변하였지만, 우리의 규범적 지도normative map는 변하지 않았다"고 말하면서,[9] 포스트-베스트팔렌 세계라는 새로운 지형을 이해하기 위한 새로운 규범적 지도의 필요성을 요청

---

6 S. Benhabib, *The Rights of Others: Aliens, Residents, and Citizens*, Cambridge University Press, 2004, p. 4.

7 S. Benhabib, *The Rights of Others*, p. 5.

8 S. Benhabib, *The Rights of Others*, p. 5.

9 S. Benhabib, *The Rights of Others*, p. 6.

하고 있다. 포스트-베스트팔렌 시대 새로운 지형의 모습은 이주민 · 난민 · 망명자와 같은 타자의 권리와 관련된 국제인권규범과 영토주권 사이에 존재하는 규범적 부조화에서 잘 드러난다.

세계주의적 규범으로서 국제인권레짐의 형성

벤하비브는 정의justice에 관한 세계주의적 규범에 있어 가장 중요한 제도적 발전으로서 국제인권레짐의 형성에 주목한다. 제2차 세계대전 종전과 연이은 1948년 〈세계인권선언〉 이래로, 국제관습법뿐만 아니라 인권 관련 조약들을 아우르고 상호관련되며 중첩적인 일련의 세계적 · 지역적 레짐들의 출현을 마주하고 있다.[10] 이는 국제법과 국내법 사이를 가교하면서 세계사회의 상호의존성에 기반한 체계를 만들어 내고 있으며, 인권 규범이 주권국가의 행위를 다스리는 일반화된 규범으로 전환되도록 하는 일련의 과정은 현대 국제정치에서 가장 유의미하게 다루어져야 할 국면이라고 평가할 수 있다.[11] 새로운 국제인권레짐은 국민국가체제나 주권국가들 간의 상호작용에만 기초하는 것이 아니라, 모든 국가와 모든 공동체에 적용될 수 있는 세계주의적 규범에 기초하고 있다는 점에서 독자성이 있다. 이러한 일련의 발전은 국가로 하여금 자신의 시민들뿐만 아니라 다른 국가에 소속된 시민들 역시 폭력과 억압으로부터 보호해야 한다는, 휴머니티 전체에 대한 일반화된 도덕적 의무를 인정한다는 점에서 세계주의적 규범이라 할 수 있다.[12] 이

---

10 S. Benhabib, *The Rights of Others*, p. 7.

11 S. Benhabib, *Another Cosmopolitanism*, Oxford University Press, 2006, p. 27.

12 J.-A. Cilliers, *The Refugee as Citizen: The Possibility of Political Membership in a*

를 국제적 규범international norms에서 세계주의적 규범cosmopolitan norms으로의 전향이라 평가할 수 있겠다.

벤하비브는 이러한 국제인권레짐의 발전을 세 가지 지평에서 살피고 있다.[13] 먼저 제2차 세계대전 이래로 인도에 반한 범죄, 제노사이드, 전쟁범죄는 국제적 충돌이 발생하는 상황뿐만 아니라 주권국가의 국경 '내에서' 평시에 발생하는 사건에도 적용될 수 있도록 확장해 왔다. 또한 인도적 개입은 주권국가가 종교 · 인종 · 민족 · 언어 · 문화 등을 근거로 시민의 기본적 인권을 침해할 경우 해당 행위를 종결시킬 '일반화된 도덕적 의무'가 있음을 확인하면서, 국가주권이 시민 또는 거주민의 운명에 있어서 궁극적인 결정권자가 아니라는 공통된 믿음에 기초한다. 마지막으로 벤하비브는 초국가적 이주를 주권국가의 의지를 구속시키는 중요한 국제인권규범의 성장과 관련하여 논한다.

벤하비브에게 있어서 인도에 반한 범죄 및 인도적 개입과 구별되는 초국가적 이주의 독자성은, 특정한 공동체의 성원임을 전제로 하는 것이 아니라 보편적 인간으로서 개인들의 권리와 관련된다는 점에 있다.[14] 즉, 초국가적 이주는 특정한 정치공동체의 구성원이 아닌, 전적으로 인간으로서 개인의 권리와 관련되는 것이라는 점에서 여타 국제인권법의 쟁점들보다도 세계주의적 권리와 가장 밀접하게 맞닿아 있다. 이는 포스트-베스트팔렌 시대 새로운 규범적 지도를 찾으려는 노력이 초국가적 이주에서 가장 적극적으로 이루어져야 하는 이유이기도 하다.

Cosmopolitan World, Stellenbosch University, 2014, p. 89.

13 S. Benhabib, *Another Cosmopolitanism*, p. 27-31.

14 S. Benhabib, *Another Cosmopolitanism*, p. 30.

특히 벤하비브는 〈세계인권선언〉이 경계를 넘어서는 이동의 자유권을 인정하고 있으나, 이때 자신의 국가를 떠나 다른 국가로 이주할 권리a right to emigrate를 규정하고 있으면서도(제13조) 다른 국가로 이주해 올 권리a right to immigrate는 부여하고 있지 않다는 점에 주목한다.[15] 곧, 타국으로의 이주emigration와 타국으로부터의 이주immigration 사이에 분명한 비대칭이 존재하는 것이다. 또한 제14조는 망명할 권리를 명시하고 있고, 제15조는 "어느 누구도 자의적으로 자신의 국적을 박탈당하지 않으며, 자신의 국적을 변경할 권리를 부정당하지 않는다"고 규정하고 있다. 이렇듯 〈세계인권선언〉은 국경을 넘어서는cross-border 권리들을 인정하고 있지만 이주자에게 출입을 승인할 국가의 의무에 대해서는 침묵하고 있으며, 곧 이주할 권리와 관련된 의무를 이행할 특정한 수신자addressees가 존재하지 않는다고 벤하비브는 지적한다.[16] 인간은 다른 국가로 이주할 권리를 태생적으로 부여받지만, 그에 상응해 보장되어야 할 이주해 올 권리는 도착국destination country의 재량에 맡겨져 있다는 것이다. 이는 국가들 간의 전쟁, 시민에 대한 국가권력의 남용, 국적 없는 상태로 남겨진 사람들과 같이 베스트팔렌 체제에서 초래된 실패의 결과를 교정하기 위한 일련의 국제인권법적 노력들이 여전히 국가주권을 옹호하고 있다는 한계를 보여 준다. 이러한 비대칭성asymmetry은 보편적인 인권과 한정된 영토의 국가주권 간의 충돌을 가장 선명하게 보여 주는 것이라 하겠다. 이는 특히 국제인권협약이 실제 권리의 보유자인 개인들이 아닌 국가 정부에 의해 조율되고 채택된다는 점에서, 국제

---

15 S. Benhabib, *The Rights of Others*, p. 11.

16 S. Benhabib, *Another Cosmopolitanism*, p. 30.

법 담론에서 개인과 국가 간의 비대칭성이라는 태생적인 한계에 기인한다고도 볼 수 있다.[17] 이와 유사한 맥락에서 〈난민의 지위에 관한 조약Convention Relating to the Status of Refugees〉 같이 중요한 국제법적 문서 역시 조약국에 대해서만 구속력이 있으며, 조약국들마저도 제대로 준수하지 않는다는 점을 지적할 수 있다.[18] 다만 벤하비브는 이러한 현실적 한계에도 불구하고 초국가적 이주와 관련된 국제인권레짐이 형성됨에 따라, 국가 경계 내의 시민 및 거주민에 대한 국가의 대우가 더 이상 '견제되지 않는 특권'이 될 수 없다는 사실은 분명해졌다고 밝힌다.[19]

시민권의 분해와 성원권의 새로운 양상

벤하비브는 현대사회가 시민권의 분해disaggregation of citizenship를 경험하고 있다고 진단한다. 그녀는 현대사회에서 근대적 국민국가의 시민권 관행 및 제도가 다음과 같이 세 가지 구성 요소로 분해되고 있다고 분석한다: ① 공유된 언어 · 종교 · 민족성 · 공통의 언어 및 기억과 같은 시민들의 집단적 정체성collective identity, ② 공적 자율성의 권리에 대한 접근의 의미로서 정치적 성원권의 특권privileges, ③ 사회적 권리 및 혜택에 대한 자격entitlement.[20] 먼저 시민권은 역사적으로 형성되어 온 정치적 독립체의 성원이 됨을 의미하며, 이러한 정치체는 (다른 정치체들과 구별되도록 하는) 언어적 · 문화적 · 민족적 · 종교적 공통성을 공유

---

17 J.-A. Cilliers, *The Refugee as Citizen*, p. 90-91.

18 S. Benhabib, *Another Cosmopolitanism*, p. 30.

19 S. Benhabib, *Another Cosmopolitanism*, p. 31.

20 S. Benhabib, *Another Cosmopolitanism*, p. 45.

한다. 다음으로 (고대 그리스 폴리스polis의 성원 개념으로까지 거슬러 올라
가는) 자기지배의 특권과 부담을 가리키는 것이 시민권의 가장 오래된
의미라고 말한다. 마지막으로 시민권은 의무뿐만 아니라 일련의 자격
및 혜택을 부여받는 지위로 이해될 수도 있다.[21]

이렇듯 벤하비브는 오늘날 우리가 시민권 요소들의 '분리unbundling'를
목도하고 있다고 말한다.[22] 예컨대 다수의 공통된 정체성을 공유하지
않으면서도 정치적 성원권을 보유하는 시민 및 거주민이 있을 수도 있
고, 민주국가의 자기지배 체계에 속하지도 않고 해당 국가의 국민이 아
니면서도 사회적 권리 및 혜택에 접근할 수 있는 이들도 있을 수 있다.
근대적 국민국가에서 이러한 다층적인 구성 요소들은 시민권 개념에
통합되어 있었지만, 현대사회에서 이를 모두 포괄하는 시민권 개념은
더 이상 유지될 수 없게 되었다. 특히 국가 경계를 넘어서는 이주의 시
대에 정치적 공동체의 집단적 정체성 이해는 근본적인 변화를 경험하
고 있으며, 다문화사회에서 민족정체성은 구성원의 자격을 논하는 데
있어 더 이상 유효하지 않은 개념이 되고 있다.

벤하비브는 국가중심적인 시민권 이해의 한계를 역설하면서, '분해
된 시민권disaggregated citizenship' 현상을 수용하고자 한다. 이러한 시민권
의 분리 양상에 대한 이해는 이주의 시대에 다양한 유형의 이방인들이
보유하고 있는, 그리고 보유하고자 주장하는 권리에 대한 이해를 좀 더
명확하게 해 준다. 예컨대 오늘날 해당 국가의 전형적인 시민권을 가지

---

[21] S. Benhabib, "Citizens, Residents, and Aliens in a Changing World: Political Membership
in the Global Era," *Social Research* 66-3, 1999, pp. 720-721.

[22] S. Benhabib, "Borders, Boundaries, and Citizenship," p. 675.

고 있지 않은 이주노동자 및 거주민 등이 특정한 권리와 혜택을 향유하고 있는 현상은 세계 전반에서 관찰된다. 특히 분해된 시민권은 시민으로 하여금 국가에 대한 충성뿐만 아니라 다른 다수의 헌신들multiple allegiances을 가능케 한다.[23] 즉, 분리된 시민권을 통해 시민들은 초국가적 차원에서 국민국가의 경계를 넘어서는 네트워크와 다수의 헌신을 지속할 수 있게 된다.[24]

이때 벤하비브는 특히 유럽연합European Union 내에서의 시민권 분해 현상에 주목한다. 유럽연합은 특정 국민국가의 시민이 보유하는 특권에 머무르지 않는 정치적 성원권의 가능성을 보여 주는 대표적인 예이다. 유럽연합 회원국의 시민들은 동시에 유럽연합의 시민이 되는 이중적 신분을 보유한다는 점에서, 정치적 성원권이 탈국가적인 것이 될 수 있음을 잘 보여 준다. 유럽연합에서는 정치적 성원권의 특권이 유럽연합 가입국의 모든 시민에게 부여되며, 이때 국적을 보유하고 있는 이들 외에 해당 영토 내에 거주하고 있는 이들 역시 이러한 특권을 누릴 수 있게 되었다. 곧, 이들 권리를 행사할 자격을 부여하는 데 있어서 출신 국적이 아닌 유럽연합의 시민권에 기초하게 된 것이다. 유럽연합의 시민들은 현지 국가의 지방선거에서 투표를 하거나 공직을 담당할 수 있고, 유럽의회European Parliament 선거에 참여할 수도 있으며, 외국인으로서 장기 거주민들은 동등한 사회적 권리 및 혜택을 누릴 수 있게 되었다.[25] 결국 시민권은 국가 단위에서만 정의될 수 있는 것이 아니고, 시민

---

23 J.-A. Cilliers, *The Refugee as Citizen*, p. 91.

24 S. Benhabib, *The Rights of Others*, p. 174.

25 S. Benhabib, "Borders, Boundaries, and Citizenship," p. 675.

권을 전제로 하지 않고서도 개인들은 특정 권리의 보유자가 되거나 일정한 특권의 자격을 향유할 수 있으며, 국가 영토 안에 있는 비시민들에 대한 해당 국가의 의무를 논할 수 있는 가능성이 열리게 된다. 물론 유럽연합 회원국이 아닌 제3국의 국민들에게는 해당되지 않는다는 점에서 여전히 국가적·문화적 출신에 정초하고 있다고 볼 수 있지만, 벤하비브는 유럽연합 곳곳에서 가시적인 변화가 관찰되고 있다는 점 역시 언급하고 있다. 예컨대 덴마크·스웨덴·핀란드·네덜란드의 경우 제3국 국민들 역시 지방선거에 참여할 수 있고, 영국에서는 코먼웰스 Commonwealth 시민들이 국가선거에서 투표할 수 있으며, 스페인과 포르투갈에서는 (주로 남아메리카에 위치한) 특정 제3국 국민들에게 지역선거에서 호혜적인 투표권을 부여하고 있다는 점을 유의미하게 평가할 필요가 있다는 것이다.[26]

시민권에 있어서 이러한 발전은 권리의 자격이 시민권의 지위에 더 이상 의존적이지 않다는 점을 조명하고 있다고 벤하비브는 역설한다. 유럽연합의 사례에서 잘 드러나듯이, 합법적인 외국인 거주민은 초국가적 내지 국가 하부 단위의 입법에 의해 보호됨과 동시에 시민적·사회적 권리 체제로 통합되어 왔다. 그러나 난민·망명자·불법체류 외국인은 여전히 합법성과 불법성 사이의 혼탁한 공간에 위치해 있다. 주권과 환대 사이의 충돌은 괄목할 만큼 약화되었지만 결코 제거되지는 않았으며, 유럽연합 역시 자신의 경계 안에 있는 이들을 대우하는 데 있어 세계주의적 정의의 규범에 대한 지향과 베스트팔렌 체제의 주권

---

26 S. Benhabib, "Borders, Boundaries, and Citizenship," p. 675.

관념에 대한 순응 사이라는 모순적 상황에 처해 있는 것이다.[27]

이렇듯 시민권 개념이 분산되어 감에도 불구하고 기존의 시민권 개념에 기초하여 성원권의 문제를 다루는 것이 갖는 한계를 여기에서도 확인할 수 있다.

벤하비브의 세계주의 구상의 이론적 기초

벤하비브는 이러한 세계사회 진단을 바탕으로 자신의 세계주의적 연방제 구상을 제시하며, 이를 위해 칸트와 아렌트의 사상을 발전적으로 계승한다.

칸트의 세계주의적 권리

벤하비브는 세계시민사회에서 개인의 법적 · 도덕적 지위와 관련된 자신의 세계주의 이해가 칸트의 《영구평화론Perpetual Peace》에서 제시된 세계시민적 권리jus cosmopoliticum에 바탕을 두고 있음을 분명히 확인한다. 그녀에게 있어서 세계주의는 국민 · 민족 등 집단의 구성원으로서가 아니라 인간이기에 부여되는 권리로 인해 법적 보호를 보장받는, 도덕적 인격으로서 인간에 대한 승인을 의미한다.[28] 벤하비브는 칸트의 세계주의와 세계시민권world citizenship을 논하면서, 공화주의적 헌법에

---

27 S. Benhabib, "Borders, Boundaries, and Citizenship," p. 675.

28 S. Benhabib, "Cosmopolitanism and Democracy: Affinities and Tensions," *The Hedgehog Review* 11-3, 2009, p. 31.

내재해 있는 세계주의와 민주주의가 양립 불가능한 것이 아니라 사실상 서로를 요청하는 상호적 관계에 놓여 있음을 발견할 수 있다고 역설한다.[29] 다시 말해, 그녀가 추구하는 세계주의는 국가들 간의 조약에서부터 (주권국가의 의지를 구속하는 국제공법international public law으로서) 세계주의적 질서로의 이전을 의미한다.[30]

벤하비브에게 있어서 칸트의 세계주의는 국가 경계와 영토적으로 한정된 정치공동체의 주변부 및 가장자리에 놓인 인간의 권리에 대한 본격적인 성찰을 가져왔다는 점에서 특별하게 다루어진다. 특히 칸트의 환대권right of hospitality은 인권과 시민적 권리 사이, 휴머니티의 권리와 공화국의 성원권 사이에 위치한다고 볼 수 있으며,[31] 이에 따라 세계주의와 국가주권 사이, 보편적 권리와 특수한 권리 사이, 소속됨과 소속되지 않음 사이를 지속적으로 노정하는 권리라고 할 수 있다. 칸트는 다음과 같이 국가들 간의 영구적 평화를 위한 확정 조항들을 제시하였다: ① 모든 국가의 시민적 정치체제는 공화정이어야 한다. ② 국가들의 법은 자유로운 국가들의 연방제에 기초하여야 한다. ③ 세계시민법은 보편적 환대의 조건에 한정되어야 한다.[32] 이때 제3 확정 조항과 관련하여 칸트는 환대가 박애philanthropy가 아닌 '권리'의 문제임을 분명히 밝히고 있다. 즉, 환대는 주인의 땅에 당도한 이방인에게 보여 줄 수 있

---

29 S. Benhabib, "Cosmopolitanism and Democracy," p. 33.

30 F. Dallmayr, "Cosmopolitanism: In Search of Cosmos," *Ethics & Global Politics* 5-3, 2012, p. 178.

31 S. Benhabib, *The Rights of Others*, p. 26.

32 I. Kant, "Zum ewigen Frieden: Ein philosophischer Entwurf," *Immanuel Kants Werke*(A. Buchenau, E. Cassirer, B. Kellermann(eds.)), Verlag Bruno Cassirer, 1923, pp. 434-436.

는 친절함 및 너그러움과 같은 친교sociability의 덕목으로 이해되어서는 안 되며, 모든 인간에게 속한 권리로 이해되어야 한다는 것이다. 이러한 환대의 권리는 특정한 시민적 정치체의 성원인 개인들 사이의 관계가 아니라, 공간적으로 한정된 공동체의 가장자리margins에서 마주하는 서로 상이한 정치체에 속한 개인들 사이의 상호작용을 규율한다는 점에서 독자성이 있는 것이라고 할 수 있다.[33] 벤하비브는 이러한 칸트의 보편적 환대의 원칙이 국경을 넘어서는 모든 인권 주장을 위한 대화의 공간을 열어 주었다고 평가한다.[34]

환대hospitality란 이방인이 다른 이의 땅에 당도하였을 때 적enemy으로 대우받지 않을 이방인의 '권리'이다. 주인국의 거부가 이방인의 파멸을 초래하지 않으면서도 가능하다면 이방인을 수용하는 것을 거부할 수 있지만, 이방인이 자신의 장소를 평화롭게 차지하는 한, 주인국은 이방인을 적대hostility로 대우할 수 없다.[35]

이때 칸트는 영속적인 방문자가 될 권리Gastrecht와 임시 체류의 권리Besuchsrecht를 구별하고 있으며, 전자의 권리를 부여받기 위해서는 특별한 선행적 합의beneficent agreement가 필요할 수 있다고 한다.[36] 곧, 환대는 모든 인간이 보유하고 있는 임시 체류의 권리에 불과하고, 인간은 지구

---

33 S. Benhabib, "Cosmopolitanism and Democracy," p. 33.

34 S. Benhabib, *Another Cosmopolitanism*, p. 148.

35 I. Kant, "Perpetual Peace(1795)," *On History*(L. W. Beck(ed.), L. W. Beck(trans.)), Library of Liberal Arts, 1957, p. 103.

36 I. Kant, "Perpetual Peace(1795)," p. 103.

표면에 대한 공동 소유권에 근거하여 이러한 권리를 가지며, 구체a globe 로서 지구에서는 인간이 무한히 흩어질 수 없기에 종국적으로는 서로 의 존재를 관용해야만 한다고 말한다.[37]

출입에 대한 거부가 출입하고자 하는 이의 파멸을 가져올 경우 이를 거부할 수 없다는 칸트의 주장은 〈난민의 지위에 관한 조약〉에 명문으 로 규정된 '농 르풀망non-refoulement' 원칙, 곧 난민의 생명이나 자유가 위 협받을 수 있는 영토로 추방하거나 송환해서는 안 된다는 이른바 강제 송환 금지 원칙에서도 발견될 수 있겠다. 물론 벤하비브는 해당 조항 에 대한 주권국의 자의적인 해석과 우회적인 정책에 대해 비판하고 있 다. 농 르풀망 원칙의 적용에서도 잘 나타나지만 칸트의 정식들은 피난 처를 구하는 이들에 대한 국가의 도덕적 의무와 해당 국가 자신의 복지 및 이익을 어떻게 조화시킬지에 대한 문제를 선명하게 드러내 보여 준 다. 벤하비브는 타자의 도덕적 요청과 합법적 자기-이익이라는 두 가 지 주장 간의 서열 관계가 모호한 상태로 남아 있다고 지적한다. 출입 의 권리가 거부될 경우 난민의 생명과 신체가 위험에 처하게 되는 명백 한 사례들을 제외하고는, 이방인에 대한 일련의 의무는 무조건적인 것 일 수 없으며, 해당 의무에 대한 수신국receiving country의 주권 관점에서 해석될 수밖에 없는 것이다.[38]

칸트의 환대권은 국가의 경계에 놓인 이들이 (환대가 아닌) 적대로 대 우받지 않을 권리이기에 근본적으로 소극적이고 방어적인 성격을 극복 하기 어렵다. 칸트의 환대권은 잠정적인 법적 결과를 가져올 수 있는 도

---

37   I. Kant, "Perpetual Peace(1795)," p. 103.
38   S. Benhabib, "Cosmopolitanism and Democracy," p. 34.

덕적 권리 주장이라 할 수 있으며, 한 국가 안으로의 임시적인 출입과 영구적인 거주 사이의 메워질 수 없는 간극에 경계인이 놓여 있게 된다. 곧, 환대권은 임시적인 체류권이며, 이를 넘어서는 영구적인 체류 내지 거주와 같은 특권은 국가의 결정에 의존적이고, 이에 따라 국가로 하여 금 국경의 개폐를 자의적으로 결정할 수 있는 자유의 공간을 지나치게 많이 남겨 두었다고도 볼 수 있다.[39] 이에 대해 벤하비브는 정당한 자기 보존self-preservation과 타자에 대한 의무 사이의 이분법에 기초한 주권국의 의무는 불충분하다고 주장한다.[40] 결국 칸트의 환대권은 불완전하고 조 건적인 도덕적 의무에 기반하고 있다는 한계가 남아 있다 하겠다.

나아가 벤하비브는 칸트의 철학적 유산이 여전히 모호한 부분을 남 겨 놓고 있다고 평가한다. 예컨대 칸트는 상업적 · 해상적 자본주의의 확장과 발전이 인간종을 더욱 가깝게 접촉할 수 있도록 한다는 점에서 정당화하기도 하지만, 유럽 제국주의를 절대 지지하지 않는다. 세계주 의적 환대권은 평화로운 임시 체류권을 부여하지만, 우월한 무력으로 약탈, 착취 및 정복할 자격을 부여하는 것은 아니다.[41] 이 점은 칸트가 외국과의 무역에 있어서 대단히 제약적이었던 중국과 일본의 보호주의 를 옹호했던 점에서 잘 드러난다.[42] 벤하비브는 유럽 제국주의가 팽창 하던 18세기의 맥락에서 영구적 방문자와 임시적 체류자 사이의 구별 은 진보적인 것이었지만, 오늘날 외국인의 시민권에 대한 주장은 헌법

---

39 J.-A. Cilliers, *The Refugee as Citizen*, p. 93.

40 S. Benhabib, *The Rights of Others*, p. 37.

41 S. Benhabib, "Cosmopolitanism and Democracy," p. 34.

42 I. Kant, "Zum ewigen Frieden"(AA, Vol. 8, 1795/1927), p. 359["Toward Perpetual Peace," *Practical Philosophy*(M. J. Gregor(trans.)), Cambridge University Press, 1996].

을 통해 보장되어야 하는 것이지 더 이상 선행적 계약에 근거할 수 없다고 역설한다. 그녀는 시민권 자격은 물론 개별 민주적 주권에 의해 정해진 일정 조건을 충족해야 가능한 것이지만, 귀화naturalization의 권리는 〈세계인권선언〉 제15조에 의해 보장되는 인권이라는 점을 분명히 강조하고 있다.[43]

이러한 한계에도 불구하고 벤하비브는 환대의 권리를 단순한 시혜적 조치가 아닌, 모든 인간이 가지는 양도 불가능한 보편적 권리의 문제로 다루고 있는 칸트의 성취를 높게 평가한다.[44] 또한 그녀는 국가 내 사람들 사이 및 국가들 사이의 법과 정의의 관계, 그리고 인간 공동체의 시민으로서가 아닌 세계시민사회의 구성원으로서 사람들 사이의 법과 정의의 관계를 다루는 세계시민적 권리를 구별 짓는 데 있어서 칸트에게 상당한 빚을 지고 있다고 말한다. 국제적 공간의 행위자가 국가 및 국가의 정상뿐만 아니라 민간인과 이들의 결사체일 수 있음을 주장하면서 칸트는 세계주의에 세계시민성이라는 새로운 의미를 부여하고 있다.[45] 다시 말해, 세계주의적 시민권은 인간이 인간다움humanity 그 자체로 인해 권리를 부여받는 새로운 세계 법질서를 의미한다고 할 수 있다.

---

43 S. Benhabib, "Cosmopolitanism and Democracy," p. 35.

44 A. Cerami, "Human Rights and the Politics of Migration in the European Union," *Migration and Welfare in the New Europe: Social Protection and the Challenges of Integration*(E. Carmel, A. Cerami, T. Papadopoulos(eds.)), The Policy Press, 2011, p. 75.

45 S. Benhabib, "Cosmopolitanism and Democracy," p. 35.

아렌트의 '권리를 가질 권리'

　제2차 세계대전 종전이 선언된 이후 아렌트는《전체주의의 기원The Origins of Totalitarianism》에서 양차 세계대전이 이루어지는 동안 유럽에서 국적을 잃은 이들의 권리 상실을 논하면서 '권리를 가질 권리a right to have rights' 개념을 제안한다. 난민 · 망명자 · 이주민 등 국적 박탈의 위험에 처해 있거나 이미 국적을 상실한 사람에게 정치공동체에 속할 수 있는 권리가 부여되지 않는다면, 이들은 자신이 거주하고, 자신의 의견과 의지를 형성할 수 있는 '장소'를 갖지 못하게 된다.[46] 국적이 상실된 개인은 당연히 권리를 자동적으로 상실하며, 이는 해당 권리에 접근하거나 행사할 능력까지도 상실하는 것을 의미한다. 평등과 정치적 표현은 인간종에 속한 것이 아니라 코먼웰스의 시민임을 전제로 부여되는 배타적인 특권이기 때문에, 국적 없는 상태에 놓인 이들은 자연적으로 이미 주어진, 그저 자신을 구별 짓는 '차이'에만 기댈 수밖에 없다.[47] 영토적으로 한정된 국민국가 체계 내지 국가중심적 국제법 질서에서 누군가의 법적 지위는 해당 사람이 거주하고 권리 자격을 부여받은 영토의 법적 권위에 의존적이다.[48] 자신의 조국으로부터 박해를 받거나 추방되면 난민이, 정치적 다수가 특정 집단을 이른바 동질적인 인민에 속하지 않는다고 선포하면 소수자가, 국가가 해당 사람이 그때까지 향유했

46　남중권, 〈외국인의 헌법적 지위: 국민과 외국인 구별의 헌법적 의미〉,《법학연구》58(1), 2017, 12쪽.

47　H. Arendt, *The Origins of Totalitarianism*, Schocken Books, 2004, p. 383.

48　S. Benhabib, "International Law and Human Plurality in the Shadow of Totalitarianism: Hannah Arendt and Raphael Lemkin," *Constellations* 16-2, 2009, p. 337.

던 법적 보호를 철회하면 무국적자가 되며, 이들이 자신들을 성원으로서 인정해 주는 또 다른 정치공동체를 발견하지 못하고 불확실한 상태에 머물러 있으면 영토들 사이에 걸쳐진 강제추방자가 되고 마는 것이다.[49] 아렌트는 이러한 상황에서 인간에게 보장되어야 할 권리로서 권리를 가질 권리가 있음을 역설한다.

우리는 권리를 가질 권리와 어떤 조직된 공동체에 속할 권리의 존재를, 새로운 세계적 정치 상황으로 인해 이러한 권리들을 상실하고 되찾을 수도 없는 수백만 명의 사람들이 발생하고 나서야 비로소 인식하기 시작한다. … 인간의 '본성nature'으로부터 즉시 권리가 발생한다고 추정되었기 때문에 이러한 권리는 18세기 (인권의) 범주에서 나타날 수 없었다. … 권리를 가질 권리 또는 모든 개인이 휴머니티에 속할 권리는 휴머니티 그 자체에 의해 보장되는 것이어야 한다. 이것이 가능한지는 결코 분명하지 않다.[50]

아렌트의 논의는 국민국가의 민주적 주권과 인간의 보편적 권리가 갖는 역설적 상황을 효과적으로 잘 드러내 보여 준다. 인간의 권리가 갖는 존재론적 역설은, 인권의 보호를 받아야 하지만 휴머니티에 속함 외에는 그 어떠한 정체성을 주장할 수 없는 경우 보호될 수도 인정될

---

49   S. Benhabib, "International Law and Human Plurality in the Shadow of Totalitarianism," p. 337.

50   H. Arendt, *The Origins of Totalitarianism*, Harcourt, Brace and Jovanovich, 1979[1951], pp. 296-297.

수도 없는 실존적 상황에서 잘 드러난다.[51] 아렌트에게 있어서 양도 불가능한 인권의 선언에 처음부터 존재했던 역설은 인권이 (그 어디에도 존재하지 않는 것으로 보이는) 추상적인 인간을 전제하고 있다는 점에서 기인한다고 할 수 있다.[52] 이로 인해 인권 문제는 국가의 해방 문제와 불가분의 관계에 놓일 수밖에 없으며, 인민의 해방된 주권emancipated sovereignty만이 인권을 보장해 줄 수 있게 된다.[53]

벤하비브는 아렌트의 권리를 가질 권리에서 각 권리 개념을 좀 더 상세히 분석하고자 한다. 첫 번째 권리 'right' to have rights는 휴머니티에 근거하는 것으로, 모든 개인에게 보장되어야 할 도덕적 명령을 제기한다.[54] 이러한 첫 번째 권리에 기초한 두 번째 권리 right to have 'rights'는 법적·시민적 권리 개념이라고 할 수 있다. 벤하비브는 권리를 가지고 있다는 것은 "나는 A를 하거나 혹은 하지 않을 주장을 할 권리가 있으며, 당신은 내가 A를 하거나 혹은 하지 않을 것을 방해하지 않을 의무가 있다"는 것을 의미한다고 말한다.[55] 권리를 보유하는 개인은 그에 대해 의무를 지고 있는 다른 개인들, 그리고 해당 권리를 보호하고 집행할 국가와 삼각형의 관계를 맺게 된다.[56] 일련의 권리를 부여함과 동시에 상호적·호혜적인 의무를 발생시킨다는 점에서 두 번째 권리는 국

---

51 A. F. H. Castro, "Antigone Claimed: 'I am a Stranger!' Political Theory and the Figure of the Stranger," *Hypatia* 28-2, 2013, p. 319.

52 H. Arendt, *The Origins of Totalitarianism*(1979[1951]), p. 291.

53 H. Arendt, *The Origins of Totalitarianism*(1979[1951]), p. 291.

54 J.-A. Cilliers, *The Refugee as Citizen*, p. 95.

55 S. Benhabib, *The Rights of Others*, p. 57.

56 J.-A. Cilliers, *The Refugee as Citizen*, p. 95.

가와 같은 정치적 공동체에서 그에 상응하는 의무의 체계를 갖고 있지만, 보편적 휴머니티에 근거하는 첫 번째 권리는 이러한 대칭적 의무를 수반하지 못하고 있다는 데에서 근본적인 문제가 발생한다.

한편 벤하비브는 국민국가에 대한 아렌트의 양가적인 태도를 지적한다. 즉, 아렌트가 국민국가 체계의 무력함을 비판하면서도, 세계국가에 대한 일체의 이상적 구상이나 위와 같은 문제를 해결하기 위한 국제법적 수단 모두에 대해 회의적인 태도로 일관하고 있다는 것이다.[57] 배제적인 속성을 극복하기 어려운 국민국가 체계를 궁극적인 해결책으로 바라볼 수도, 인민의 공화주의적 자기지배라는 전제를 포기할 수도 없었다는 점에서, 아렌트는 권리가 국가 없이는 보장될 수 없으면서도 국가 체계가 권리 보장을 부정하거나 침해할 잠재력을 가진다는 모종의 교착상태에 빠져 있다고 볼 수 있다.[58] 국민국가에만 기댈 수도, 세계국가의 가공할 힘이 갖는 위험성을 외면할 수도, 초국가적 기구가 갖는 민주적 정당성의 결핍 문제를 해소할 수도 없었던 것이다.[59]

벤하비브는 이스라엘 국가 수립에 대한 아렌트의 관점에 대해서도 언급하고 있다. 아렌트는 이스라엘의 사례가 증명하듯이, 인권의 복원은 민족적 권리의 복원 내지 수립을 통해서만 성취되어 왔다고 바라보았다.[60] 그러면서 아렌트는 1950년대 내내 유대 국가와 팔레스타인 국가의 이국二國 체계가 실현되기를 바랐다. 이에 대해 벤하비브는 아렌

---

[57]   S. Benhabib, "International Law and Human Plurality in the Shadow of Totalitarianism," p. 337.

[58]   J.-A. Cilliers, *The Refugee as Citizen*, p. 96.

[59]   A. F. H. Castro, "Antigone Claimed," p. 310.

[60]   H. Arendt, *Origins of Totalitarianism*, p. 179.

트가 정치적 현실주의 및 역사적 불가피성에 양보하여 썩 내키지 않는 정치적 형성 과정을 수용하고 말았다고 평가한다.[61]

벤하비브는 아렌트의 정치철학이 보여 주는 국민국가 체계에 대한 양가적 태도가, 근대국가 체계가 인권과 국가주권 사이의 긴장 관계에 정초해 있다는 점에서 기인한다고 보았다. 근대국가는 그것이 미국 및 프랑스 모델과 같이 시민적civic 형태에 기초하든, 독일과 같이 주로 민족적ethnic 형태에 기초하든 항상 특정한 국민국가nation-state였다고 벤하비브는 말한다.[62] 곧, 근대국가의 시민들은 동시에 역사·언어·문화·종교·전통 등을 공유하는 인간 집단으로서 특정 민족의 구성원이기도 한 것으로 이해되어 왔다. 이러한 전제에서 민족적 자기결정권과 보편적 인권이라는 원칙들 사이에는 잠재적이고 실제 현실화될 수도 있는 충돌이 내재하게 되었다. 국민국가 관념에 대한 역사적·제도적 모순이라는 상황 속에서 아렌트는 시민의 권리를 옹호할 유일한 제도로서 국민국가체제를 인정할 수밖에 없었던 것으로 보인다. 곧, 아렌트가 국민국가라는 틀을 주어진 현실로 수용하면서 기존의 국민국가 모델에만 정초하지 않은 민주적 주권공동체의 가능성에 대한 사유가 멈추고 말았다고 벤하비브는 평가한다.[63]

---

61 S. Benhabib, "International Law and Human Plurality in the Shadow of Totalitarianism," p. 338.

62 S. Benhabib, "International Law and Human Plurality in the Shadow of Totalitarianism," p. 337.

63 세일라 벤하비브, 《타자의 권리》, 92쪽.

민주적 정당성의 역설

벤하비브에게 있어서 칸트는 임시 방문권과 영주권 사이의 간극을 메우지 못했고, 아렌트는 무국적자의 성원권을 보장해야 한다는 처방 외에는 현실 사회에서 실현 가능한 구체적인 대안을 제시하지 못했다.[64] 이러한 이론적·실천적 한계는 이들이 민주적 정당성의 역설 문제를 근본적으로 해결할 수 없었기 때문이라고 할 수 있다.

벤하비브는 이상적인 민주주의 원칙이란 주권체의 모든 구성원들이 인권의 보유자로서 존중받고, 이러한 구성원들이 법의 저자author이자 동시에 법의 지배를 받는 대상subject이 되는 자기지배의 체제를 수립하는 것을 의미한다고 말한다. 곧, 근대적 민주국가에서 시민의 권리는 인간의 권리에 기초하는 것이며, 프랑스의 〈인간과 시민의 권리선언〉에서 알 수 있듯이, 인간의 권리와 시민의 권리는 서로 모순되는 것이 아니라 상호 연관되어 있는 것이다. 민주적 '주권'은 헌법의 실행으로부터만 그 정당성을 획득하는 것이 아니라, 헌법의 실행이 '인권'의 보편적 원칙에 순응되도록 함으로써 획득하는 것이다.[65]

그러나 이러한 인권과 주권의 관계에서 민주적 정당성의 역설paradox of democratic legitimacy 문제가 발생한다. 벤하비브는 '우리, 인민We, the people'이라는 관념이 시공간적으로 한정되며, 공유된 문화 및 역사를 갖는 특정한 인간 공동체를 가리키지만, 이때의 인민은 보편적인 도덕원

---

64 세일라 벤하비브, 《타자의 권리》, 165쪽.

65 S. Benhabib, *Another Cosmopolitanism*, p. 32.

칙에 근거하여 자신을 수립할 수 있게 되는 것이라고 설명한다.[66] 따라서 보편적 인권 주장과 배타적인 특수성을 갖는 문화적·민족적 정체성 사이의 긴장은 민주적 정당성의 태생적인 구성 요소라고 할 수 있다. 이렇듯 근대적 민주국가는 보편적 원칙의 이름으로 작동하지만 특정한 시민적 공동체 내에 한정될 수밖에 없다는 역설적 상황을 하버마스는 "근대국가의 야누스적 얼굴"[67]이라 표현하였다.

민주적 정당성의 역설은 공화주의적 주권이 생명, 자유, 재산과 같은 보편적 인권에 대한 충성을 내용으로 하는 민주적 선약precommitments에 의해 자신의 주권적 의지를 구속시켜야 한다는 것이다.[68] 벤하비브는 이러한 민주적 정당성의 역설이 "자기입법의 모든 행위는 또한 자기구성의 행위every act of self-legislation is also an act of self-constitution"라는 점에서 기인하는 당연한 귀결이라고 말한다.[69] 즉, '우리, 인민'은 자기입법의 행위를 통해 '우리'로서의 스스로를 또한 규정짓게 된다. 자기지배의 원리에 따라 법에 의해 구속되는 공동체는 시민적·영토적 경계를 그리면서 자기 스스로를 정의 내리는 셈이다. 이때 벤하비브는 제국Empire이 변경frontiers을 가진다면 민주국가는 국경borders을 가진다고 말한다.[70] 제국적 지배와 달리 민주적 주권의 의지는 자기지배의 원리가 작동하는,

---

66   S. Benhabib, *Another Cosmopolitanism*, p. 32.

67   J. Habermas, "The European Nation-State: On the Past and Future of Sovereignty and Citizenship," *The Inclusion of the Other: Studies in Political Theory*(C. Cronin, P. D. Greiff(eds.)), MIT Press, 1998, p. 115.

68   S. Benhabib, *Another Cosmopolitanism*, p. 35.

69   S. Benhabib, *Another Cosmopolitanism*, p. 33.

70   S. Benhabib, *Another Cosmopolitanism*, p. 33.

주권적 관할권 아래 놓여 있는 영토까지만 미칠 수 있으며, 이에 따라 민주국가는 국경을 필요로 하게 되고, 이를 통해 주권이 영토적·시민적으로 스스로를 규정하게 되는 것이다.

벤하비브는 이 지점에서 보편적 인권과 민주적 의지 및 자유주의와 민주주의 사이의 역설뿐만 아니라 민주국가 내부의 역설, 곧 민주국가는 자신의 성원권의 경계를 민주적으로 선택하지 못한다는 역설 역시 발견할 수 있다고 말한다.[71] 데모스demos의 모든 구성원들이 데모스가 지배하는 법의 형성에 참여할 수 있는 권리를 가지고 있음을 의미하는 인민주권popular sovereignty은 영토주권territorial sovereignty과 완벽하게 일치된 적이 없다.[72] 그녀는 이러한 역설적 구조가 완전히 해결될 수는 없다 할지라도, 인권과 주권적 자기결정에 대한 이중적 헌신 사이에 이루어지는 지속적인 재협상 및 재반추를 통해 그로 인한 영향이 경감될 수 있을 것이라고 전망한다. 결국 벤하비브는 세계주의적 성원권의 새로운 정치가 성원권, 민주적 목소리, 그리고 영토적 거주 사이의 복잡다단한 관계를 협상하는 데 놓여져 있다고 말한다.[73] 데모스는 특정한 영토적 영역에 대한 지배를 의미하지만, 이 역시 자기-구성의 성찰적 행위들과 관련지어질 수 있으며, 이로 인해 데모스의 경계는 재조정될 수 있는 것이다.[74] 국가 경계를 넘나드는 이주의 상황에서 보편적 인권과 국가주권 간에 발생하는 첨예한 갈등에 대해 벤하비브는 "근대적 국민

---

[71] S. Benhabib, *Another Cosmopolitanism*, p. 35.

[72] S. Benhabib, *Another Cosmopolitanism*, p. 35.

[73] S. Benhabib, *Another Cosmopolitanism*, p. 35.

[74] S. Benhabib, *Another Cosmopolitanism*, p. 36.

국가가 주권과 환대 사이에 걸려 있다"고 표현한 바 있다.[75] 곧, 앞으로의 과제는 자유민주국가가 세계주의적 규범의 확장과 민주적 공동체의 경계성 사이의 역설을 협상할 수 있는 방법을 배워 나가는 것이다.[76] 이때 벤하비브는 주권과 인권의 딜레마적 상황을 민주적 반추를 통한 지속적인 재협상renegotiating의 절차로 해결하고자 한다.

벤하비브의 민주적 반추

'민주적 반추'를 통한 법과 권리의 변주

벤하비브는 민주적 반추democratic iteration 개념을 제안하면서, 보편적인 인권 규범과 민주적인 정치공동체의 주권 간의 상호작용을 설명하고, 이를 통해 민주적 정당성의 역설을 변증시키고자 한다. 곧, 민주적 반추를 통해 보편적 인권과 정치공동체의 특수한 제도들과의 긴장을 조정하고 갈등을 해소할 수 있을 것이라고 전망한 것이다.[77] 이때 벤하비브는 데리다의 언어철학[78]에서 '반추' 개념을 차용하여 설명하고 있다. 데리다의 반추성은 개념이나 상징이 반복적으로 사용될 때, 해당 개념 및 상징의 '본래적' 의미가 그대로 재생산되지 않음을 의미한

---

75 S. Benhabib, *Another Cosmopolitanism*, p. 31.

76 S. Benhabib, *Another Cosmopolitanism*, p. 36.

77 권용혁, 〈열린공동체주의: 국민국가 이후의 공동체론 모색〉, 《사회와 철학》 30, 2015, 277~278쪽.

78 J. Derrida, "Signature, Event, Context," *Limited Inc.*, Northwestern University Press, 1988[1971], p. 90ff.

다. 하나의 용어 내지 개념을 반복하는 과정에서 본래의 사용 내지 의도된 의미의 단순한 복제replica는 생성되지 않으며, 다시 말해 모든 반복 repetition은 변이variation의 한 형태라고 할 수 있다.[79]

하지만 벤하비브는 본래적인 의미의 존재가 언어에서는 성립될 수 없지만, 법이나 제도적 규범에서는 이와 달리 평가될 수 있다는 점을 언급한다. 즉, 법과 제도의 영역에서는 반추의 모든 행위가 권위 있는 선행사건antecedent을 참조하는 것으로 상정할 수 있다는 것이다. 규범의 반추 및 해석은 절대 단순한 반복 행위일 수 없지만, 모든 반추는 권위 있는 원본을 새롭고 상이한 맥락에서 이해하려는 시도를 동반하며, 이를 통해 선행사건은 후행 사용 및 참조를 통해 다시 의미를 부여받게 되는 것이다.[80]

이러한 어원적 바탕에서, 벤하비브는 민주적 반추를 다음과 같이 정의 내린다: "자유민주주의의 공론뿐만 아니라 법적·정치적 제도 전반에 걸쳐, 보편주의적 권리 주장들이 다투어지고 맥락화되며 제기되고 철회되는 공적 논쟁, 토론, 그리고 배움의 복잡한 절차."[81] 이렇듯 민주적 반추는 언어적·법적·문화적·정치적 반복이라고 할 수 있으며, 이를 통해 기존에 수립된 이해를 변화시킬 뿐만 아니라 권위 있는 선례 authoritative precedent에 대해 타당한 것으로 정립된 관점 역시 변형시키게 된다.[82]

---

79 S. Benhabib, "The Rights of Others. Aliens, Residents and Citizens," pp. 14-15.

80 S. Benhabib, *Another Cosmopolitanism*, p. 48.

81 S. Benhabib, *The Rights of Others*, p. 19.

82 S. Benhabib, *The Rights of Others*, p. 180.

벤하비브는 이러한 민주적 반추의 과정을 보여 주는 몇 가지 사례 중 하나로 프랑스 사회의 '히잡 사건l'affaire du foulard'을 재구성함으로써 민주적 반추가 가져온 법적 · 정치적 · 문화적 현상과 집단적 정체성의 재의미화를 설명한다. 공립학교에서 무슬림 여학생들의 히잡 착용을 금지하는 것은 프랑스 공화국의 고유한 세속주의 원칙인 라이시테laïcité와 밀접한 관련이 있다. 프랑스 사회 전반에 걸쳐 이루어진 히잡 착용을 둘러싼 논쟁은 프랑스 공민의 자격이 갖는 의미에 대한 근본적인 물음을 제기했다. 이때 벤하비브는 특히 히잡 사건에서 히잡을 착용한 무슬림 여학생들의 정치적 목소리에 주목한다. 종교적 상징의 의미에 대한 해석을 제공하고 라이시테와 양립 가능한 히잡 착용의 기준을 설정하는 결정은 학교를 비롯한 공식적인 권위에 맡겨져 있었지만, 계속해서 히잡을 착용하고자 했던 여학생들로 인해 히잡 자체의 의미가 종교적 행위에서 문화적 도전이자 정치적 논쟁으로 변모하게 되었다고 벤하비브는 평가한다.[83] 곧, 히잡에 대한 논쟁은 개인의 사적 삶에 머물러 있었던 종교적 상징을 공론 안으로 쟁점화하였고 이를 통해 프랑스 공화주의의 근간이라 할 수 있는 공적 영역과 사적 영역의 명확한 구분이 도전받게 되었다. 히잡이 단순히 종교적인 상징에 머무르는 것이 아니라 정치적 상징으로서 새로운 의미를 부여받게 된 것이다. 히잡을 착용한 여성들이 자신들의 문화적 권리를 주장하는 과정에서, (여성에 대한 착취 및 억압의 이미지가 덧씌워지고 재생산되어 왔던) 히잡이 적극적인 저항으로서의 새로운 의미를 획득하게 되었다는 점에 주목할 필요가 있

---

83   S. Benhabib, *The Rights of Others*, pp. 189-191.

다.[84] 나아가 히잡 착용 담론이 전개되면서, 무슬림 여학생들은 무슬림 여성으로서의 자기 정체성 이해에서도 변화를 경험하였다. 공적 논쟁에 참여하는 정치적 행위자들은 이러한 과정 자체를 통해 자기이해의 변화를 경험하게 된다.[85] 결론적으로 무슬림 여학생들은 자신이 종교적 상징을 착용할 권리가 있음을 공식적으로 주장하면서 억압되고 소외된 무슬림 여성에 대한 이미지를 내외적으로 재해석할 수 있게 되었고, 프랑스 사회는 자신의 공화국적 가치와 내부에 존재하는 타자의 종교적 가치를 대하는 방식에 대해 성찰하는 계기를 갖게 되었다. 이렇듯 쌍방향의 변증이 이루어지는 절차가 바로 민주적 반추이다. 결국 벤하비브가 히잡 사건을 통해 보여 주려 한 것은 정체성과 그 상징들, 그리고 인권의 의미가 재배치되고 새로운 의미를 나타내는 방식에 대한 것이며,[86] 그녀는 이를 "권리와 정체성의 변증"이라 일컫는다.

벤하비브에게 민주적 반추란 세계주의적 규범과 민주적 다수의 의지 사이의 관계를 분석하기 위해 제시된 모델이며, 보편적인 규범적 가치가 개별 특수한 상황에 적용되는 의사소통적 절차를 의미한다고 할 수 있다. 세계주의적 규범은 매번 상이한 맥락 속에서 이해되고 설명되며 이를 통해 새로운 의미를 갖게 되는 것이다.

성원권의 민주적 절차와 우선출입의 권리 및 다공성의 국경

정치적 성원권 문제는 근대적 국민국가에서 보편적 인권과 민주적

---

84 S. Benhabib, *The Rights of Others*, p. 209.

85 S. Benhabib, *Another Cosmopolitanism*, p. 67.

86 J.-A. Cilliers, *The Refugee as Citizen*, p. 104.

주권이 민주적 반추 절차를 통해 내적으로 재구성되는 국면을 가장 잘 드러내 보여 주는 쟁점이다. 벤하비브는 "현존하는 정치체제에 외국인과 이방인 · 이민자 · 신입자 · 난민 · 망명자들이 어떻게 편입되는가를 다루는 원칙과 관행"을 정치적 성원권으로 이해한다.[87] 그녀는 난민 · 망명자 · 이주민 등에 대한 정의로운 성원권just membership의 구체적인 구상을 제시하면서, 성원과 비성원을 구별하고 포함과 배제의 기준으로 작용하고 있는 정치적 공동체의 경계를 새로이 성찰하고자 한다.

먼저 벤하비브는 '우선출입의 권리right to first-admittance'[88]가 보장되어야 함을 주장한다. 우선출입의 권리를 보유하는, 국경에서 보호를 요청하는 사람들은 해당 국가로부터 거부될 수 없으며 망명을 비롯한 일련의 주장과 관련된 절차가 진행되어야 한다.[89] 곧, 정치적 성원인지 여부와 무관하게 인간으로서 양도할 수 없는 권리를 가지는 법적 인격legal person임을 보장하여야 한다.[90] 우선출입의 권리는 망명을 구하는 이들을 거부하지 않아야 할 수신국의 의무 차원뿐만 아니라, 망명을 구하는 모든 이들이 수신국으로부터 일련의 보호를 받을 권리의 차원 역시 조명한다는 점에서 의의가 있다.

물론 우선출입이 자동적인 성원권을 의미하는 것은 아님을 벤하비브는 분명히 확인하고 있다.[91] 즉, 난민과 망명자들의 임시 입국에 대한

---

87 세일라 벤하비브, 《타자의 권리》, 23~24쪽.

88 S. Benhabib, *The Rights of Others*, p. 177.

89 M. Joormann, *Legitimized Refugees: A Critical Investigation of Legitimacy Claims within the Precedents of Swedish Asylum Law*, Lund University, 2019, p. 103.

90 세일라 벤하비브, 《타자의 권리》, 25~26쪽.

91 S. Benhabib, *The Rights of Others*, p. 177.

도덕적 요청을 인정하고 있지만, 그녀가 국경 없는 민주주의를 옹호하는 것은 아니다. 벤하비브는 국가 국경의 존재가 여전히 유효함을 인정하면서, 이방인들에 대해 다공성의 국경porous borders 정책이 마련되어야 한다고 역설한다.

> 나는 열려 있다기보다는 다공성의 국경을 지지한다; 나는 난민과 망명을 구하는 자들을 위한 우선출입권을 옹호하지만, 우선출입을 완전한 성원권으로 전환할지 여부를 규율하는 민주적 정치공동체의 권리 역시 승인한다; 나는 또한 귀화를 관할하는 법이 인권 규범에 종속되어야 한다고 주장하면서, 귀화를 허용하지 말아야 하고 외국인에게 궁극적인 시민권을 금지해야 한다는, 주권국 사람들의 주장을 거부한다. 누군가에게 이러한 제안은 정처 없는 세계주의의 방향으로 지나치게 나아간 것이고, 다른 누군가에겐 충분히 더 나아가지 못한 것일 수도 있다.[92]

다시 말해, 벤하비브에게 있어서 국경은 닫힌 것도 아니지만 완전히 열려 있는 것도 아니다. 국경은 투과될 수 있는 다공성을 가지며, 이로 인해 수신국의 국경에 도달하거나 이를 건너고자 할 때, 이방인들은 망명을 비롯한 일련의 보호 조치를 요청할 수 있게 된다. 물론 벤하비브의 우선출입의 권리와 다공성의 국경 개념은 합법적인 난민과 불법적인 체류자, 그리고 이들 중 누구에게 해당 국가의 성원권을 인정할 것인지의 문제에 대해서는 여전히 분명한 답을 내려 주고 있지 않지만,[93]

---

92 S. Benhabib, *The Rights of Others*, pp. 220-221.

93 M. Joormann, *Legitimized Refugees*, p. 104.

그녀는 이를 대화이론을 바탕으로 한 민주적 절차를 통해 논하고자 한다. 곧, 벤하비브가 말하는 수용적이고 다공적인 국경은 영토적인 경계로 성원과 비성원을 가르는 것이 아니라, 성원권의 문제를 민주적 대화 절차를 통해 결정하도록 함으로써 구체적으로 실현된다.

벤하비브는 의사소통적 자유에 기초한 기본적 인권이 인권으로서의 성원권을 정당화할 수 있음을 주장하면서, 이러한 의사소통이 펼쳐지는 성원권의 민주적 절차에 대한 구상을 제시한다.[94] 이를 위해 벤하비브는 먼저 이주를 자유주의적 전통의 보편적 인권으로서 승인하고, 이를 바탕으로 해당 국가가 이방인의 입국을 차단할 수 없는 도덕적 정당성의 근거를 설명한다. 또한 입국이 이루어진 이후 해당 국가는 국적 박탈을 금지해야 되는 것과 동시에 인권으로서 성원권을 부여해야 할 의무를 부여받는다고 주장한다. 대화이론의 관점에서 이러한 주장은 "만약 당신과 내가 상호 간에 도덕적인 대화의 틀을 받아들이기로 한다면, 그리고 만약 내가 당신은 갖지 못한 한 국가의 성원권을 가진 자이되 당신 역시 그 성원권을 얻고자 한다면, 이때 당신의 성원권을 거부하기 위해서는 내가 당신에게 왜 당신이 우리 사회에 가입하여 우리들과 함께할 수 없는지에 대해 우리 둘 모두가 받아들일 수 있는 합당한 이유를 제시해야 한다"로 정리될 수 있다.[95] 이때 민족 · 종교 · 인종 · 언어와 같은 생득적 속성은 성원권 부여를 거부하기 위해 상호적으로 수용할 수 있는 합당한 이유가 될 수 없다. 벤하비브에게 있어서 문화적 통일성과 정치적 통일성은 구별되는 개념이며, 문화를 정치 영역으

---

94 세일라 벤하비브, 《타자의 권리》, 165~174쪽.
95 세일라 벤하비브, 《타자의 권리》, 169쪽.

로 포섭 내지 환원해서는 안 된다.[96] 다만 벤하비브는 성원이 되기 위해 일정한 자질이나 기술 또는 자원을 갖출 것을 요구하는 기준들은 (물론 이때에도 체류 기간, 언어 능력 등의 기준이 수용국의 입장에서 남용될 수 있는 위험성을 언급하고는 있지만) 의사소통적 자유의 행사라는 보편적인 능력을 거부하는 것이 아니기 때문에 허용될 수 있다고 말한다. 이와 더불어 외국인의 귀화 조건 역시 자의적으로 집행되지 않도록 명백하게 조문화되어 공개되어야 하며, 이에 대한 이의 절차 역시 보장되어야 한다고 말한다. 이와 같이 보편주의적 대화이론에 바탕을 둔 성원권 정치의 관점에서 볼 때, 난민을 비롯한 이방인에 대해 그 어떠한 절차도 주어지지 않는 것은 도덕적으로 지탄받아야 하는 것이 된다.

나아가 대화이론의 관점에서 볼 때, 원칙적으로 해당 결정으로 인해 영향을 받는 모든 이들이 성원권의 경계를 설정하는 절차에 참여할 수 있어야 한다는 전제를 최대한 충족할 수 있어야 할 것이다. 특히 난민과 같이 기존의 공식적인 입법 절차를 통해 대변될 수 없었던 이방인의 성원권 정치에 있어서는, 이들의 주장 역시 민주적 절차에 담길 수 있는 가능성을 제공해야 한다는 당위적 요청이 더욱 강조된다고 하겠다.[97] 대화이론 및 숙의민주주의가 마주하는 중요한 쟁점 중 하나는 바로 대화의 범주를 설정하는 것에 대한 것이다. 대화이론은 보편주의적인 도덕 관점에서 출발하며, 그 범주는 (잠재적으로) 모든 휴머니티를 포함한다. 곧, 나의 행동에 이해관계를 가지고 있거나 나의 행동으로

---

96 최성환, 〈다문화 인간학의 정초를 위한 시론〉, 《다문화콘텐츠연구》 25, 2017, 172쪽.

97 M. Fauser, "Transnational Migration: A National Security Risk? Securitization of Migration Policies in Germany, Spain and the United Kingdom," *Reports & Analyses*, 2/06, Center for International Relations, 2006, p. 13.

인해 영향을 받는 모든 이들은, 우리가 도덕적 행위자로서 참여하는 대화 절차에서 잠재적인 상대방이 된다.[98] 때문에 나는 대화 상대자에게 나의 행동을 정당화해야 할 도덕적 의무를 지게 된다.[99] 그러나 성원권 관련 규범이 결정되는 데 있어서, 배제된 이방인들은 (그 규범이 자신들에게 분명하게 영향을 미치고 있음에도 불구하고) 애초에 해당 절차에 참여할 수 없었다는 점에 근본적인 한계가 있다. 내부인과 외부인 및 시민과 비시민을 구별 지음으로써, 성원권 기준은 배제되는 이들에게 자동적으로 영향을 주게 되지만, 이러한 규범들이 형성되는 절차에 이들은 포함되어 있지 않다.[100] 이방인의 권리를 논하는 데 있어서 '포함과 배제의 역학', 곧 국민국가라는 정치공동체가 형성되고 해당 공동체의 정체성 및 규범이 결정됨에 따라 누군가가 자동적으로 배제될 수밖에 없다는 역설은 가장 기본적인 상황적 전제가 된다. 이러한 문제를 근본적으로 해결하지 않는다면 대화이론이 성원권과 관련된 맥락에서 관계가 없거나, 정당화될 수 있는 배제의 기준을 정하는 데 무력하거나, 기존의 배제 관행을 도덕적으로 중립적인 역사적 수반물로서 수용할 수밖에 없음을 함축하고 있는 셈이 된다.[101]

특정 정치공동체에서 기존의 절차는 도덕적으로 중립적이지 않으며, 때문에 성원권 관련 기준을 그대로 수용하는 것이 아니라 포함되는 자들과 배제되는 자들의 숙의적 절차를 통해 다시금 의문시되고 또다시

---

98   J.-A. Cilliers, *The Refugee as Citizen*, p. 98.

99   S. Benhabib, *Another Cosmopolitanism*, p. 18.

100   J.-A. Cilliers, *The Refugee as Citizen*, p. 98.

101   S. Benhabib, *Another Cosmopolitanism*, p. 19.

적용되어야 한다.[102] 이는 배제된 이들이 성원권 기준을 결정하는 절차에 본래부터 참여하지 않았다는 바로 그 사실로 인해 발생한 간극을 메운다는 의미를 가진다. 성원권은 확정된 것으로 이해되어서는 안 되며, 데모스는 원칙적으로 한정되어 있는 것이 아니기에 이전에 배제되었던 이들에게도 연장될 수 있어야 한다. 이러한 맥락에서 벤하비브는 성원과 비성원 간의 대화를 규율하고 성원권의 기존 규범을 정당화하거나 변경시킬 수 있는 가능성을 열기 위해 '민주적 반추' 절차를 제안한 것이다. 배제되는 자가 포함과 배제의 규칙을 정하는 데 참여할 수 없다는 역설을 당장 해소할 수는 없지만, 지속적이며 다층적인 민주적 반추를 통해 이러한 차이를 유연하고 협상 가능한 것으로 만들 수 있으며, 이는 해당 국가의 정치적 반성 역량을 평가하는 실질적 기준이 될 것이다.[103] 즉, 민주적 반추의 과정은 우리로 하여금 우리 안의 타자를 다루는 규범적 태도를 갖출 수 있도록 한다.

민주적 반추와 아포리아의 생성적 가능성

벤하비브는 세계주의적 규범과 민주적 절차의 상호관련성을 강조하면서 이들이 관련을 맺는 일련의 과정을 설명한다. 벤하비브는 타자성과의 대화dialogue with otherness가 이루어지도록 하는 대화적 보편주의dialogical universalism를 통해 보편주의와 다원주의가 양립 가능할 것으로

---

102 J.-A. Cilliers, *The Refugee as Citizen*, p. 98.

103 서윤호, 〈이주사회에서 이주노동자의 권리보호〉, 《일감법학》 26, 2013, 229~230쪽.

전망한다.[104] 나아가 다양한 층위에서 이루어지는 민주적 반추의 지속적인 과정을 통해 우리와 타자를 가르는 구분 기준이 느슨해질 때 탈국가적인 세계시민적 연대가 가능해진다고 말한다.[105] 곧, 그녀는 민주적 반추의 절차를 통해서 '우리'와 '그들', '시민'과 '외국인'의 구별이 유동적이고 협상 가능하다고 주장한다.[106] 소수자 집단·난민·망명자 등 "지배적인 문화에 대한 기억과 도덕 관념을 공유하지 않는 타자들"[107]의 존재를 끊임없이 마주하면서, 민주적 정치공동체에서 도덕적 보편주의를 재구성 및 재해석할 수 있는 가능성이 열리게 된다. 결국 민주적 반추는 우리로 하여금 끊임없이 우리가 누구인지를 재정의하도록 하고, 데모스의 모습을 변화시킬 수 있게 한다. 데모스의 정체성은 정의되고, 재협상되고, 경계 지어지고, 흐트러지고, 또다시 한정되고, 유동적이 된다.[108] 이러한 맥락에서 성원권의 정치야말로 법생성적 정치의 장소라고 할 수 있다. 다만 벤하비브는 민주적 의지 형성의 절차에 의존적일 수밖에 없기 때문에 모든 법생성적 정치가 긍정적인 결과를 가져오는 것은 아니라고 밝힌다.[109] 법생성적 정치는 목적론적 정치가 아니기에 특정한 법 자체를 만들어 내는 데 목표를 두는 것이 아니며, 민주적 의지를 뒷받침하는 원칙과 규범이 새로운 의미론적 맥락에 투과할 수 있

---

104 S. Benhabib, *Another Cosmopolitanism*, pp. 18-20, 23-24.

105 김진희, 〈브렉시트 시대 영국의 세계시민교육 위축과 사회적 균열: 한국의 통일교육에 주는 시사점〉, 《한국도덕윤리과교육학회 학술대회 자료집》, 2018년 8월, 418~419쪽.

106 S. Benhabib, *The Rights of Others*, p. 21.

107 S. Benhabib, *The Rights of Others*, p. 212.

108 S. Benhabib, *The Rights of Others*, p. 178.

109 S. Benhabib, *Another Cosmopolitanism*, p. 49.

게 되어 보편적 권리의 의미를 수렴할 수 있는 가능성을 여는 순간을 개념화하기 위한 절차로 이해하는 것이 바람직하다는 것이다.[110] 즉, 변화가능성variability에 대한 사유를 가능하게 한다는 점에서 그 주된 의의를 발견할 수 있다.

이는 타자에 대한 '환대의 윤리'의 맥락에서도 설명될 수 있다. 데리다에게 있어서 환대의 윤리는 낯선 곳에 새로이 당도한 이방인들에게 이름도 물어보지 않고, 보상도 요구하지 않으며, 아주 작은 조건의 충족도 요청하지 않은 채 집을 제공하는 것인 반면, 환대의 정치는 항상 조건적인 권리와 법을 말한다.[111] 데리다는 환대의 정치, 즉 조건적 환대의 한계를 지적하면서 무조건적 환대 개념을 제안하고 있다. 조건적 환대는 세계주의적 권리의 행사를 승인하면서도 동시에 거부하는 국민국가의 역설적 상황을 잘 설명해 준다. 조건적 환대와 무조건적 환대는 절대 일치되거나 포개어질 수 없지만, 서로가 서로를 필요로 하는 독특한 관계 속에 놓여 있다. 무조건적 환대가 실현된다면 환대를 베풀 수 있는 가능 조건이 사라지며, 무조건적 환대의 가능성을 외면하고 기존의 조건에 근거한 환대만 이루어진다면 타자성과의 조우를 통한 변화의 가능성이 제거되고 만다. 따라서 앞으로의 과제는 조건적 환대와 무조건적 환대라는 아포리아aporia의 존재를 인식하고, 그 간극을 메우기 위한 지속적인 노력을 수행하는 실천으로서 환대의 가치를 이해하는 것이다. 곧, 조건적 환대로서 법은 무조건적 환대를 지향하는 정치적 실천을 지속적으로 수행해야 한다. 무조건적 환대가 가져오는 아포

110 S. Benhabib, *Another Cosmopolitanism*, p. 50.
111 J. Derrida, *Of Hospitality*, Stanford University Press, 2000, p. 77.

리아적 상황은 주인과 손님, 시민과 이주민의 지위를 절대적이거나 고정적인 것으로 바라보지 않고 서로의 정체성이 변화될 가능성을 열어 준다. 조건적 환대와 무조건적 환대의 아포리아가 가져오는 생성적 가능성은 자기와 타자 사이의 경계가 허물어짐을 통해 열리게 되며, 이때 환대는 우리와 타자가 주인과 손님으로서의 정체성을 재구성해 가는 과정으로 이해될 수 있다.[112]

벤하비브의 아포리아적 사유는 그녀가 말한 '또 다른 세계주의another cosmopolitanism'에서도 잘 드러난다.

> 세계시민사회 내에서 민주적 반추 투쟁들의 상호 맞물림과 (잠재적인 공동시민cocitizen으로서 타자를 인정하는 환대의 보편적 권리를 포함한) 국경을 넘어서는 연대들의 창출은 또 다른 세계주의—도래할 세계주의a cosmopolitanism to come를 기대한다.[113]

곧, 아직 도래하지 않은 세계주의에 대한 꿈을 꿀 수 있도록 하는 (보편적 인권과 민주적 주권, 자기와 타자, 성원과 비성원 사이에 놓여진) 아포리아를 인식하고, 정치공동체가 포용적인 가능성을 열 수 있도록 민주적 반추의 절차를 끊임없이 지속해야 하는 것이다.

---

112 이병하, 〈난민 위기의 원인과 해결책 그리고 환대의 윤리〉, 《국제정치논총》 57(4), 2017, 228쪽.

113 S. Benhabib, *Another Cosmopolitanism*, p. 177.

윤리적 경계boundaries가 아닌 절차적 국경borders으로의 전향

벤하비브는 세계주의 시대에서 시민권 개념과 타자의 권리를 다루려면 우리에게 새로운 규범적 지도가 필요함을 역설하면서 포스트-베스트팔렌 시대에 적합한 철학적 사유를 요청한다. 그녀는 국민국가체제를 부정하지 않으면서도 국가중심적인 국제질서를 넘어서는 세계주의에 대한 지향점을 통해, 궁극적으로 보편적 인권과 민주적 주권 사이의 교착상태를 극복하고자 한다. 이를 위해 벤하비브는 세계주의적이고 보편주의적인 규범들이 특수한 맥락에 적용되는 법생성적 절차로서 민주적 반추를 제안한다. 민주적 반추는 기존의 데모스 및 성원권 이해를 변화시킬 가능성을 열며, 이러한 절차를 통해 이방인들 역시 자신들의 권리를 주장하고 보호를 요구하며 해당 국가의 민주적 절차에 참여할 수 있는 가능성이 열리게 된다.

민주적 반추는 개인들로 하여금 지역적 수준에서 탈국가적 수준에 이르기까지 다양한 수준에 위치하는 공동체의 구성원이 될 수 있도록 함으로써 새로운 성원권의 창출과 지속을 가능케 할 것이다. 데모스는 영토적 경계에만 그 기초를 두어서는 안 되며 민주적 반추의 절차를 통해 지속적으로 정당화되어야 한다. 데모스가 문화적 내지 윤리적 경계에 한정된 것이 아니기에, 데모스의 정체성을 정의 내리는 것은 헌법적 자기-창조constitutional self-creation가 지속적으로 이루어지는 절차여야 한다.[114] 또한 국경은 확정된 것이 아니라 적어도 비형체적인non-physical 것

---

114 S. Benhabib, *The Rights of Others*, p. 177.

으로 이해될 필요가 있다.[115] 이주에 대한 도덕적 지평을 다룬 벤하비브의 논의는 좀 더 포용적인inclusive 국경 개념에 기초한 이주 관련 정책이 형성될 수 있도록 하는 인식의 전환을 이끌 수 있을 것이다. 이러한 맥락에서 벤하비브는 "건전한 자유민주주의에서는 느슨한 국경이 현존의 민주적 다양성을 해치는 것이 아니라 풍요롭게 해 준다"고 역설하고 있다.[116]

벤하비브의 세계주의 이해는 (그 이론적·실천적 한계가 추가로 논의되어야 하지만) 이방인의 권리를 둘러싼 핵심 쟁점들을 이와 관련된 철학적·사상적 전통에 근거를 두고 현재의 시대 상황적 맥락에 적합하게 확장·발전시켰다는 점에서 그 의의가 있다. 세계시민으로서 인간의 권리, 보편적 인권으로서 초국가적 이주의 권리, 휴머니티의 인권과 구성원의 성원권이 갖는 상호관련성, 에스노스Ethnos가 아닌 데모스에 기초한 시민권, 일방적이거나 자기규정적이지 않은 시민적 권리, 데모스 및 성원권 이해를 유연하게 하는 민주적 대화 절차에 대한 일련의 논의들은, 모든 휴머니티로 연장되는 보편주의적인 세계주의적 권리와 민주적 헌정질서 내의 시민적 권리가 공존할 수 있는 방향성을 제시하고, 이를 통해 시혜적 대상이 아닌 권리의 주체로서 이방인의 지위가 재해석될 가능성을 열어 준다.

115 J.-A. Cilliers, *The Refugee as Citizen*, p. 102.
116 세일라 벤하비브, 《타자의 권리》, 150쪽.

참고문헌

세일라 벤하비브, 《타자의 권리: 외국인, 거류민, 그리고 시민》, 이상훈 옮김, 철학과
　　현실사, 2008.

권용혁, 〈열린공동체주의: 국민국가 이후의 공동체론 모색〉, 《사회와 철학》 30, 2015.
남중권, 〈외국인의 헌법적 지위: 국민과 외국인 구별의 헌법적 의미〉, 《법학연구》
　　58(1), 2017.
서윤호, 〈이주사회에서 이주노동자의 권리보호〉, 《일감법학》 26, 2013.
이병하, 〈난민 위기의 원인과 해결책 그리고 환대의 윤리〉, 《국제정치논총》 57(4),
　　2017.
최성환, 〈다문화 인간학의 정초를 위한 시론〉, 《다문화콘텐츠연구》 25, 2017.

E. Carmel, A. Cerami, T. Papadopoulos(eds.), *Migration and Welfare in the New
　　Europe: Social Protection and the Challenges of Integration*, The Policy Press,
　　2011.

H. Arendt, *The Origins of Totalitarianism*, Schocken Books, 2004.

J. Derrida, *Of Hospitality*, Stanford University Press, 2000.

J.-A. Cilliers, *The Refugee as Citizen: The Possibility of Political Membership in a
　　Cosmopolitan World*, Stellenbosch University, 2014.

M. Joormann, *Legitimized Refugees: A Critical Investigation of Legitimacy Claims
　　within the Precedents of Swedish Asylum Law*, Lund University, 2019.

S. Benhabib, *The Rights of Others: Aliens, Residents, and Citizens*, Cambridge
　　University Press, 2004.

S. Benhabib, *Another Cosmopolitanism*, Oxford University Press, 2006.

A. F. H. Castro, "Antigone Claimed: "I am a Stranger!" Political Theory and the
　　Figure of the Stranger," *Hypatia* 28-2, 2013.

F. Dallmayr, "Cosmopolitanism: In Search of Cosmos," *Ethics & Global Politics*

5-3, 2012.

J. Resnik, "Law's Migration: American Exceptionalism, Silent Dialogues, and Federalism's Multiple Points of Entry," *Yale Law Journal* 115, 2006.

S. Benhabib, "Citizens, Residents, and Aliens in a Changing World: Political Membership in the Global Era," *Social Research* 66-3, 1999.

S. Benhabib, "Transformations of Citizenship: The Case of Contemporary Europe," *Government and Opposition* 37-4, 2002.

S. Benhabib, "The Rights of Others. Aliens, Residents and Citizens," Conference on 'Migrants, Nations and Citizenship', CRASSH, July 5-7, 2004.

S. Benhabib, "Borders, Boundaries, and Citizenship," *Political Science and Politics* 38-4, 2005.

S. Benhabib, "Another Universalism: On the Unity and Diversity of Human Rights," *Proceedings and Addresses of the American Philosophical Association* 81-2, 2007.

S. Benhabib, "Cosmopolitanism and Democracy: Affinities and Tensions," *The Hedgehog Review* 11-3, 2009.

S. Benhabib, "International Law and Human Plurality in the Shadow of Totalitarianism: Hannah Arendt and Raphael Lemkin," *Constellations* 16-2, 2009.

경계 위의 인권
: 난민 문학의 인권 담론

김경민

이 글은 《법과 사회》 제63호(2020)에 게재된 원고를 수정 및 보완하여 재수록한 것이다.

인간과 국민, 그 사이의 인권

　오늘날 우리가 말하는 '인권'이 천부인권의 개념이 아니라 근대국가의 탄생과 함께 만들어진 시민권 개념에 기반하고 있다는 사실은 이미 공언된 바다.[1] 시민권은 국가라는 정치기구와 제도 속에서 법적이고 현실적인 형태로 실현된 것으로, 자국 국민에게만 부여되는 것이기에 제한적이고 배타적인 성격을 띤다. 대한민국 헌법에서도 인권과 기본권에 관한 조항은 모두 권리와 의무의 주체를 '국민'으로 규정하고 있다. 인간의 존엄과 가치, 행복추구권을 명시하고 있는 헌법 제10조 "모든 국민은 인간으로서의 존엄과 가치를 가지며, 행복을 추구할 권리를 가진다. 국가는 개인이 가지는 불가침의 기본적 인권을 확인하고 이를 보장할 의무를 진다"를 비롯해 법 앞에서의 평등과 신체의 자유, 거주 이전의 자유, 직업 선택의 자유, 사생활의 자유, 종교와 양심의 자유 등을 규정하는 법 조항은 모두 대한민국 '국민'을 주체로 삼고 있다.[2]

---

[1]　근대 시민사회가 발전하면서 계몽사상가들은 신이 내려 준 고정불변의 질서 대신에 인간 스스로 만들어 가는 세속적인 사회·정치질서를 형성하려고 했다. 이들은 인간이 태어날 때부터 다른 사람에게 양보하거나 포기할 수 없는 권리를 지니며 이것이 세속적인 질서의 전제이자 토대가 된다고 생각했다. … 현실적으로 인간의 권리를 보장하기 시작한 것은 미국의 독립전쟁과 프랑스혁명으로 근대국가가 탄생하면서부터였다. 시민혁명은 절대주의 왕국을 무너뜨리고 그 위에 계몽주의자들의 인권 사상을 수용해 새로운 헌법, 정부, 국가를 만들었고 이렇게 만들어진 입헌 근대국가가 인권을 보장했다. 하지만 근대국가는 특정한 지역에 사는 특정한 시민들의 권리만을 보장했을 뿐 보편적인 인간의 권리까지는 보장하지 못했다. 따라서 현실 역사에서 인권은 시민권의 형태로 실현되었다.(최현,《인권》, 책세상, 2008, 14~15쪽)

[2]　여전히 헌법을 비롯한 상당수의 법 조항에서 권리의 주체는 '국민'으로 표기되어 있지만, 최근 진행된 여러 판결에서는 이를 단순히 축어적으로만 해석해 대한민국 국민으로 제한하지 않고 더 넓은 범위로 확대하여 적용한 사례가 적지 않다.

이렇게 배타적인 특성으로 인해 국경을 넘어서는 순간 시민권으로서의 인권은 위협받을 수밖에 없다. 북한이탈주민, 재중동포, 이주노동자, 결혼이주여성들이 그러하다. 북한이탈주민과 결혼이주여성은 비록 대한민국 국적은 취득했으나 여전히 우리 사회에서 타자로 살아가는 사람들이며, 재중동포와 이주노동자는 그야말로 비국민의 자격으로 살아가는 사람들이다. 모든 시대의 문학이 그러했듯, 문학은 소외되고 배제된 이들의 삶에 관심을 갖기 시작했고, 이들을 소재로 한 문학작품과 그에 관한 연구가 이미 꽤 많이 이루어진 상태다.

이처럼 국경이라는 경계를 넘어 우리 사회에 들어와 있는 이방인들의 삶과 그들의 인권이 적지 않은 주목을 받고 있지만, 그럼에도 불구하고 여전히 소외되고 배제된 존재가 있다. 바로 난민이다. 불과 얼마 전까지 난민 문제는 우리와는 전혀 무관한 것이었다. 2018년 제주에 예멘 난민들이 대거 들어오기 전까지 우리에게 난민은 멀리 유럽 국가들에서나 골칫거리인 문제, 그야말로 강 건너 불구경에 지나지 않았다. 다시 말해 난민은 호불호, 찬성과 반대를 논할 수 없을 정도로 낯설고 생소한 대상, 더 나아가 그럴 필요조차 없는 관심 밖의 대상이었던 것이다. 이러한 무관심은 문학 창작과 연구에서도 다르지 않았다. 1992년 '난민협약'과 '난민의정서'에 가입했고, 1994년 난민 관련 규정을 만들었으며, 2001년에 1997년 한국에 들어온 에티오피아 출신 데레세가 첫 번째 난민으로 인정되었다. 그로부터 20년의 시간이 흘렀지만 사회적 약자와 소수자들에게 먼저 관심을 보이던 문학조차 난민이라는 화두에는 선뜻 다가가지 못하고 있는 것이다.[3]

---

3 난민을 소재로 한 작품이 없으니 문학연구는 당연히 빈곤한 수준이다. 기존의 문학연구

우리 사회에 들어와 있는 난민을 대상으로 한 소설로는 표명희의 장편소설《어느 날 난민》과 최인석의 단편소설 〈스페인 난민수용소〉 정도가 눈에 띈다. 물론 이 두 편의 텍스트만으로 난민에 관한 문학적 상상력을 논하는 것은 충분하지 않다. 그러나 두 편의 소설을 살펴보는 이 글이 난민을 향한 현재 우리의 시선은 어떠한지, 난민을 이야기하는 문학적 상상력의 수준은 어떠한지를 가늠하고, 더 나아가 난민과 같이 경계 위에 놓인 이들의 인권을 이야기하는 데 있어 문학적 상상력의 역할을 고민하고 그것이 나아갈 방향을 모색하는 첫 걸음 정도는 충분히 될 수 있을 것이다.

고유명사 '찬드라' vs. 보통명사 '난민'

북한이탈주민, 이주노동자, 재중동포와 같은 경계인들에 비해 난민은 아직도 우리에게 낯선 대상이다. 앞서의 경계인들을 향한 우리의 심리가 차별과 무시, 비하와 같은 것이라면 난민을 향한 우리의 반응은 낯설고 이질적인 것에 대한 막연한 두려움과 불안처럼 좀 더 원시적이고 본능적인 감정에 가깝다. 낯선 대상을 향한 원초적 두려움과 불안 심리는 무엇보다 그 대상에 대한 정보가 부족하기 때문에 발생한다. 대한민국은 1994년부터 난민 신청을 받기 시작했지만 우리는 여전히 그들에 대

들 가운데 '난민'을 키워드로 하는 것들은 대부분 난민을 한 곳에 정착하지 못하고 떠도는 사람들을 가리키는 비유적이고 상징적인 수사로만 사용할 뿐, 2018년 제주에 들어온 수많은 예멘인들과 같은 사람들을 가리키는 뜻으로 사용하는 논의는 전무하다.

해 아는 바가 없다. 그들에 대해 아는 것이라고는 단편적이고 왜곡된 정보가 대부분이라, 사실상 무지한 상태라 해도 과언이 아니다. 그럴 수밖에 없는 것이 우리가 난민에 대해 접하는 정보는 이따금씩 뉴스를 통해 접하는 정형화된 이미지, 그것도 모자이크와 음성변조, 번역된 자막 몇 줄로 전해지는 이야기나 각종 언론과 SNS상에 떠도는 출처를 확인할 수 없는 전언이 전부다.[4] 심지어 그런 자료들은 '제주 예멘 난민신청자 484명, 난민인정자 2명, 인도적 체류허가 412명'과 같이 낯선 용어나 숫자, 복잡하고 전문적인 표현들로 포장되어 있는 경우가 대부분이다.

이런 이유로, 우리는 이들에 대해 알고 있는 것이 거의 없다. 이들이 누구인지, 어디에서 왔는지, 왜 가족과 고향을 떠나 이곳까지 왔는지에 대해 이들에게 직접 물어볼 기회조차 없었던 것이다. 이렇게 제한된 소수의 정보에 의존해 형성된 시선은 왜곡되고 편협할 수밖에 없다. 자신이 사는 동네에 난민센터가 들어선다는 말에 동네 주민들이 내건 플래카

---

[4] "난민들은 자신들을 수용해 준 나라의 여자를 유인하여 성적 착취를 시도하거나 그 나라 자국민들을 업신여기며 그들의 목숨을 빼앗기도 한다", "난민 때문에 치안이 안전해질 수 없는 것이 지금 유럽의 현실이고, 지금 현재 대한민국에 닥친 현실이다"와 같은 내용, 2015년 12월 독일 쾰른에서 발생한 이주민에 의한 집단성희롱 사건 등 일부 범죄 사건을 전면에 내세우며 난민을 잠재적 범죄자로 단정하는 내용의 뉴스 기사와 유튜브 방송을 어렵지 않게 접할 수 있다. 당연히 이는 사실과 다르다. 단적인 예로 제주에 예멘 난민 500여 명이 들어왔을 때 이들로 인한 범죄 사건은 단 한 건도 없었다. 예멘 난민과 관련한 112 신고는 총 7건(소란 행위 2건, 응급환자 3건, 지리 안내 1건, 생활고 1건)이 전부였으며, 오히려 예멘인 난민신청자가 현금이 든 지갑을 습득해 경찰에 신고한 사례도 있다. 유럽 난민들에 대한 기사 또한 언론에 의해 선택적으로 보도되고 과장된 것이 대부분이다. 독일 쾰른 사건은 극히 일부 사건의 하나일 뿐, 실제로 2014년과 2015년에 독일의 난민 수가 440퍼센트 증가하는 동안 난민에 의한 범죄율 증가는 79퍼센트에 그칠 정도로 통계상 난민과 범죄의 상관관계가 낮은 편이라는 것이 이미 많은 연구에 의해 증명되고 있다. (민주언론시민연합, 〈사실 기반하지 않은 난민에 대한 편견 넘쳐나는 유튜브〉, 《미디어오늘》 2019년 12월 27일자. http://www.mediatoday.co.kr/news/articleView.html?idxno=204376)

드에 적힌 "난민은 잠재적 테러리스트! 세금 갉아먹는 불청객"[5]과 같은 표현과, "국민은 예멘 난민 반대한다. 국민이 먼저다", "외국인 인권보다 우리 국민 먹고사는 게 더 급함!"과 같은 표현이 넘쳐나는 청와대 국민청원게시판의 의견들은 난민을 향한 지금 우리의 시선이 어떠한지를 여실히 보여 준다. 이렇듯 처음에는 낯설고 생소하기만 했던 존재인 난민은 점차 우리에게 인간이 아니라 괴물, 즉 비인非人으로 인식되고 있다.

문제는 이 '괴물들'이 우리와 함께 살기를 희망한다는 것이다. 더 나아가 비인으로 취급되었던 이들이 인간으로서 최소한의 권리와 자격을 요구하고 있다. 따라서 이제 이들을 마냥 부정하거나 모른 척할 수 없게 되었다. 이들의 요구에 대한 최종 승인은 물론 법이 담당할 부분이다. 난민신청자들은 출입국관리사무소 조사관에게 면담과 사실 조사, 심사 등을 받고 이를 근거로 난민으로서의 지위를 인정받는데, 이때 신청 서류와 면담 내용의 진위 여부를 심사하고 인정과 불허를 결정하는 일련의 과정은 모두 법에 근거해 객관적이고 엄격하게 이루어진다. 하지만 이들의 지위와 권리를 논의하기 위해서는 법적 적합성을 따지는 것 못지않게, 혹은 그보다 먼저 이들을 괴물이 아니라 우리와 똑같은 인간으로 인정하는 과정이 선행되어야 한다. 이들을 인간이 아닌 괴물로 보는 시선이 있는 한 법적 승인이 이루어지더라도 이들은 결혼이주여성이나 북한이탈주민들처럼 우리 사회에서 또 하나의 'legal alien'[6]으

---

5 표명희, 《어느 날 난민》, 창비, 2018, 34쪽.

6 'legal alien'은 스팅Sting의 노래 〈Englishman in New York〉에 나오는 표현으로, 법적으로는 자격을 갖춘 국민이지만 여전히 이방인 같은 존재를 가리키는 아이러니한 표현이다. 현재 우리 사회에 살고 있는 북한이탈주민이나 결혼이주여성의 경우 법적으로는 '국민'의 자격을 갖추었지만 여전히 소외되고 차별받는 존재로 살아간다는 점에서 legal

로 남을 것이기 때문이다.

하지만 오랫동안 무관심했던 대상이자 어느덧 괴물처럼 여겨지기까지 하는 이들을 우리와 같은 인간으로 인정하는 것이 결코 쉽지만은 않다.

'난민'이란 인종, 종교, 국적, 특정 사회집단의 구성원인 신분 또는 정치적 견해를 이유로 박해를 받을 수 있다고 인정할 충분한 근거가 있는 공포로 인하여 국적국의 보호를 받을 수 없거나 보호받기를 원하지 아니하는 외국인 또는 그러한 공포로 인하여 대한민국에 입국하기 전에 거주한 국가로 돌아갈 수 없거나 돌아가기를 원하지 아니하는 무국적자인 외국인을 말한다.[7]

제주도에 올 들어 난민 신청을 한 예멘인이 519명에 달하는 것으로 나타났다. 2015년 0명, 2016년 7명, 2017년 42명과 비교하면 급격히 늘어난 것이다. 같은 기간 난민신청자 국적은 중국 293명, 기타 국가 136명이었다. 지난달 2일에는 말레이시아 쿠알라룸푸르 직항편으로 예멘인 76명이 한꺼번에 입국하기도 했다. … 실제 난민신청자 수는 크게 늘었다. 2012년 1,143명에서 작년엔 9,942명으로 약 7.7배 늘었다.[8]

인용된 법 조항과 신문기사를 보면서 분노의 감정이 차오르거나 연

---

alien과 같다고 할 수 있다.

7 《난민법》, 제1장 제2조.

8 권세진, 〈제주에 예멘 난민 올들어 급증…작년 42명에서 올해 519명으로〉, 《월간조선》, 2018년 6월 18일자, http://monthly.chosun.com/client/mdaily/daily_view.asp?idx=4374&Newsnumb=2018064374

민과 동정이 느껴져 눈시울이 붉어진 사람은 거의 없을 것이다. 예멘 난민들이 제주에 들어온 이후 한동안 우리 사회 전체를 떠들썩하게 하면서 연일 모든 언론을 도배했던 기사의 대부분은 난민을 이렇게 몇 개의 숫자로 쉽게 설명되는 존재로 취급했으며, 그들의 생사를 결정하는 가장 중요한 잣대인 법 역시 그들을 개별적이고 고유한 인간 개개인이 아니라 전체적이고 정형화된 보통명사 '난민'으로만 간주하고 있다. 그에 반해 문학작품은 보통명사 '난민'이 아니라 개별적인 고통과 비극의 스토리를 가진 고유명사 '찬드라'의 이야기를 보여 준다.

오빠들은 단번에 그녀를 덮쳐 옭아맸다. 덫에 걸려든 토끼 신세나 다름없었다. 놀랍게도 그들은 예복까지 갖춰 입은 채였다. 하얀 정장에 모자까지 쓰고 제단에 제물을 올리는 의식이라도 거행하듯 그녀의 처단을 주도면밀하게 준비해 놓았던 것이다. 그들은 아직도 명예살인이 가문의 명예를 회복한다고 믿고 있었다. … 오빠들은 그녀를 마을 뒷산으로 끌고 갔다. … 이웃 사람들이 하나둘 모여들었지만 그들은 진지한 얼굴의 구경꾼에 지나지 않았다. 오빠들은 아름드리나무를 지나 더 뒤쪽으로 그녀를 끌고 갔다. 거기에는 이미 구덩이가 파여 있었다. 아찔해하는 순간 찬드라는 그 속에 던져졌다. 그녀는 비명과 절규로 발버둥쳤지만 무지막지한 손아귀 힘이 기어이 그녀를 구덩이 속에 처넣었다. 그녀는 구덩이 벽을 기어오르기 위해 필사적으로 몸부림쳤다. 하지만 역부족이었다. 피와 눈물로 범벅이 된 얼굴 위로 돌멩이와 흙이 쏟아져 내렸다. 그걸 헤집고 얼굴을 내밀려는 순간, 번득이는 삽날이 그녀의 얼굴과 어깨를 연거푸 내리찍었다. 단번에 뒤로 나둥그러진 그녀는 흙과 돌무더기 속에서 정신을 잃었다. 무

정한 알라신의 세계로 빠져드는 순간이었다.[9]

 한 마디로 찬드라는 잘못된 이슬람 문화의 희생자였다. 오직 알라신의 경전만이 인간을 완성시킨다고 굳게 믿는 아버지의 반대를 무릅쓰고 대학에 간 찬드라는 그곳에서 새로운 세상을 경험한다. 그녀는 더 이상 차도르를 쓰지 않고 당당하게 얼굴을 내놓고 다녔으며, 부모가 정해 준 가문의 사람이 아닌 자신이 사랑하는 남자, 그것도 계급이 맞지 않는 남자와 결혼을 한다. 이 일로 가문에서 완전히 낙인찍혀 버린 그녀는 오빠들 손에 이끌려 명예살인에 처하게 된 것이다.

 문학은 찬드라의 이런 사연을 몇 줄의 서술형 문장과 숫자로 표현하는 대신 찬드라가 처한 상황과 그녀가 느낀 고통을 상세하게 묘사하여 마치 독자의 눈앞에 그 상황이 펼쳐지는 것처럼 보여 준다. 이렇게 사실적으로 표현된 이야기는 독자로 하여금 찬드라의 고통과 아픔에 대해 특별한 정서적 반응을 보이게 만든다. 한 사람의 목숨보다 가문의 명예를 더 중요하게 여기는 찬드라의 아버지와 남자 형제들에 대해서는 분노의 감정을 느끼는 한편, 가족에 의해 삽으로 찍혀서 구덩이에 내던져진 찬드라를 보면서는 그녀가 경험했을 고통과 아픔을 함께 느끼는 것이다. 표명희의 소설《어느 날 난민》은 찬드라를 비롯한 8명의 난민신청자들의 서로 다른 고통과 아픔, 난민이 될 수밖에 없는 그들 나름의 사연을 이렇게 하나하나 구체적으로 그리고 있다.

 중국 신장 위구르자치구 출신인 모샤르는 아버지의 뒤를 이어 위구

---

9 표명희, 《어느 날 난민》, 45~46쪽.

르족의 독립운동을 위해 싸우는 인물이었다. 공안의 감시를 피하기 위해 한족 여성과 결혼한 모샤르는 가족이 생기자 조직과 멀어질 수밖에 없었고, 결국 조직원들로부터 변절자로 낙인찍힌다. 이후 테러 사건 용의자로 지목되어 공안의 조사를 받던 그는 공안과 조직 모두를 피해 제삼국행을 결정하고 가족을 데리고 한국으로 왔다. 난민이 아니라 해외여행에 나선 배낭족 차림으로 난민센터에 온 미셸과 웅가는 사랑을 지키기 위해 국경을 넘은 커플이다. 아프리카 부족장의 딸과 프랑스어 선생 사이로 만나 연인이 된 이들은 타 부족과의 결혼을 금지하는 부족의 엄격한 전통 때문에 파리로 도피한다. 그러나 부족을 배반한 자를 응징하려는 이들의 위협은 계속되었고, 그들은 끝내 아프리카도 파리도 아닌 제삼국을 찾아 떠난 것이다. 베트남전쟁에 참전한 한국 군인이 베트남 처녀와 사랑에 빠져 결국 탈영까지 했고, 이들 사이에서 뚜앙이 태어난다. 그렇게 뚜앙의 가족은 톤레사프 수상 가옥촌을 떠돌며 사는 보트피플이 되었고, 부모님이 모두 돌아가신 후 뚜앙은 한국 국적을 얻어 살라는 아버지의 유언에 따라 한국에 들어오게 되었다.

 이들은 모두 난민이 되기를 희망하며 승인 결과를 기다리는 난민신청인이라는 점에서는 다르지 않지만, 대한민국까지 흘러들게 된 사연과 그 과정에서 겪었을 아픔은 저마다 다르다. 소설은 이들 한 사람 한 사람의 고통과 비극을 구체적으로 묘사하는데, 이는 독자로 하여금 소설 속 인물이 처한 상황에 자신을 이입하여 그 인물의 내면 세계와 그가 느낀 감정을 유사하게 경험할 수 있도록 만든다. 즉, 공감이 이루어지게 하는 것이다. 이러한 공감은 추상적이고 일반화된 형태로 서술되는 보통명사 '난민'에 대해서는 쉽게 보일 수 없는 반응이다. 공감이란 타인의 입장에 서서 그의 내면과 그가 느끼는 감정을 이해하고 공유하는 일련의 과정인데, 이는 감정을 느낄 수 있는 구체적인 대상이 전제되어야 가능한 것이기 때문이다. 법철학자 마사 누스바움Martha Nussbaum에 따르면, 타인의 입장이 되어 그의 내면을 이해하고 공감하는 이러한 경험은 어린 시절에 들었던 이야기를 통해 배우게 된다.

어린이집에서 배우는 간단한 동시는 벌써 아이들로 하여금 꼬마 동물, 다른 아이, 심지어 움직이지 못하는 사물을 흉내 내는 연기를 하게끔 자극한다. "반짝반짝 작은 별, 아름답게 비추네(Twinkle, Twinkle, Little Star, How I wonder what You are: 반짝반짝 작은 별, 네가 누군지 궁금해)"는 그 자체가 경이의 패러다임이다. 거기에는 형상에 주목하는 일, 그리고 그 형상에 하나의 내적 세계를 부여하는 일이 수반되기 때문이다. 그런데 이것이야말로 아이들이 궁극적으로 타인에 대해서 할 수 있어야 하는 무엇이다.[10]

본능적으로 강한 나르시시즘의 지배를 받고 있는 인간이 타인을 사물이 아니라 온전한 인격체로 인지하는 법을 배우는 일은 쉽게 이루어지지 않는다. 타인을 인격체로 인지하고 그에게 공감하기 위해서는 부단한 노력과 연습이 필요한데, 누스바움은 그러한 경험의 시작이 바로 어린 시절에 접하는 이야기라고 말한다. '반짝반짝 작은 별'이라는 동시를 들으면서 아이들은 이야기 속의 별이 내면을 갖춘 하나의 세계라 생각하고 그 내면을 궁금해하는데, 이러한 과정을 통해 아이들은 내가 아닌 다른 존재를 인정하며 더 나아가 그것의 내면을 이해하고 존중하는

---

10 마사 누스바움, 《공부를 넘어 교육으로》, 우석영 옮김, 궁리, 2011, 169쪽.

경험을 하게 된다는 것이다.[11] 이렇게 "자기 자신이 다른 이의 입장에 있다면 사태가 어떠할지 생각할 줄 아는 능력, 그 사람의 이야기를 지적으로 읽을 수 있는 능력, 그러한 위치에 처한 이라면 가질지 모르는 감정·소망·욕구를 이해하는 능력"[12]을 가리켜 그는 '서사적 상상력'이라 이름 붙이고, 이를 공감의 중요한 요소로 꼽는다.

이때 공감의 중요한 요소로 꼽는 상상력 앞에 '서사적narrative'이라는 수식어를 붙인 이유에 주목할 필요가 있다. 이는 서사, 즉 문학이라는 양식이 상상력을 자극하고 활성화하기에 매우 효과적이기 때문인데, 이것은 구체성과 개별성이라는 문학 특유의 속성과 관계된다. 일반적이고 관념적인 서술이 주를 이루는 다른 영역의 담론들과 달리 문학은 개별적인 대상의 고유한 상황, 즉 개개인의 은밀한 내면 세계와 복잡한 감정의 지형을 구체적으로 묘사하는 것이 특징이다. 그래서 문학작품을 읽을 때 우리는 내가 아닌 다른 사람의 내면이나 그가 느끼는 감정과 같은 내밀한 상황을 구체적인 형태로 마주하게 되고, 좀 더 쉽게 자신을 그 상황에 이입하고 그 사람과 동일시하는 상상을 할 수 있게 된다.

난민이라는 화두에 다가서는 문학적 접근 방식의 특징도 여기에 있다. 문학은 전체화된 보통명사로서의 난민이 아니라 저마다 다른 사연과 고통을 가진 독립적인 개체, 즉 고유명사로서 난민의 삶이 지닌 구체성과 개별성을 상세하고 집요하게 묘사한다. 이렇게 재현된 이야기는 독자로 하여금 타인이 느낀 것과 유사한 감정을 경험하게 만든다.《어느

---

11 어린 시절에 접한 이야기를 통해 공감의 경험을 배운다는 누스바움의 주장은《공부를 넘어 교육으로》'6장: 상상력 기르기 – 문학과 예술'에 보다 상세하게 나와 있다.

12 마사 누스바움,《공부를 넘어 교육으로》, 163쪽.

날 난민》의 찬드라와 모샤르, 미셸과 웅가, 뚜앙의 고통스러운 삶의 여정을 보면서 독자는 그들이 겪었을 고통과 분노, 슬픔에 공감하는 것이다. 누군가에게 공감한다는 것은 우리가 그동안 잠재적 범죄자로, 테러리스트로, 때로는 괴물로 불렸던 이들이 더 이상 괴물이나 잠재적 범죄자, 가족과 고향을 배신하고 자신의 살길만 찾는 반인륜적 파렴치한이 아니라는 사실을 깨닫게 되었음을 의미한다. 더 나아가 사랑하는 가족과 연인이 있으며, 지키고 싶은 신념과 꿈이 있는 인간이라는 점에서 우리와 다를 바 없는 존재로 그들을 인정하게 되었음을 의미하기도 한다.

이렇듯 우리는 문학을 통해, 추상화된 존재이자 그래서 더욱 낯설고 이질적으로 느껴졌던 보통명사 '난민'이 아니라 '난민'이라는 하나의 단어로는 일반화할 수 없을 정도로 서로 다르고 개성 있는 이들 '찬드라', '웅가', '모샤르', '뚜앙'의 고통과 비극적 사연을 구체적으로 접하게 된다. 우리와 같은 인간의 모습을 한 '찬드라', '웅가', '모샤르', '뚜앙'이 경험한 고통을 실제처럼 재현해 놓은 이야기를 보고 있으면 정형화된 이미지와 통계자료의 숫자를 접할 때는 경험할 수 없었던 다양한 정서적 반응을 느끼게 되고, 자연스럽게 그들의 내면에 가까이 다가갈 수 있게 된다. 그들을 향한 공감의 경험이 축적되고 정서적 거리감이 좁혀질수록 그들에게 붙여졌던 '괴물'과 같은 배제와 경계의 수식어는 점차 사라지고, 그만큼 우리의 왜곡되고 편협한 인식 또한 줄어들 것이다. 이처럼 적어도 누군가의 인권을 이야기하기 위해서는 그를 괴물이나 비인이 아니라 인간으로 인정하는 태도가 전제되어야 한다. 공감은 그를 우리와 같은 인간으로 인정한다는 확실한 증거 중 하나이며, "내가 나의 것이 아닌 다른 세상이 있다는 걸 처음 깨달은 것은 책을 통해서였다. 다른 사람이 되어 보면 어떤 기분일까, 처음으로 상상해 보았다"[13]는 소설가 줄리언 반스Julian Barnes의 고백처럼, 문학은 그러한 공감을 경험하게 하는 가장 효과적인 매개인 것이다.

괴물과 디스토피아를 상상하라

난민들을 이해하고 공감하려는 마음이 너무 앞서서일까?《어느 날 난민》에는 난민 문제를 둘러싸고 흔히 있을 법한 긴장이나 갈등이 거의 드러나지 않는다. 제주에 예멘 난민들이 들어왔을 때 언론에 비춰진 수많은 혼란과 갈등이《어느 날 난민》속 세계에서는 일어나지 않는 것이다. 난민센터 건립을 앞두고 일부 주민들이 반대시위를 펼쳤지만 난민들과의 직접적인 갈등이나 대립 상황으로까지 이어지지는 않는다. 한 마디로《어느 날 난민》속 세계는 (비교적) 평화롭다.[14] 이와 달리 최인석의 〈스페인 난민수용소〉 속 세계는 방화와 테러, 폭력과 가짜뉴스

---

13 Julian Barnes, "my life as a bibliophile," *The Guardian*, 2012. 06. 29. www.theguardian. com/books/2012/jun/29/my-life-as-bibliophile-julian-barnes

14 난민을 향한 우리의 시선은 절대적인 환대와 연민이라는 우호적 입장과 혐오와 두려움이라는 부정적 입장으로 극단적으로 나뉜다. 이렇게 극단적으로 양분된 시선은 문학작품에도 그대로 이어져 문제가 된다. 특히 현실 세계에서는 혐오의 시선, 추방과 배제의 입장이 상대적으로 더 큰 목소리를 내는 데 반해 대부분의 문학작품에서는 이들을 향해 연민과 동정, 포용과 인류애와 같은 절대적 환대의 시선으로만 일관되어 있어 현실 세계와의 괴리감을 더욱 넓히고 있기에 문제라 할 수 있다. 한 마디로 난민이라는 경계인을 향한 문학적 상상력은 현재로서는 절대적으로 빈곤하다는 것이 가장 큰 문제이며, 발표된 문학작품들 역시 난민을 향한 시선이 제한되고 정형화되어 있어 특정한 선입견이나 왜곡된 이미지를 형성하게 만든다는 점에서 문제라 할 수 있다. 이는 분명 이후 난민을 소재로 한 문학작품을 창작하고 연구하는 과정에서 경계해야 할 점이다.

와 같은 갈등과 긴장으로 가득하다.

경북 영천 인근에 어느 날 스페인 난민수용소가 들어선다. 홍수로 강이 범람해 자갈밭이 되어 버려진 땅이었던 이곳에 들어선 수용소는 철조망과 감시탑으로 에워싸여 있어 철저하게 바깥세상과 분리된 상태다. 그래서 난민을 직접 만난 사람은 아무도 없으며 오직 이들에 관한 소문만 무성할 뿐이다. 그러던 중 스페인 난민수용소의 몇몇 난민들이 탈출을 시도했고, 이들을 수색하기 위해 당국이 군경을 동원하고 일부 지역의 통행을 금지했다는 뉴스가 발표된다. 이후 소리 소문도 없이 알바니아 난민수용소가 들어섰고, 그로부터 며칠 뒤 삼봉산에 산불이 일어나자 그것이 알바니아 난민들의 소행이라는 소문이 퍼지기 시작한다. 성묘객의 담뱃불이 원인이라는 경찰의 발표가 있었지만 소문은 사라지지 않았고, 얼마 지나지 않아 알바니아 난민수용소에 불이 나 갇혀 있던 난민 30여 명이 사망하는 사건이 발생한다.

이후 알바니아 난민을 비롯해 스페인 난민과 페루 난민까지 합세한 한 무리의 난민들이 수용소를 탈출해 영천 시내로 들어와 상점을 약탈하고 불을 지르는가 하면 경찰서를 습격해 총기까지 탈취하는 폭동을 일으킨다. 당국은 위수령을 선포하고 군을 동원해 진압에 나선다. 폭동과 약탈의 무법천지 상황에서 상철의 엄마인 승자가 난민에게 피살된다. 이 사건 후 상철은 학교에서 은밀히 활약 중이던 단군청년단에 가입하는데, 단군청년단은 단군과 안중근·박정희를 숭배하고, 거리에서 외국인을 보면 가차 없이 덤벼들어 두들겨 패는 배타적인 민족주의 집단이다. 난민에게 살해된 엄마 덕분에 단장으로 추대된 상철은 난민수용소를 습격할 계획을 세우고, 승자의 3주기를 맞아 스페인 난민수용소를 급습해 순식간에 수용소를 화염과 비명의 아수라장으로 만들어

버린다. 난민수용소의 천막과 컨테이너 가건물이 불에 탔으며 난민 2 명이 사망하고 30여 명이 중화상을 입은 이 사건은 단군청년단이 일망타진되는 것으로 끝이 난다.

《어느 날 난민》에서는 독자가 난민들을 직접 마주하면서 저마다의 고통과 비극적 사연을 들을 수 있었지만, 〈스페인 난민수용소〉에서는 그 어디에서도 난민들의 목소리를 들을 수 없다. 이들은 그저 소문의 주인공으로만 대상화될 뿐이다.

> 한 달에 두어 번, 수용소에 식량이나 옷, 생필품 같은 것을 보급하는 차들이 드나들었다. 그뿐, 수용소는 영천시 주민과는 전혀 아무런 관련 없이 운영되었다. 스페인 난민들에게서는 냄새가 난다, 모두가 지독한 전염병 환자들이다, 전부 범죄자들이다, 하는 소문이 돌았으나, 그것을 확인해 줄 수 있는 사람은 없었다. 장마가 가고 난 뒤에 수용소 철조망 근처 강물에서 죽은 스페인 태아가 발견되었다는 소문에다가, 그곳 여자들이 경비병들이나 직원들을 상대로 몸을 판다는 소문, 심지어는 그들이 전혀 스페인 사람들이 아니라는 소문이 떠돌기도 했다. 어른들은 질색을 하여 아이들이 그 근처에 얼씬도 못하게 막았다. … 그러나 난민수용소가 설치된 뒤에는 근처에도 가는 사람이 없었다. 누가 금지한 것도 아니었지만 아무도 돌아보지 않았다. 그곳에 사람들이 산다는 것도, 그런 시설이 있다는 것마저 사람들은 거의 잊고 지냈다.[15]

난민수용소를 에워싼 철조망과 감시탑은 난민과 영천 시민들 사이

---

15 최인석, 〈스페인 난민수용소〉, 김애란 외, 《오늘의 소설 2009》, 작가, 2009, 231쪽.

를 가로막는 장벽이다. 두 집단을 이어 주는 연결고리는 없으며, 그렇게 서로는 만남도 대화도 불가능한 상태가 된다. 이는 상대를 알아 가고 이해할 충분한 기회가 없음을 의미하며, 이러한 상태에서는 서로에 대한 오해와 불신만 가득하게 된다. 이때 상대를 향한 오해와 불신을 만드는 것은 실체적 사실이 아니라 전언에 기반한 단편적이고 왜곡된 정보와 낯선 이들을 향한 본능적 거부감 등이다. 난민을 둘러싼 소문 또한 이러한 메커니즘에서 만들어진 허상이다. 정확한 출처를 확인할 수 없는 신문기사와 무의미한 숫자들로 가득한 통계자료, '하더라'로 일관된 전언들로 만들어진 소문 속 난민의 모습은 인간이 아니라 괴물에 가깝다. 그들은 전염병 환자였으며, 범죄자였고, 몸을 파는 여자일뿐 영천 시민들과 똑같은 '인간'이 아닌 것이다. 그렇게 그들은 엄연히 존재하지만 존재하지 않는 대상이 되었다. 이렇듯 실체가 아닌 편견과 왜곡된 이미지로 가득한 소문의 형태로만 존재할 수밖에 없었기에 난민을 둘러싼 갈등과 긴장은 점차 극대화되었고, 결국 서로에 대한 극도의 혐오와 폭력으로 치닫게 된다.

황당한 가짜뉴스에 불과했던 소문들은 약간의 사실들과 결합하면서 점차 기정사실이 되어 갔다. 영천강의 새우는 이미 오래전에 없어졌지만 이 사실은 난민에 대한 부정적 인식과 결합되면서 난민수용소 때문에 새우가 죽었다는 거짓 사실로 둔갑했고, 삼봉산에 불이 났을 때도 산불이라는 실제와는 아무런 인과관계도 없는 난민들이 방화범으로 지목되었다. 이렇게 허구의 소문이 사실이 되어 버리는 구조가 반복되다가 마침내 '실제로' 난민들의 폭동이 발생하게 된다. 그리고 이 폭동이 또 다른 복수로 이어지면서 난민과 국민(영천 시민) 사이의 폭력이 되풀이된다. 이 모든 폭력의 시작은 두 집단의 직접적인 충돌과 대립이 아닌, 그저 서로에 대한 무지와 오해, 그리고 그것에서 비롯된 편견과 왜곡된 소문이었다. 부정과 혐오의 대상인 소문의 주인공들과는 공생할 수 없었기에 이들은 상대를 파괴하고 밀어내려 했던 것이다. 난민수용소를 테러한 혐의로 수감된 아들 상철을 면회 온 원규는 아내를 죽인 괴물은 난민들이 아니라고 말한다. 그렇다면 원규의 아내 승자를 죽은 괴물은 누구/무엇일까? 애초에 난민수용소에 불을 질러 그들을 죽이고, 그에 대한 복수로 한국인들을 살해하고, 또 다시 죽음으로 그에 대한 복수를 하는 폭력의 악순환을 일으킨 것은 난민도 단군청년단도 아닌 서로에 대한 '오해'와 '혐오'라는 이름의 괴물이었다.

그렇다면 작가는 왜 굳이 이렇게 무서운 괴물들이 난립하는 불편하고 껄끄러운 상황을 상상한 것일까? 이미 현실 세계에도 난민을 향한 혐오와 부정의 시선이 가득한데, 테러나 방화와 같이 더 극단적인 형태의 갈등과 폭력을 굳이 소설에서까지 재현한 이유는 무엇일까? 물론 많은 소설들이 인간들 사이의 갈등과 긴장을 소재로 삼고, 타락하고 부패한 인간 사회의 모습을 그린다. 유토피아의 세계보다는 디스토피아의 세계를, 희극보다는 비극을 이야기하는 문학이 더 많은 것은 문학의 태생적 속성과도 관련이 있다. 인간의 삶에서 발생할지 모르는 나쁜 일들에 대해, 그것이 실제 삶에서 발생하기 훨씬 이전에 그것을 상상하여 재현하는 것이 비극이고, 이는 독자로 하여금 그 부정의 상황에서 발생할 고통과 그것이 초래할 상실에 대해 의미를 부여하고 고민하게 한다.[16] 누스바움은 이러한 과정이 바로 문학, 특히 비극이 도덕적 무게를

---

16 Martha C. Nussbaumn, "The Narrative Imagination," *Cultivating Humanity*, Harvard U.P., 1997, p. 93.

갖는 방식이라고 말한다.

 서로 다른 생김새를 하고 다른 문화에 길들여진 이들이 공존하는 것은 결코 쉬운 일이 아니다. 조화와 포용은 윤리교과서에나 나올 법한 문구일 뿐이며, 난민들과 함께 살아가야 할 현실의 삶은 갈등과 긴장, 대립의 연속일 가능성이 크다. 이런 현실을 외면한 채 마냥 장밋빛 미래만 상상하는 것은 오히려 그들과의 관계를 더 악화시킬 수도 있다. 이쯤에서, 우리 사회의 또 다른 이방인인 이주노동자 문제를 다룬《시티투어버스를 탈취하라》가 문제에 접근하는 방법을 살펴보자. 이주노동자의 삶을 다룬 여느 소설들과 달리《시티투어버스를 탈취하라》는 그들의 고된 삶을 보여 주며 그들을 연민의 시선으로 봐 주길 요구하지 않는다. 오히려 이 소설에서 이주노동자들은 폭탄테러를 계획한 잠재적 범죄자로 그려진다. 소설의 중심 사건은 회사 사장의 부당한 대우에 불만을 품은 이주노동자들이 시티투어버스를 탈취해 청와대에 폭탄테러를 하러 가는 것으로, 소설에 등장하는 탈레반·테러·폭탄과 같은 단어는 이미 그 자체로도 극도의 긴장과 불안을 야기하는 불편한 것들이다. 너무 비현실적인 설정이라 독자들에게 뜻밖의 웃음을 유발하는 효과도 있겠으나, 다른 한편으로는 오늘날 우리 사회에서 이주노동자들이 겪는 문제가 이대로 계속 방치된다면 범죄나 테러와 같이 극단적인 형태의 긴장과 충돌로 이어질 수 있음을 경고하고자 한 것으로도 해석할 수 있다. 사회 갈등을 야기하는 범죄자가 된, 혹은 될 가능성이 높은 이방인들을 문제 삼기 위함이 아니라 선량한 이들이 왜 범죄자가 될 수밖에 없었는지를 생각해 보게 함으로써 최악의 비극적 상황에 대한 경계의 목소리를 내는 것이다.

 상대에 대한 충분한 이해의 과정 없이 분리되고 단절된 채 서로를 오해하는 상황이 계속된다면, 테러나 방화와 같이 서로를 향한 폭력은 더 과열되고 극단적인 형태를 띨 수밖에 없다. 소설 속 가상세계에서만 일어날 법한 디스토피아적 상상이 현실이 될 수 있는 개연성은 충분하다. 이런 문학적 상상을 마주한 우리가 할 수 있는, 그리고 해야 하는 일은 그런 극단의 상황이 현실이 되지 않도록 고민하고 행동하는 것이며, 바로 이것이 디스토피아적 세계를 상상한 문학이 던지는 메시지다. 〈스페인 난민수용소〉나《시티투어버스를 탈취하라》와 같은 소설은 난민을 비롯한 경계 위의 사람들을 향한 우리의 태도가 시혜적인 연민과 동정으로만 일관되어서는 안 되며, 그들과 함께 살아가야 할 미래의 모습을 마냥 낭만적으로 상상하는 것 또한 경계해야 한다고 이야기한다. 실제로 혐오와 부정의 시선으로 가득했던 제주 예멘 난민 사태에서도 낯선 이들을 향한 미담이 없었던 것은 아니다. 그러나 난민 문제에 접근하는 데 있어 필요한 것은 이들을 일회성 미담의 주인공이나 돌보아야 할 연민의 대상으로 보는 개개인의 선량한 마음이 아니라, 이들이 우리와 함께 살아가야 할 존재라는 사실에 대한 객관적이고 합리적인 인식이다.

이들과 공존해야 할 사회가 마냥 장밋빛이기를 기대하는 것은, 이들이 우리 사회의 규범과 문화에 무조건적으로 순응하는 객체로 살 것을 기대하는 것과 다를 바 없다. 서로 다른 사상과 문화에 길들여진 이들이 함께 살아가는 과정에서 갈등과 충돌은 불가피하기 때문이다. 애초에 아무런 충돌 없이 조화로운 관계이길 기대하는 것은 한쪽의 일방적인 우위와 그에 대한 순응을 전제로 하는 것이기에, 이런 기대 자체가 또 하나의 거대한 폭력일 수 있다. 따라서 우리에게는 낯선 이들과 함께 할 사회의 디스토피아적 모습을 충분히 상상하고 그때의 상실과 고통을 미리 경험해 봄으로써, 그러한 상상이 현실이 되지 않도록 하는 준비가 필요하다. 서로 다른 존재들 사이의 갈등을 자연스러운 것으로 인정하되, 이를 해결하거나 최소화할 수 있는 방법을 모색하는 노력이 필요하다는 역설적 주장이 바로 디스토피아적 세계를 상상하는 문학이 던지는 메시지다.

그런 의미에서 〈스페인 난민수용소〉는 난민과 국민이 대립하고 충돌하는 디스토피아적 세계만 상상하지 않고 둘 사이의 갈등을 최소화하면서 우리가 나아가야 할 방향까지 생각해 보게 한다.

> 그 후 수용소 운영 방침이 크게 바뀌었다. 난민수용소마다 태극기와 함께 난민들의 국기가 게양되었다. … 뿐만 아니라 난민들은 수용소 인근의 야산을 갈아 밭을 만들어 배추나 무, 고추, 감자나 고구마, 옥수수 같은 것을 길러 먹기도 하고, 팔기도 했다. 값이 싸고 품질이 좋다는 소문이 나자 영천 시민들이 종종 물건을 사기 위해 수용소 근처에 드나들었다. 난민들은 경비병들의 감독 아래 난전을 벌여 놓고 장사를 했다. 과일이나 채소만이 아니라 팔찌, 목걸이, 반지 따위, 그리고 민속의상이나 공예품을 파는 사람들도 생겨났다. 한두 해가 지나는 사이 난민수용소 인근은 시장이 되어 버렸다. … 덕분에 시민들 몇이 그런 데 밥줄을 대고 살게 되었다. 시민들 사이에 난민수용소가 전혀 부정적인 것만은 아니라는 낙관적인 분위기가 조금씩 퍼져 나가고 있었다.[17]

다른 나라의 난민센터가 대부분 외교부 소속인 데 반해 우리는 법무

---

17 최인석, 〈스페인 난민수용소〉, 253~254쪽.

부에 소속되어 있다는 점만으로도 우리가 난민을 대하는 태도를 알 수 있다. 대한민국에서 난민은 감시와 통제의 대상인 것이다. 이러한 분리와 통제 정책으로 인해 비극적 상황이 벌어진 후 소설 속에서 가장 눈에 띄게 달라진 점은 난민을 일방적인 보호와 감시의 대상이 아니라 자국민과 똑같은 생활인으로 보기 시작한 것이다. 난민들에게 여느 다른 국민들처럼 경제활동을 하고 그 결과물로 소득을 벌어들이기도 하며 다른 사람들과 관계를 맺고 소통을 하는 등의 일상적인 생활을 할 수 있도록 하자, 오히려 부정과 혐오의 소문이 줄어들고 조금씩 진정한 의미의 공생이 시작된다. 분리와 통제만이 자국민을 혹은 난민을 보호하고 비극적 사태를 방지할 수 있는 방법이라고 여겼던 생각이 잘못된 것임이 증명된 것이다. 이처럼 디스토피아적 미래사회에 대한 문학적 상상이 반드시 비관적이고 부정적인 결말로 이어지는 것은 아니다. 오히려 그러한 상황을 해결하기 위한 새로운 상상을 함으로써 생산적인 담론을 형성하기도 한다.

불편한 질문, '우리'란 누구인가

인간의 삶을 대상으로 하여 그것을 묘사하거나 규정하며, 더 나아가 좀 더 가치 있고 바람직한 모습을 추구한다는 점에서 법과 문학은 닮은 점이 많다. 인간의 삶과 그들이 살아가는 사회를 대상으로 한다는 점에서 법과 문학이 공유하는 대상은 무궁무진하지만, 그중에서도 인권은 법과 문학이 함께 머리를 맞대기 가장 좋은 대상이다. 인권은 대개 사회적 약자들의 문제이며, 억압되고 결여된 형태로 존재하는 문제이기에 문학의 속성과도 필연적으로 연결될 수밖에 없다. 실제로 과거 인권을 유린하고 탄압하던 시기에 적극적으로 그 부당함을 비판했던 것 중 하나가 문학이었으며, 인간으로서 누려야 할 마땅한 권리를 꾸준히 상상하고 요구한 것 또한 문학이었다.

오랜 시간 이렇게 목소리를 낸 결과, 과거와 비교할 수조차 없을 정도로 우리의 인권 상황은 많이 나아졌다. 그러나 우리의 인권 상황이 나아지고 있는 동안 다른 한편에서 '우리'에 속하지 못하는 이들의 인권은 여전히 훼손되고 있다. 북한이탈주민과 결혼이주여성은 법적 승인을 받았음에도 불구하고 여전히 우리에 속하지 못한 채 소외되어 있으며, 이주노동자와 재중동포는 인간과 비인 사이 어딘가에서 경계인으로 살아가고 있는 것이 오늘날 우리 사회의 현실이다. 이들에 비해 난민은 소문과 뉴스 기사로만 접할 수 있는, 그래서 대부분 그 실체를 경험하지 못한 존재, 즉 유령 같은 상태로 여전히 남아 있다. 앞서 살펴본 두 소설 모두에서 난민들은 수용소, 난민센터, 외국인 지원캠프처럼 그 이름만 다를 뿐 대한민국 국민들과는 철저하게 격리된 공간에서 통제와 보호 그 사이 어디쯤의 대우를 받고 있다. 이렇게 격리되고 차단되어 있어 실체를 확인할 수 없는 이들, 허상의 이미지로만 존재하는 이들이 현재 우리가 생각하는 난민이다.

철조망 너머에 있어 우리와 마주한 적이 없기에 두렵고 낯선 존재, 그래서 더욱 무관심으로 일관하게 되는 존재가 바로 난민인 것이다. 상황이 이렇다 보니 이들을 이야기하는 문학작품 역시 절대적으로 부족한 실정이다. '부족'보다는 '부재'라는 표현이 어울릴 정도로, 우리는 난민에 대해 무지하고 무관심하다. 언제나 시대를 앞서가며 문제를 제기하고 인간과 사회가 나아가야 할 방향을 먼저 고민했던 문학이지만 난민 문제에 대해서만큼은 문학도 한 발 늦은 모습이다. 첫 번째 난민이 인정된 지 20년, 제주 난민 사건 일어난 지도 벌써 4년 가까운 시간이 지났다. 언제나 시대의 아픔과 문제에 천착하는 문학의 특성을 생각해 보면 난민에 대한 관심은 절대적으로 부족한 것이 사실이다.

물론 절대적인 분량이 아쉬울 뿐 두 편의 소설 《어느 날 난민》과 〈스페인 난민수용소〉는 각각 문학이 난민이라는 대상에 접근하여 이야기할 수 있는 문학적 상상력의 다양한 모습을 보여 주고 있다는 점에서 충분한 의미가 있다. 무엇보다 이 두 소설은 난민 문제에 대해 좀 더 근본적인 질문을 던지고 있다.

> – 난민 맞아요, 그앤!
> – 난민도 자격 조건이 있어요. 일단 한국인은 해당이 안 돼요.
> – 그런 게 어딨어요. 인종 차별, 아니 국적 차별하는 것도 아니고….
> (…)
> – 참, 이건 그냥 참고로 드리는 말씀인데요, 그 애 아직 출생신고 안 돼 있어요. 그럼 국적도 문제없는 거죠?[18]

> 상철은 그때부터 머리를 깎고 개량한복을 입고 고무신을 신고 다녔다. 태견을 배웠고, 방문과 책상 앞에는 단군과 연개소문과 대조영과 김구와 안중근과 박정희의 초상화를 붙였다. 단군청년단과 함께 거리를 휩쓸고 다니다가 외국인이 눈에 띄면 가차 없이 덤벼들어 두들겨 팼다.[19]

---

18 표명희, 《어느 날 난민》, 82~84쪽.
19 최인석, 〈스페인 난민수용소〉, 254쪽.

국경을 넘어 우리 사회에 들어와 있는 이방인들을 두고 '우리'와 '그들'로 편 가르기를 할 때 일반적으로 가늠자가 되는 두 요소는 '국민'이라는 이름의 법적 기준과 '민족'이라는 이름의 정서적 동질성이다. 이 기준에 따르면,《어느 날 난민》의 강민은 분명 한국인 부모에게서 태어나 한국어를 모국어로 사용하지만 법적 요건을 갖추지 못했기에 대한민국 '국민'이 아니다. 그렇다면 강민은 어느 나라 '국민'인가? 한편 상철이 가입했다는 단군청년단은 '우리 민족'이 과연 무엇일까라는 의문을 갖게 만든다. 개량한복을 입고 태껸을 하고 안중근과 박정희의 초상화를 붙이고 있어야 비로소 '우리 민족'의 범주에 속할 수 있는 것인가? 그렇지 않다면 '우리'라 부르는 집단에 포함될 수 없는 것인가? 이렇듯 두 소설은 모두 국민과 비국민, 인간과 비인의 경계를 가를 때 흔히 사용하는 '우리'라는 표현의 허구성에 대해 근본적인 물음을 던진다. 과연 '우리'는 누구인가? 또한 누가, 어떻게 '우리'를 규정하고 판단할 것인가?

　사실 이 글에서도 '우리'라는 표현이 적지 않게 사용되었다. '국민'이라는 경계선을 기준으로 인간과 비인을 가르고 인권을 차등적으로 적용하는 문제적 상황을 비판하는 논의에서조차 습관적으로 '우리'라는 위험한 표현을 함부로 사용한 것이다. "말하는 이가 자기와 듣는 이, 또는 자기와 듣는 이를 포함한 여러 사람을 가리키는 일인칭 대명사" '우리'는 그 경계선을 어디까지로 제한하느냐에 따라 포용적인 표현이 될 수도, 폭력적인 표현이 될 수도 있는 예민한 단어다. 물론 난민은 아직 법적으로 허락된 대한민국 국민의 자격이 아니기에 '우리'의 범주에 포함하는 것은 무리이며, 따라서 '우리'와 '그들'이라는 인칭 표현이 특별히 문제될 것이 없다고 자기합리화를 할 수도 있다. 그러나 이처럼 무딘 인식 상태가 바로 난민과 같은 경계 위의 존재들을 대하는 '우리'의

적나라한 모습이라는 사실만큼은 더 이상 합리화하거나 부인해서는 안 된다. 이렇게 불편한 질문을 던지고 반성을 이끌어 내는 것 또한 경계 위에 놓인 이들을 위한 문학적 상상력의 책임이자 역할이다.

　법을 비롯한 다른 학문 영역과 비교했을 때 문학이라는 담론장의 가장 큰 특징은 구체성과 개별성 그리고 접근성에 있다. 실체를 가늠할 수 없는 추상적 존재가 아니라 고유한 이름을 가진 한 사람 한 사람의 구체적인 상황과 내면의 감정 변화를 들여다보고 공감할 수 있다는 점, 무엇보다 이 모든 과정이 일상의 언어로 표현되어 있어 누구나 쉽게 경험할 수 있다는 점은 문학적 상상력의 가장 큰 특징이자 매력이다. 따라서 난민을 상상하고 이야기하는 문학작품이 많아질수록 난민에 대한 '우리'의 이해와 공감의 폭은 넓어지고, 그들을 향한 '우리'의 상상력도 좀 더 풍부해질 것이다. 한 걸음 더 나아가, '그들'과 '우리' 사이의 경계는 느슨해지고 점점 더 확장될 것이다.

참고문헌

마사 누스바움, 《공부를 넘어 교육으로》, 우석영 옮김, 궁리, 2011
표명희, 《어느 날 난민》, 창비, 2018
최인석, 〈스페인 난민수용소〉, 김애란 외, 《오늘의 소설2009》, 작가, 2009
최현, 《인권》, 책세상, 2008

Martha Nussbaumn, "The Narrative Imagination," *Cultivating Humanity*, Harvard
    U.P., 1997

인구 변화와 이주의 발생학적 이해

: 캐나다 이누이트를 사례로

이용균

이 글은 《한국도시지리학회지》 22권 1호(2019.4)에 게재된 원고를 수정하여 재수록한 것이다.

들어가며

그동안 지리학에서 수행된 공간 연구는 인간이 많이 거주하는 지역을 중심으로 이루어졌고, 인간이 적게 거주하는 지역, 특히 극지역에 대한 연구는 부족하였다. 그동안 수행된 극지역 연구의 상당 부분은 자연현상에 대한 연구로 인문 현상에 대한 연구는 매우 부족한 실정이다.[1] 기후변화는 북극 지역 주민의 삶에 막대한 영향을 미치고 있으나, 대부분의 기후 연구는 기상과 기후에 초점을 둔 자연현상에 대한 연구가 주를 이루었다.[2] 기후변화가 전 지구적 관심을 끌면서 국제정치, 지정학, 환경 이슈 등과 관련하여 기후변화에 대한 관심이 고조되었다. 이러한 과정에서 기후변화, 환경, 이주의 관계에 대한 연구가 수행되기도 하였으나,[3] 이들 연구는 기후변화가 지역 주민의 인구와 이주에 미친 영향을 제대로 설명하지 못하고 있다.

이주를 비롯한 극지역의 인문사회 연구에서 그동안 미흡했던 점은 로컬의 특이성에 대한 현장 연구가 부족했다는 점이다. 예를 들어, 이누이트Inuit는 그린란드부터 북아메리카에 이르는 광범위한 지역에 거주하면서 문화와 생활양식에서 여러 유사한 점을 보이나, 거주지역에

---

1 Stern, P., *Daily Life of the Inuit*, Greenwood, Santa Barbara, 2010. (파메라 스턴, 《이누이트의 일상생활》, 박병권 외 옮김, 한국해양과학기술원, 2013.)

2 이용균 · 이승호, 〈기후변화가 이누이트의 일상에 미친 영향: 캐나다 이누이트 누난겟을 사례로〉, 《대한지리학회지》 53(2), 2018, 133~148쪽.

3 International Organization for Migration, Migration, Environment and Climate Change: Assessing the Evidence, Geneva, IOM, 2009; Ford, J., Bolton, K., Shirley, J., Pearce, T., Tremblay, M., Westlake, M., "Research on the human dimensions of climate change in Nunavut, Nunavik, and Nunatsiavut: A literature review and gap analysis," *Arctic* 65(3), 2012, pp. 289-304.

따라 이누이트의 문화와 정체성은 뚜렷한 차이를 보인다. 이런 맥락에서 본 연구는 캐나다 누나부트Nunavut 지역의 이누이트를 중심으로 인구 변화와 이주에 대한 특성을 고찰한다.

최근 캐나다에서 원주민의 도시 이주가 증가하면서 이누이트의 이주에 대한 관심도 고조되고 있다.[4] 이누이트의 도시 이주는 누나부트 지역의 배출 요인이 무엇인지에 대한 관심을 고조시켰고, 다른 한편으로 도시에 정착한 이누이트의 적응 문제에 대해 관심을 갖게 하였다. 하지만 현재까지 수행된 이누이트 이주 연구는 외딴 오지에서 도시로의 이주라는 이동 현상에 주목하였는데, 이들 연구는 소수종족인 이누이트가 백인 주류사회로 유입되면서 경험하는 소외와 주변화, 그리고 이들의 공동체 정치를 간과하였다.

본 연구는 이누이트의 캐나다 남부 도시로의 이주를 주변화된 소수종족의 이주로 이해하고자 한다. 대도시는 이누이트 문화와는 달리 공동체정신이 약한 개인화된 공간으로, 이누이트가 적응하기 힘들며 주류사회의 차별이 심한 곳이다. 차별이 심하고 적응하기 힘든 도시로 이누이트가 이주하는 원인이 무엇인지를 밝히는 것이 매우 중요한데, 흔히 북극 지역 주민의 이주는 기후변화 맥락에서 설명되는 경향이 있다. 기후변화로 대다수 주민이 마을을 떠나는 것처럼 설명되는 것이다. 하지만 기후변화를 경험하는 지역이라 할지라도 대다수 주민이 이주하지 않을 수 있는데, 이는 지역의 시계열적 인구 변화를 통해 이해될 수 있

---

4 Ford, J. and Berrang-Ford, L., "Food security in Igloolik, Nunavut: an exploratory study," *Polar Record* 45, 2009, pp. 225-236; Kishigami, N., "Homeless Inuit in Montreal," *Inuit urbains* 32(1), 2008, pp. 73-90.

다. 인구 변화와 이주는 기후변화를 포함한 매우 다양하고 복잡한 사회 공간적 현상들의 관계에 의한 것이며, 인구와 이주의 변화는 지역의 순 이주net migration에 대한 발생학적 메커니즘을 통해 이해될 수 있다.

이 연구는 누나부트의 인구 변화를 인구 관리 측면에서 접근하면서, 차별과 배제의 정치가 이누이트 이주에 미친 영향을 발생학적 맥락에서 고찰한다. 또한, 이누이트 이주자가 주변화되는 표상의 과정과 이를 극복하기 위한 이누이트의 공동체 정치를 살펴본다. 구체적으로 캐나다에서 이누이트에 대한 차별이 어떻게 나타나고 있으며, 이러한 차별이 인구 구성과 이주에 미치는 영향은 무엇인가? 도시로 이주한 이누이트는 주류사회에서 어떤 차별을 받고 있으며, 어떻게 주변부의 존재로 표상되고 있는가? 주류사회의 차별에 대처하는 이누이트의 공동체의 정치는 어떻게 사회공간적으로 전개되고 있는가? 이러한 문제에 대한 관심과 탐색을 추구한다.

인구 관리와 이주자의 주변화

인구는 사회 변화를 이해하는 토대이며, 사회 변화는 인구학적 변화(인구수, 인구 구조, 인구 분포, 이주 등)를 통해 이해될 수 있다. 인구가 사회에 미치는 영향을 반영하듯 국가는 인구를 통제하려고 하였고, 인구 관리를 통치의 근간으로 삼았다.[5] 국가는 영토 안전이란 명분으로

---

5   Foucault, M., *Sécurité, Territoire, Population: Cours au Collège de France 1977~78*, Paris: Éditions du Seuil, 2004. (미셸 푸코, 《안전, 영토, 인구: 콜레주드프랑스 강의 1977~78

인구를 규제하고, 사회 발전이란 명분으로 인구를 관리하였다.

국가가 원하는 인구 규모를 유지하는 것은 인구 관리의 대표적 사례로, 다양한 이데올로기와 담론을 통해 인구 관리가 추진되었다. 언뜻 보면 출산과 이주는 개인적 현상 같지만, 사실 출산과 이주는 사회의 가치관이 투영되는 거울이다.[6] 대체로 사회적 불안(전쟁, 경제위기 등)은 출산율을 낮추고 이주를 증대시킨다. 이는 1990년대 구소련과 동부 유럽이 해체되면서 시장경제로 편입되는 과정에서 잘 나타났다.[7] 한편, 전쟁 후 출산율 증가와 저개발 지역에서의 출산율 증가는 사회적 안전과 관련되는 것으로,[8] 국가는 전쟁 후에는 출산장려 정책을 추진하고 저개발 상태를 극복하기 위해서는 출산억제 정책을 추진한다.

또한 인구는 가족관계의 변화를 보여 주는 대표적 지표이다.[9] 전 세계적으로 대가족(또는 확대가족)제도가 약화된 가운데, 대가족제도가 남아 있는 곳일수록 출산율이 높은 경향이 있다. 국가의 인구 관리는 가족관계의 변화를 가져오는데, 출산억제 정책은 곧 핵가족제도의 정착을 낳는다. 이러한 핵가족제도는 캐나다 이누이트처럼 확대가족의 전통이 강한 곳에서는 문화적 정체성의 급격한 변화를 야기하기도 한다.

년》, 심세광 외 옮김, 난장, 2011.)

6 이용균, 《인구와 사회》, 전남대학교출판문화원, 2018.

7 데스캉, 〈유럽인들이 사라진다〉, 《르몽드 디플로마티크》, 2018년 6월호.

8 Dorling, D., *Population to Billion: the Coming Demographic Crisis and How to Survive It*, Constable and Robinson, London, 2011. (대니 돌링, 《100억 명: 전 세계 100억 인류가 만들어낼 위협과 가능성》, 안세민 옮김, 알키, 2014.)

9 Giddens, A. and Sutton, P., *Sociology*(7th ed.), Polity Press, Cambridge, 2013. (앤서니 기든스 · 필립 서튼, 《현대사회학》, 김미숙 외 옮김, 을유문화사, 2014.); Bailey, A., Making *Population Geography*, Hodder Education, London, 2005.

이와 함께, 20세기 가족관계에서 큰 변화는 가족의 의사 결정에서 여성과 아동의 권리 확대라 할 수 있다.[10] 여성과 아동의 권리는 사회적 관습과 문화의 산물이기도 하지만, 이는 또한 법적 보호라는 국가에 의한 인구 관리의 산물이다. 여성과 아동에 대한 가정폭력이 심한 곳, 젠더 불평등이 심한 곳은 대가족제도의 폐해가 사회적 이슈가 되면서 핵가족제도로 변화하거나 이주를 야기하기도 한다.[11] 페미니스트는 가족관계에 내재한 여성의 불평등한 관계가 사회적 불평등의 토대라고 지적한다.[12]

최근 인구와 관련된 사회적 변화 중 두드러진 현상은 결혼과 출산의 결정에서 개인의 책임이 강조되는 것으로, 복지의 책임이 사회에서 개인에 전가되면서 자신의 미래를 스스로 책임지는 자기실현self-realization 이 강조되고 있다는 점이다. 자기실현이 강조되는 사회에서 출산율은 대체적으로 낮아지는 경향이 있으나, 캐나다 이누이트 사회는 오히려 출산율의 증가를 보인다. 이는 가족과 공동체를 강조하는 전통적 가치관이 출산에 큰 영향을 미치기 때문으로 이해된다.[13]

한편, 인구에 대한 지배의 정치는 문화와 가치관에 기초한 사회 담론에 의해 암묵적으로 명시되고, 다양한 소통과 미디어를 통해 정당성을 확보한다.[14] 특정 종족집단에 대한 후진성의 표상과 이데올로기는 주변

---

10 Therborn, G., *The World: A Beginner's Guide*, Polity, Cambridge, 2011.

11 Pauktuutit Inuit Women of Canada, Understanding the Needs of Urban Inuit Women, Final Report, PIWC, 2017.

12 Pahl, J., *Money and Marriage*, Macmillan, Basingstoke, 1989.

13 Stern, P., *Daily Life of the Inuit*.

14 이용균,《글로벌 이주: 이동, 관계, 주변화》, 전남대학교출판문화원, 2017a.

부 집단이 문명화되고 선진화된 공간으로 이주하도록 자극하는 요소가 된다. 기후변화 또는 후진성의 표상은 해당 지역을 문제가 있는 곳으로 간주한다는 점에서, 이들 지역에서 발생하는 이주를 강제적 이주forced migration라 칭하기도 한다. 하지만 이주가 전적으로 강제적 요인에 의해서만 발생하는 것은 아니다. 휴고Graeme Hugo는 모든 이주는 강제적 이주와 자발적 이주voluntary migration의 중간 지점에서 발생한다고 주장한다.[15]

이주가 관계적 발생의 산물이라면, 이주가 장소에 미치는 영향도 떠난 곳과 정착한 곳을 동시적으로 고려할 필요가 있다. 사회적 네트워크를 강조하는 이주 이론은 이주의 발생학적 과정을 강조한다.[16] 로컬에 뿌리내린 이주자의 정체성은 정착한 사회에 큰 영향을 미치는데, 이주자가 주변부의 삶을 산다는 것은 고대 그리스에서도 확인되듯 이주자의 삶이 곧 이방인의 삶으로 주변화되기 때문일 것이다. 이처럼 이주자가 정착 지역에서 타자화 또는 주변화된다는 것은 이주자 유입 자체가 장소의 문화, 가치, 경제활동 등에 많은 영향을 미치기 때문이다.

이주자의 유입, 특히 다른 종족 이주자의 유입은 오랜 시간에 걸쳐 형성된 문화경관을 변화시킨다는 점에서 지역사회(주류사회)의 관심이

---

15 이누이트의 역사에서 알 수 있듯이 이주는 하나의 요인에 의한 것이 아니라, 정부의 정착촌 건설이나 기후변화와 같은 강제적 요인, 그리고 사회와 지역 변화에 대처하는 이누이트의 자발적 선택이 결합되어 나타나는 현상으로 이해할 필요가 있다. (Morris, M., "A statistical portrait of Inuit with a focus on increasing urbanization: implications for policy and further research," *Aboriginal Policy Studies* 5(2), 2016.)

16 이용균, 〈결혼 이주여성의 사회문화 네트워크의 특성: 보은과 양평을 사례로〉, 《한국도시지리학회지》 10(2), 2007, 35~51쪽.; 이용균, 〈이주자의 장소 점유와 주변화 담론 연구: 서울 자양동 중국음식문화거리를 사례로〉, 《한국경제지리학회지》 16(2), 2013a, 218~232쪽.

크다.[17] 이주자의 유입이 장소의 의미를 변화시킬 수 있기에 주류사회는 이주자의 유입을 반기지 않으며, 결과적으로 이주자는 주류사회가 용인하는 낙후된 공간에 거주하게 된다. 이주자에 대한 차별, 곧 주변부 위치성이 이들을 낙후된 공간으로 유입시키고, 결국 이주자가 밀집된 공간은 주변화와 차별의 대상이 된다. 이주자에 대한 타자화 과정에서 미디어가 큰 역할을 하는데, 미디어는 이주자를 약하고 보호가 필요한 존재로 포용하면서도 차이를 드러내는 타자화와 주변화 전략에 개입한다.[18]

소수종족은 주류사회가 규정하는 원칙과 가치에 적합하지 않다고 인식되기에 차별화의 대상이 된다. 주류사회의 이상과 맞지 않는다는 것은 이주자가 사회 발전을 저해하는 요소로 인식될 수 있음을 의미한다. 하지만 주류사회가 동질문화를 갖는다는 것은 허구에 불과하다. 소수종족과의 문화적 비교를 통해 주류사회의 동질문화가 구성되기 때문이다. 다름은 차별의 대상이 아니라, 자연스런 현상임이 주류사회의 이주

---

17 이주자는 이방인이지만 강력한 문화의 전파자가 될 수 있는데, 주류문화와 다른 문화적 특성(언어, 음식, 종교 등)을 지역사회에 서서히 뿌리내리고, 이는 지역사회의 새로운 (문화)경관으로 나타나기 때문이다. 지리학자 도린 매시Doreen Massey에 의하면, 경관은 오랜 역사를 통해 구성된 것으로 사회의 가치관과 문화가 내재된 것인데, 이주자의 유입은 작지만 지속적으로 경관에 새로움을 끼워 넣으면서, 결과적으로 로컬의 경관을 변화시키는 힘이 된다고 본다. (Anderson, J., *Understanding Cultural Geography: Places and Traces*, Routledge, London, 2010. (존 앤더슨,《문화 · 장소 · 흔적: 문화지리로 세상읽기》, 이영민 · 이종희 옮김, 한울아카데미, 2013.); Massey, D., *For Space*, Sage, London, 2005. (도린 매시,《공간을 위하여》, 박경환 외 옮김, 심산, 2016.))

18 한국방송학회 엮음,《한국 사회 미디어와 소수자 문화 정치》, 커뮤이케이션북스, 2011; Ehrkamp, P., "We Turks and no Germans: assimilation discourse and the dialectical construction of identities in Germany," *Environment and Planning A* 38, 2006, pp. 1673-1692.

자 담론에서 간과된다.[19]

이주자에 대한 주변화란 활동의 기회를 배제하고 권한을 부여하지 않는 것이며, 결국 이주자를 낮은 사회적 위치성으로 폄하시키는 사회적 과정이다.[20] 이는 결국 소수종족이 특정 장소(특히, 낙후된 공간)로 고립되어 종족의 집단거주지enclave를 형성하는 요인이 된다. 이주자의 집단거주지역이 형성된다는 것은, 곧 사회적 차별이 존재한다는 것이며, 역설적으로 고립 속에 이주자 집단의 네트워크가 생성되고 확대되어 이주자의 문화적 경관이 로컬에 뿌리내림을 의미한다. 이런 과정을 거치면서 이주자 네트워크는 여러 장소를 상호 연결하는 결절과 교차점이 된다. 이처럼 인구 변화와 이주자의 주변화는 매우 복잡한 상황 속에서 다양한 요인이 상호 결합하면서 발생하는 관계적 산물이다.

누나부트의 인구 변화

2018년 1월 기준, 캐나다 인구는 3,724만 2,571명으로 추정되고, 이중 원주민은 약 167만 명이다. 흔히 캐나다 원주민의 대부분이 이누이

---

19 이용균, 〈이주자의 주변화와 거주공간의 분리: 주변화된 이주자에 대한 서발턴 관점의 적용 가능성 탐색〉,《한국도시지리학회지》16(3), 2013b, 87~100쪽.

20 Gatzweiler, F., Baumuller, H., Ladenburger, C., Braun, J., "Marginality: Addressing the Root Causes of Extreme Poverty," *ZEF Working Paper Series* 77, University of Bonn, 2011.; Trudeau, D. and McMorran, C., "The geographies of marginalization," in Casino, et al.(eds.), *A Companion to Social and Cultural Geography*, Blackwell Publishing, Malden, 2011, pp. 437-453.; Mitchell, M., "Networks of ethnicity," in Sheppard, E. and Barnes, T.(eds.), *A Companion to Economic Geography*, Malden, Blackwell Publishers, 2000, pp. 392-408.

트라고 착각하기 쉬운데, 원주민 중 이누이트 인구는 약 6만 5천 명 정도에 불과하다(표 1 참조). 캐나다 인구에서 이누이트가 차지하는 비율은 0.17퍼센트이며, 원주민 중에서 이누이트가 차지하는 비율도 3.9퍼센트에 불과하다. 실제 원주민의 다수는 캐나다 남부에 주로 거주하는 선주민First Nations과 메티스Métis로 구성된다. 인구학적 측면에서 이누이트는 북극 지역에 거주한다는 것 외에 큰 주목을 끌지 못한다.

이누이트가 가장 많이 거주하는 누나부트의 인구는 2018년 1월 기준 3만 8,650명으로 캐나다 전체 인구의 0.1퍼센트를 차지한다. 누나부트는 캐나다 영토의 20퍼센트에 해당하는 187만 7,787제곱킬로미터의 광활한 면적을 차지하고 있으나, 인구밀도는 0.013명/km² 로 100제곱킬로미터당 1.3명이 거주하는 인구희박지역이다. 최근 누나부트는 빠른 인구 변화를 경험하였다. 2001~2016년 인구증가율은 34퍼센트로 나타났으며(표 2참조) 전체 인구 중 이누이트가 차지하는 비율은 84퍼센트 정도인데, 지난 15년간 이누이트의 구성 비율은 약간 줄어들어 미미하나마 외부인의 유입이 증가했다.

표 1 캐나다 원주민 인구 현황(2016)

구 분	인구수(명)	비율(%)
선주민	977,230	58.4
메티스	587,545	35.1
이누이트	65,025	3.9
원주민 혼혈	21,310	1.3
기타 원주민	22,670	1.4
계	1,673,780	100.0

자료: Statistics Canada, 2017, Aboriginal peoples in Canada: Key results from the 2016 census.

누나부트의 행정구역은 배핀·키와틴·키티크미오트로 구분되며, 해안가 또는 호수 주변의 타운에 인구의 대부분이 거주한다. 주요 타운으로 행정수도인 이칼루이트(7,590명)를 비롯하여 이글루릭(1,986명), 아비스트(2,772명), 랜킨 인렛(2,675명), 케임브리지 베이(1,746명) 등 13개 타운이 있고, 이들 타운 외에 인구 1천 명 이상의 마을은 존재하지 않는다. 지난 15년간 인구 증가는 대부분 13개 타운을 중심으로 이루어졌으며, 향후 인구 증가도 주요 타운을 중심으로 나타날 것으로 예상된다.[21]

누나부트 인구의 약 20퍼센트는 행정수도인 이칼루이트에 분포한다. 행정수도인 만큼 행정기관·사업체·병원·학교 등이 입지하고 있으며, 인구 중 이누이트의 비율은 55.4퍼센트로 낮게 나타난다. 2001~2016년 이칼루이트의 인구는 36퍼센트 증가하였는데, 인구 증가의 대부분은 출산율 증가에 의한 것으로 추정된다. 이칼루이트의 타운 건설은 미국이 구소련을 견제하기 위한 레이더 기지를 건설하면서 시작되었다. 이후 캐나다가 영유권을 갖게 되면서 대규모 정착촌이 만들어졌고, 많은 이누이트들이 강제적으로 이주하였다. 비-이누이트는 정부기관이나 사업체에 종사하는 사람들로 주로 캐나다 남부에서 단기간 거주를 목적으로 이주한 사람들이며, 약 700명은 해외에서 이주한 사람들이다. 이칼루이트는 주로 이누이트 언어와 영어를 사용하는데, 영어 45퍼센트, 이누이트 언어 41퍼센트, 프랑스어 5.9퍼센트, 기타 언어 5.8

---

[21] 많은 이누이트가 이미 문명화되었기에 고립된 마을 단위로 경제활동과 사회활동을 영위하기 힘들어졌고, 결국 타운 중심의 사회적 활동이 주를 이루고 있어 앞으로 타운의 인구는 한동안 증가할 것으로 예상된다.

표 2 누나부트 지역별 인구 변화(2001~2016)

지역	2001			2006			2011			2016		
	전체	이누이트		전체	이누이트		전체	이누이트		전체	이누이트	
		인구	%		인구	%		인구	%		인구	%
누나부트	28,134	23,959	85.2	30,812	26,164	84.9	34,196	28,865	84.4	37,082	31,234	84.2
배핀 지역	15,130	12,224	80.8	16,502	13,260	80.4	18,090	14,487	80.1	19,654	15,507	78.9
아크틱 베이	750	619	82.5	700	648	92.6	794	741	93.3	876	828	94.5
케이프 도세트	1,206	1,124	93.2	1,298	1,173	90.4	1,389	1,270	91.4	1,481	1,379	93.1
클라이드 리버	821	796	97.0	924	884	95.7	1,018	986	96.9	1,127	1,085	96.3
그라이즈 피오르드	170	147	86.5	175	163	93.1	193	171	88.6	167	150	89.8
홀 비치	638	609	95.5	768	732	95.3	848	802	94.6	956	915	95.7
이글루릭	1,346	1,292	96.0	1,528	1,458	95.4	1,738	1,643	94.5	1,986	1,850	93.2
이칼루이트	5,565	3,342	60.1	6,314	3,737	59.2	6,916	4,060	58.7	7,590	4,208	55.4
키미루트	454	423	93.2	427	399	93.4	461	428	92.8	450	415	92.2
팽니텅	1,330	1,269	95.4	1,437	1,349	93.9	1,565	1,440	92.0	1,633	1,513	92.7
폰드 인레트	1,282	1,212	94.5	1,369	1,272	92.9	1,533	1,426	93.0	1,663	1,569	94.3
키키커화크	547	522	95.4	558	531	95.2	573	546	95.3	616	573	93.0
레졸루트	225	184	81.8	202	171	84.7	218	179	82.1	210	180	85.7
새니킬아크	720	674	93.6	790	731	92.5	832	783	94.1	887	830	93.6
키와틴 지역	7,942	7,205	90.7	8,722	7,889	90.4	9,779	8,767	89.7	10,528	9,526	90.5
아비어트	1,988	1,883	94.7	2,196	2,061	93.9	2,444	2,306	94.4	2,772	2,591	93.5
베이커 레이크	1,589	1,491	93.8	1,728	1,581	91.5	1,935	1,737	89.8	1,997	1,815	90.9
체스터필드 인레트	361	340	94.2	411	386	93.9	454	410	90.3	473	427	90.3
코럴 하버	744	721	96.9	855	822	96.1	997	948	95.1	1,080	1,034	95.7
노자앗	641	615	95.9	775	730	94.2	914	869	95.1	1,069	1,015	94.9
랜킨 인렛	2,299	1,856	80.7	2,394	1,960	81.9	2,614	2,101	80.4	2,675	2,205	82.4
웨일 코브	320	299	93.4	363	349	96.1	421	396	94.1	462	439	95.0
키티크미오트 지역	5,062	4,530	89.5	5,588	5,015	89.7	6,327	5,611	88.7	6,900	6,201	89.9
케임브리지 베이	1,385	1,075	77.6	1,506	1,185	78.7	1,655	1,263	76.3	1,746	1,385	79.3
교아 해븐	1,007	958	95.1	1,126	1,067	94.8	1,306	1,224	93.7	1,483	1,405	94.7
쿠가아룩	634	603	95.1	771	738	95.7	878	836	95.2	972	928	95.5
쿠글루크툭	1,270	1,179	92.8	1,333	1,210	90.8	1,515	1,358	89.6	1,610	1,447	89.9
탈로요크	753	702	93.2	841	804	95.6	960	917	95.5	1,076	1,023	95.1

자료: Nunavut Bureau of Statistics, 2016, Population Estimates by Inuit and Non-inuit.

퍼센트, 다언어 2.4퍼센트로 구성된다.

케임브리지 베이는 누나부트의 주요 타운으로 북극해로 향하는 주요 항구로서 전략적 요충지이다. 케임브리지 베이에는 대학(Nunavut Arctic College의 Kitikmeot Campus)과 연구소(Canadian High Arctic Research Station)가 있어, 북극 지역 연구 활동의 중심지라 할 수 있다. 인구 중 이누이트 비율은 79.3퍼센트로 이칼루이트에 이어 두 번째로 이누이트 인구 비율이 낮은 곳이다.

이처럼 광활한 면적의 누나부트에는 소수의 사람들이 일부 타운을 중심으로 거주하며, 이칼루이트를 제외하곤 비-이누이트의 거주 비율이 높지 않은 특징을 보인다. 이누이트가 13개 타운에 집중적으로 분포하는 것은 이들 타운을 중심으로 교육, 주택, 의료 등의 서비스가 제공

표 3 캐나다 전체와 누나부트 이누이트 간 인구와 사회지표

구 분	캐나다 전체	이누이트
인구증가율(2006~2016)	11%	29%
유소년 인구(0~14세)	16.1%	31.8%
노년 인구(65+)	17.2%	3.9%
중위연령	40.8세	26.1세
여러 사람이 한 집에 거주하는 비율	9%	52%
25~64세 연령의 고등학교 졸업 비율	86%	34%
음식(식품)의 부족	8%	70%
세전 평균수입	$92,011	$23,485
기대수명	82.9세	72.4세
영아사망률(1,000명당)	4.4	12.3
성인의 흡연율	16%	63%
자가 주택 보유율	67.8%	20%
실업률	5.6%	-

자료: Inuit Tapiriit Kanatami, 2018, Inuit Statistical Profile 2018; Statistical Canada, 2018, Key Indicators.

되기 때문이다. 이런 점에서 현재 누나부트의 이누이트 인구 분포는 정부의 사회복지 서비스 제공이라는 인구 관리 정책과 밀접한 관계를 갖는다.

누나부트의 인구학적 특성을 살펴보기 위해 주요 인구지표를 캐나다 평균과 비교해 보면, 캐나다의 평균 인구증가율이 11퍼센트인 것과 비교할 때 이누이트의 인구증가율은 29퍼센트로 매우 높다(표 3 참조). 높은 인구증가율은 유소년 인구가 차지하는 비율에서도 나타나는데, 캐나다 전체에서 유소년 인구가 차지하는 비율이 16.1퍼센트인 데 비해 이누이트 유소년이 차지하는 비율은 31.8퍼센트로 매우 높게 나타난다. 반면에, 노년 인구의 비율은 캐나다 평균이 17.2퍼센트인데 비해 이누이트는 3.9퍼센트를 보이고 있어, 고령자 인구가 매우 적음을 알 수 있다.

한편, 지역의 발전 수준을 반영하는 자료를 살펴보면, 캐나다 평균에 비해 이누이트의 소득수준은 4분의 1에 불과하며, 25~64세 연령의 고등학교 졸업 비율도 캐나다 평균의 절반에도 미치지 못한다. 한편, 이누이트의 이주를 강요하는 요인 중 하나로 꼽히는 주택문제는 심각한 수준이다. 한 집에 5인 이상이 거주하는 혼잡비율이 캐나다 평균이 9퍼센트인 데 비해 이누이트는 52퍼센트로 나타난다. 이와 함께, 이누이트의 70퍼센트는 음식 부족으로 고통받고 있으며, 주택의 자가 보유율도 20퍼센트에 불과하다. 이처럼 인구와 사회의 주요 지표를 살펴볼 때 이누이트의 인구학적 구조는 매우 불안정하고, 소득, 주택, 복지 등에서 심각한 문제가 있음을 알 수 있다.

이누이트 이주의 발생학적 이해

순이주 패턴

누나부트의 전입과 전출의 관계를 살피는 것은 이누이트 이주의 발생학적 요인을 이해하는 데 중요하다. 전술한 것처럼 기후변화에 초점을 둔 연구는 기후와 환경 변화로 인한 주민의 대량 이주에 초점을 두는 경향이 있다.[22] 하지만 인구 변화는 단순히 기후변화로 설명할 수 없는 요인들에 의한 것으로 한 사회의 변화를 이해하는 단면을 제공한다.

누나부트의 전입과 전출 현황을 살펴보면, 2001년부터 급격한 인구 이동은 없는 것으로 나타났다(표 4 참조). 전입과 전출이 거의 비슷하게 나타나고 있어서, 기후변화로 인해 급격한 이주가 발생했다고 보기 어렵다. 전입과 전출의 차이가 심하지 않은 가운데, 2001년과 2016년에는 순이주가 (+)로 나타났다. 많은 수는 아니지만 2016년에는 전출자보다 전입자가 176명 더 많았다. 또한, 해외 이입자도 꾸준히 나타나, 2016년에는 36명이 해외로부터 이입하였다.

누나부트의 전입자는 캐나다 전역에서 유입되었는데, 온타리오주로부터 전입이 가장 많다(표 5 참조). 2016년 전체 전입자의 36.8퍼센트가 온타리오 지역으로부터 발생하였다. 온타리오주는 캐나다의 정치와 경제에서 매우 중요한 역할을 담당하는 곳이기에 주로 행정, 교육, 의료, 개발, 관광 등과 관련된 업종에 종사하는 사람들이 누나부트로 전입된 것으로 보인다. 온타리오를 제외하고 누나부트로 많이 전입하는 곳은

---

22 International Organization for Migration, Migration, Environment and Climate Change: Assessing the Evidence.

표 4 누나부트의 순이주 현황

구분	2001	2006	2011	2016
전입자	1,106	834	1,110	1,434
전출자	−1,082	−991	−1,263	−1,330
해외 이입자	19	11	26	36
해외 이출자	−4	−3	−3	−4
기타	25	0	22	40
순이주	64	−149	−108	176

자료: Statistics Canada, 2017, Demography Division.

노바스코샤, 노스웨스트준주, 퀘벡이다.

누나부트 전출자가 가장 많이 이동하는 곳은 온타리오 지역으로 2016년 전출자의 34.0퍼센트가 온타리오로 이주하였다. 이는 온타리오에서 전입한 사람들이 일정 기간이 지나면 다시 온타리오로 돌아가는 이주 패턴에 의한 것으로 보인다. 주요 전출 지역도 전입 지역과 비슷하다. 온타리오, 노스웨스트준주, 퀘벡, 노바스코샤 등이 누나부트의 주된 전출 지역이다. 온타리오-누나부트 간 전입과 전출은 주로 비-이누이트에 의한 것으로 볼 수 있다.

이처럼 이누이트의 대부분은 남쪽 도시로 이주한 것이 아니라 북쪽의 타운을 중심으로 생활하고 있다.[23] 누나부트에서 캐나다 남부로 이주하는 이누이트의 이주 요인도 단순히 기후변화에 의한 것만은 아니며, 여러 요인이 상호 복합적으로 작용한 결과라 사료된다. 한편, 이누이트

---

23   Budak, J., "A modern migration: Inuit go south," the GRID, 2010, https://jasminebudak. com/2010/09/15/inuk-tropolis, (접속일: 2018년 1월 12일).

표 5 누나부트의 전입자(2001~2016)

지역	2001		2006		2011		2016	
	1,106	100(%)	834	100(%)	1,110	100(%)	1,434	100(%)
뉴펀들랜드 래브라도	156	14.1	141	16.9	72	6.5	126	8.8
프린스 에드워드 아일랜드	6	0.5	5	0.6	3	0.3	20	1.4
노바스코샤	110	9.9	84	10.1	129	11.6	147	10.3
뉴브런즈윅	45	4.1	33	4.0	45	4.1	66	4.6
퀘벡	95	8.6	74	8.9	122	11.0	122	8.5
온타리오	241	21.8	205	24.6	383	34.5	528	36.8
마니토바	87	7.9	61	7.3	145	13.1	46	3.2
서스캐처원	49	4.4	21	2.5	15	1.4	38	2.6
앨버타	124	11.2	86	10.3	51	4.6	105	7.3
브리티시 컬럼비아	89	8.0	40	4.8	73	6.6	103	7.2
유콘	9	0.8	7	0.8	2	0.2	0	0.0
노스웨스트 테리토리스	95	8.6	77	9.2	70	6.3	133	9.3

자료: Statistics Canada, 2017, Demography Division.

표 6 누나부트의 전출자(2001~2016)

지역	2001		2006		2011		2016	
	1,082	100(%)	991	100.0	1,263	100.0	1,330	100.0
뉴펀들랜드 래브라도	79	7.3	118	11.9	120	9.5	110	8.3
프린스 에드워드 아일랜드	11	1.0	18	1.8	10	0.8	21	1.6
노바스코샤	60	5.5	63	6.4	123	9.7	115	8.6
뉴브런즈윅	33	3.0	27	2.7	31	2.5	26	2.0
퀘벡	112	10.4	69	7.0	121	9.6	118	8.9
온타리오	265	24.5	257	25.9	354	28.0	452	34.0
마니토바	94	8.7	78	7.9	185	14.6	129	9.7
서스캐처원	41	3.8	24	2.4	39	3.1	60	4.5
앨버타	137	12.7	119	12.0	111	8.8	70	5.3
브리티시 컬럼비아	53	4.9	104	10.5	62	4.9	62	4.7
유콘	21	1.9	7	0.7	8	0.6	24	1.8
노스웨스트 테리토리스	176	16.3	107	10.8	99	7.8	143	10.8

자료: Statistics Canada, 2017, Demography Division.

의 강제이주 역사도 이주의 역학을 이해하는 데 중요하다. 1950년대부터 배핀 지역의 일부 이누이트가 북극해 지역으로 강제이주되었고, 이 중 일부는 1980년대 고향으로 귀환하는 현상이 나타나기도 했다.[24]

이누이트의 이주 요인과 이주 경로

문명세계가 이누이트 거주지역에 도달하지 않았더라면, 이누이트는 누나부트 일대 곳곳에 작은 공동체 단위로 거주하고 있었을 것이다. 이누이트가 남쪽 도시로 이주하게 된 배경에는 유럽인과의 접촉, 그리고 1950년대 캐나다가 북극 영토권을 주장하면서 시작된 개발계획과 밀접한 관련이 있다. 현재 누나부트 인구 중에서 타 지역으로 이주한 사람의 규모는 크지 않으나 차츰 이주 규모가 커질 것이며, 향후 이주는 현재의 유소년이 주도할 것으로 보인다.

누나부트에서 이누이트를 배출시키는 요인은 다양할 텐데 서비스, 자원, 그리고 사회경제적 활동의 부족이 이주를 자극하는 것으로 보인

---

[24] 캐나다는 1880년부터 북극해에 대한 영유권을 주장하였으나, 인구가 거주하지 않는다는 이유로 영유권이 인정되지 않았다(파메라 스턴, 《이누이트의 일상생활》). 북극해 영유권을 주장하기 위해 1950년대부터 북극 지역으로 이누이트의 강제이주가 이루어졌다. 그 결과 배핀 지역의 이누이트 일부가 북극해 가까운 곳으로 강제이주되었는데, 당시 이주의 표면적 명분은 야생동물 남획 방지였다. 1950년대 후반에는 에나다이호수와 게리호수 근처의 이누이트가 강제이주되었는데, 명분은 근처 레이더 기지에 의존하여 살아간다는 것이었다. 한편, 1975년 킬리니크 지역에서 학교와 의료시설 철수가 결정되었고, 당시 킬리니크 이누이트 인구의 절반이 강제이주되는 아픔을 당했다. 이러한 다양한 강제이주가 1987년 세상에 알려지면서 사회적 이슈가 되었고, 캐나다 정부는 강제이주된 이누이트의 재이주를 허락하였고 경제적 보상도 이루어졌다.

다.[25] 주택 부족, 비싼 물가, 교육 부족, 가정폭력, 세대 간 갈등, 알코올과 마약중독, 실업 등이 이주를 자극하는 주요 요인으로 작용하며(PIWC, 2017), 이주의 선택과 결정은 다음과 같은 여러 요인이 상호작용한 결과로 판단된다.

첫째, 이누이트의 이주는 유럽 문화 유입에 따른 전통과 정체성의 상실과 밀접한 관련이 있다. 이누이트 문화는 사냥에 토대를 두는데, 유럽인과의 마주침으로 사냥, 문화, 정체성의 변화가 나타났다. 캐나다의 지배를 받으면서 이누이트는 타운으로 이동하게 되었고, 통치 언어로 전통언어인 이누크티투트Inuktitut 대신 영어를 사용하고 백인 문화에 동화되어야 했다.[26] 이 과정에서 사냥 문화가 축소되었으며, 특히 1950~60년대 사회 안정을 목적으로 이누이트가 키우던 개들이 학살되어 사냥이 많이 위축되었다.[27]

1970년대 캐나다 정부가 다수의 이누이트를 좁은 장소에 거주토록하면서 주택 부족, 사회폭력 등의 문제가 발생하였다. 1983년부터 국제 동물보호단체의 거센 항의로 캐나다 정부는 이누이트의 물개 사냥을 제한하였고, 이는 결과적으로 이누이트의 생계 수단에 많은 변화를 가져왔다. 사냥으로 생계 유지가 힘들어지면서 사냥꾼은 정부보조금에 의존하게 되었고, 서로 돕는 것에 익숙한 사냥꾼은 실업자가 되어 자존감 상실의 어려움을 겪게 되었다. 캐나다 정부가 이누이트의 경제 활성화를 목

---

25 Morris, M., "A statistical portrait of Inuit with a focus on increasing urbanization: implications for policy and further research," pp. 4-31.

26 *The Guardian*, "The struggle in Iqaluit: north and south collide in Canada's Arctic capital," 2016, http://www.theguardian.com/cities/2016...html, (접속일: 2018년 1월 19일).

27 Inuit Tapiriit Kanatami, Inuit and Europeans, Ottawa, ITK, 2015.

적으로 광산을 개발하였으나, 실제 고용은 외부인이 주도하였고 관광 효과도 지역 주민의 소득 증대에 큰 영향을 미치지 못했다. 현재 누나 부트에서 전통적 방식으로 생계를 유지하는 이누이트는 약 20퍼센트에 불과한 것으로 추정되고, 이런 맥락에서 이누이트의 이주는 잃어버린 자존감과 정체성을 찾기 위한 선택으로 이해할 필요가 있다.[28]

둘째, 이누이트의 남부 도시로의 이주는 '관계의 맥락'에서 이해할 필요가 있다. 교육과 의료 서비스를 목적으로 남부의 도시들을 방문한 경험이 있는 이누이트일수록 이주하는 비율이 높게 나타난다.[29] 이는 이주가 텅 빈 공간에서 발생하는 것이 아니라, 도시에 대한 직접 또는 간접적 경험을 통해 발생함을 보여 준다. 방문했던 도시에서 느낄 수 있는 교육, 취업, 복지 서비스의 기회가 이주를 자극하는 요소가 되며, 특히 방문했던 곳에 알고 있는 이누이트가 있는 경우 이주를 강하게 자극하게 된다.[30] 특히, 여성의 경우 도시의 일자리는 이주를 자극하는 핵심 요소이다. 이처럼 도시로 이주한 사람과의 접촉 또는 도시에 대한 정보(지식)에 기초하여 이주가 발생하고 있다.

---

28 Bougie, E., Kelly-Scott, K., Arriagada, P., The Education and Employment Experiences of First Nations People Living Off Reserve, Inuit, and Metis: Selected Findings from the 2012 Aboriginal Peoples Survey, Ottawa, Statistical Canada, 2013; Cecco, L., "Urban Inuit: nomads from the arctic find new home in Canada's capital," *Al Jazeera America*, 2014, http://america.aljazeera.com/multimedia/2014/11/urban-inuit-canada.html (접속일: 2018년 1월 12일).

29 Pauktuutit Inuit Women of Canada, Understanding the Needs of Urban Inuit Women.

30 Budak, J., "A modern migration: Inuit go south," *the GRID*, 2010, https://jasminebudak.com/2010/09/15/inuk-tropolis, (접속일: 2018년 1월 12일); Payne, E., "Ottawa's urban Inuit renaissance," *Ottawa Citizen*, 2015, http://ottawacitizen.com/news/local-news/ottawas-urban-inuit-renaissance (접속일: 2019년 1월 28일).

셋째, 거주지에서 이누이트의 경제적 상황이 이주에 큰 영향을 미친다. 문명화된 현대사회에서 소득이 일상을 유지하는 주된 수단이 되었기 때문이다. 캐나다는 계층 간 소득격차가 적은 국가이지만, 이누이트는 예외다. 캐나다의 평균소득(9만 2,011달러)에 비해 이누이트의 평균소득(2만 3,485달러)은 매우 낮으며 실업은 높고 물가는 비싼 편이다(표 7 참조). 수도인 오타와 지역과 비교할 때 누나부트의 감자 값은 3배, 우유는 1.3배, 소고기는 4배, 밀가루는 4.8배가 비싸다. 누나부트는 기후와 자연환경 때문에 육상교통 개발이 어려워 남부로부터의 상품 운송이 쉽지 않다. 이로 인해 물가가 매우 비싼 편이고, 이는 이누이트의 경제를 압박하는 주된 요인이다. 낮은 수입으로 충당하기 어려워진 비싼 생활용품은 이주를 강요하는 또 다른 요인이 되고 있다. 특히, 실업은 누나부트를 떠나는 주요 배출 요인으로 작용하고 있다.

넷째, 이누이트의 이출과 관련된 주요 요인 중 하나는 복지의 부족이다. 복지 중에서 이누이트가 직면한 문제는 주택, 의료, 교육이라고 할 수 있다. 먼저 주택에 대해 살펴보면, 현재 이누이트가 정착하고 있는 타운은 이누이트의 삶에 적합한 주거지역으로 개발된 것이 아니라 백

표 7 누나부트와 캐나다 주요 지역의 식료품 값 비교(단위: 달러)

구분	감자(5lb)	우유(1리터)	소고기(1lb)	밀가루(2.5kg)	총 가격
누나부트	7.49	3.15	9.99	10.59	31.22
오타와	2.49	2.49	2.49	2.19	9.47
몬트리올	2.29	1.39	3.00	2.69	9.37
옐로우나이프	3.29	1.29	1.98	4.39	10.95

자료: ITK, 2006, Inuit Statistical Profile.

그림 1 누나부트 케임브리지 베이의 주택. 왼쪽은 일반 주택, 오른쪽은 연립주택이다. 자료: 건국대 기후연구소

인이 거주하기 편한 곳에 개발된 정착지이다.[31] 타운 개발 과정에서 이 누이트의 사냥 문화는 고려되지 않았고, 주택이 협소하여 확대가족이 함께 거주하기 힘들다. 주택 부족은 이누이트의 일상을 힘들게 하는 주된 요인이 되고 있다(그림 1 참조).

2010년 누나부트 통계 조사에 의하면, 전체 8,550가구 중 주택의 자가 비율은 20퍼센트에 불과하고 나머지 80퍼센트는 공공임대주택이었다.[32] 8,550가구 중 현재 거주하는 주택에 만족하는 비율은 60퍼센트 정도이고, 23퍼센트인 1,890가구는 주택 상태에 심각한 문제가 있다고 답하였다. 전체 가구 중 35퍼센트인 2,930가구는 여러 사람이 함께 거주하여 침대가 부족한 것으로 조사되었다. 주택 상태가 평균 이하인 경우는 전체 가구의 49퍼센트인 4,030가구였으며, 특히 공공임대주택의

31 Qikiqtani Inuit Association, Qikiqtani Truth Commission: Thematic Reports and Special Studies 1950~1975, Iqaluit, 2014.

32 Nunavut Bureau of Statistics, Nunavut Housing Needs Survey Fact Sheet, Nunavut, 2011.

63퍼센트는 주택의 상태가 좋지 않은 것으로 나타났다. 조사 당시 약 1,200명(누나부트 전체 인구의 약 4퍼센트)의 이누이트는 거처할 집이 없어 임시로 다른 사람의 집에 거주하고 있었다.

이누이트의 25퍼센트는 혼잡한 주거공간에서 살아가고 34퍼센트는 좁은 집에 가족과 지인이 함께 거주하는데, 이는 전염병 등 각종 위생 문제를 비롯하여 가정폭력과 학교 중도 포기를 야기한다. 여러 조사를 통해 주택의 과밀거주는 폭력, 질병과의 연관성이 높은 것으로 나타났다.[33] 15세 이상 성인 중 약 20퍼센트인 3,780명은 주택이 없어 공공임대주택 입주를 기다리고 있는 실정이다(표 8 참조). 대기자 명단 중 1,330명은 1~3년 동안, 550명은 5년 이상 대기 상태에 있다. 누나부트의 주택은 수가 부족할 뿐만 아니라 가격 면에서도 문제인데, 이칼루이트의 평균 주택 가격은 37만 6,640달러로 주택의 질에 비해 비싼 편이다.

건강 문제는 이누이트로 하여금 고향을 떠나도록 강요하는 요인 중 하나이다. 누나부트 지역은 의료 서비스가 좋지 않고, 심지어 의사가 없는 곳도 많다. 역사적으로 이누이트는 정착지의 관리자였던 백인을 통해 술과 마약을 접하였는데, 추운 환경이 술과 마약중독에 큰 영향을 미쳤다.[34] 캐나다 남부 도시 지역에 거주하는 이누이트 중 흡연자가 29

---

33 Minich, K., Saudny, C., Lennie, Wood, M., Cao, Z., Egeland, G., "Inuit housing and homelessness: results from the International Polar Year Inuit Health Survey 2007-2008," *International Journal of Circumpolar Health* 70(5), 2011, pp. 520-531.; Riva, M., Plusquellec, P., Juster, R., Laouan-Sidi, E., Abdous, B., Lucas, A., Dery, S., and Dewailly, E., "Household crowding is associated with higher allostatic load among the Inuit," *Journal of Epidemiology and Community Health* 68(4), 2014, pp. 363-369.

34 Pauktuutit Inuit Women of Canada, Understanding the Needs of Urban Inuit Women; Wallace, S., Inuit Health: Selected Findings from the 2012 Aboriginal Peoples Survey, Ottawa, Statistics Canada, 2014.

표 8 누나부트의 공공주택 대기자 수(2010)

기간	1년 미만	1~3년	3~5년	5년 이상
대기자 수	620명	1,330명	540명	550명

주: 대기자 3,780명 중 730명은 대기 기간에 응답하지 않았음
자료: Nunavut Bureau of Statistics, 2011, Nunavut Housing Needs Survey Fact Sheet, p. 4.

퍼센트인 데 비해, 누나부트에 거주하는 이누이트는 63퍼센트가 흡연자이다. 술을 마시는 이누이트는 생각보다 적어 1년에 술을 한 번도 마시지 않은 사람이 40퍼센트 정도에 이르지만, 알코올과 마약에 빠진 사람도 의외로 많아 사회적 문제가 되고 있다.[35] 일부 여성은 남부 도시로의 이주를 공동체로부터의 탈출이라 표현하는데, 이는 주변 환경이 알코올과 마약에 쉽게 빠지도록 하기 때문이다. 알코올과 마약중독은 범죄의 증가로도 이어진다. 한 조사에 의하면 북부 이누이트의 범죄율은 캐나다 평균보다 9배가 높은 것으로 나타났다.

전통적으로 이누이트의 교육은 삶을 위한 기술을 습득하는 것이었고, 정해진 형태의 교육제도가 존재하지 않았다. 1920년대 영국성공회와 가톨릭교회가 이누이트를 위한 주간학교를 설립하였고, 1929년 매킨지에 기숙학교가 설립되었다. 한정된 수의 이누이트가 기숙학교에 입학하였고, 이들은 9개월 정도까지 가족과 떨어져서 공부해야 했다. 캐나다 정부는 1948~1963년 교회가 운영하던 마을의 학교를 정부가 운영하는 학교로 전환하였다. 대부분의 학교가 이누이트 인구가 많은 타운 중심으로 운영되었고, 1964년부터 고등학교를 위한 기숙학교가

---

35 Pauktuutit Inuit Women of Canada, Understanding the Needs of Urban Inuit Women.

매니토바 처칠 · 이뉴비크 · 옐로우나이프 · 이칼루이트에 설립되었다. 교육을 위해 많은 이누이트 학생들은 가족과 떨어져 지내야 했다.

　누나부트의 고등교육은 제한적이다. 옐로우나이프에 오로라 칼리지 Aurora College, 이칼루이트에 누나부트 아크틱 칼리지Nunavut Arctic College 가 있고 몇 곳에 분교가 있으나 누나부트에 대학은 없다. 이누이트들은 대학에 진학하려면 고등학교부터 도시에서 교육을 받아야 한다고 생각 한다. 마을에 고등학교가 없어 기숙학교에서 가족과 떨어져 공부해야 하는 이누이트 중 · 고등학생들은 외로움과 소외감으로 어려움을 겪는 다.[36] 적절한 교육시스템의 부족, 원거리 유학, 재정 지원 부족, 가족으로서의 의무 이행(부모 돕기, 동생 돌보기) 등이 이누이트가 직면한 고등교육의 문제점이다. 이는 궁극적으로 일부 이누이트가 자녀교육을 위해 도시로 이주하는 배경이 되기도 한다. 누나부트의 고등학교 졸업장으로 유명한 대학에 진학하기 어려우며, 설령 대학에 진학하더라도 35 퍼센트는 금전적 이유 때문에 학업을 중단하는 것으로 나타났다.[37]

　이누이트 운동가들은 이누이트의 언어 · 문화 · 역사 · 세계관이 반영되는 교육시스템을 건설하고자 하나 현실과는 거리가 있다. 누나부트는 자녀교육 환경이 좋지 못하고, 자녀양육비를 지원받으려면 아동이 성이 다른 경우 각자의 방에서 생활해야 하는데, 누나부트의 주택 상황에서

---

[36]　Bloy, K., Winnipeg Urban Inuit Study, 2008, Social Planning Council of Winnipeg, Winnipeg, 2008.

[37]　오타와 지역에 거주하는 캐나다인의 고등학교 졸업 비율은 약 80퍼센트 정도이나, 이 누이트의 졸업 비율은 59퍼센트에 불과하여 학력 수준 차이가 심한 편이다(Payne, 2015). (Bougie, E., Kelly-Scott, K., Arriagada, P., The Education and Employment Experiences of First Nations People Living Off Reserve, Inuit, and Metis: Selected Findings from the 2012 Aboriginal Peoples Survey.)

아동이 자신의 방을 갖기 힘들기 때문에 정부가 제공하는 자녀양육비를 받기 어렵다. 자녀교육은 이주를 결정하는 또 다른 이유가 되고 있다.

이처럼 사냥 축소에 따른 정체성의 위기, 물가와 실업을 비롯한 경제적 요인, 그리고 주택·의료·교육 등의 사회복지 문제가 이누이트를 남부로 이주하도록 하는 배출 요인이 되고 있다. 기후변화와 사회문화적 문제에 의한 이주는 강요된 이주라 볼 수 있지만, 이누이트 중 일부만이 이주를 선택한다는 점에서 현재 전개되는 이누이트의 캐나다 남부 도시로의 이주는 강제적 이주와 자발적 이주의 접합이라 판단된다.

한편, 이누이트 이주 경로에도 변화가 나타났다. 과거 이주 패턴(1990년 이전)의 두드러진 특징은 교육이나 의료적 치료를 위해 일시적으로 남부 도시에 체류한 뒤, 고향으로 돌아와 살다가 남부 도시로 영구적으로 이주하는 패턴이었다. 즉, 이주를 결정하기 전 별도의 탐색 단계를 거치는 것이 보통이었다(그림 2 참조). 교육과 의료를 목적으로 고향에서 인근 타운으로 이주하게 된 이누이트는 그곳에서 남부 도시

그림 2 이누이트 이주 패턴의 변화

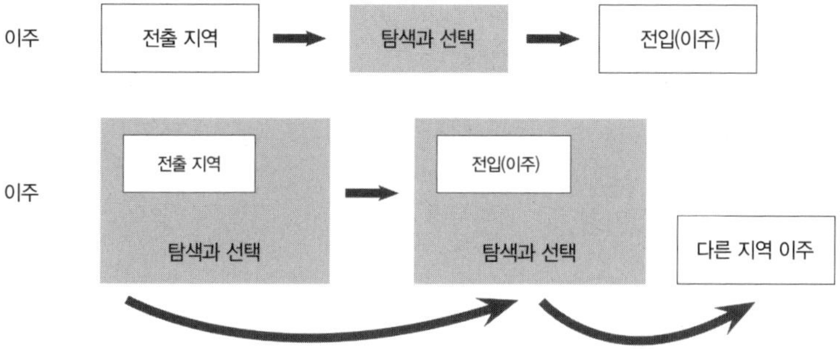

에 대한 정보를 얻었다. 1964년부터 주요 타운의 고등학교가 이누이트 학생에게 기숙사를 제공하면서, 그곳에서 고등학교를 마친 이누이트들은 고향으로 돌아가거나 일부는 대학에 진학하고 직장을 구하기 위해 도시로 떠났다.

1956년 이누이트 사이에서 결핵이 확산되었을 때, 결핵에 걸린 이누이트(전체 이누이트의 약 15퍼센트)를 남쪽의 결핵요양소로 강제이송하면서 가족과 이별하는 경우가 생겼다.[38] 또한, 마약과 알코올중독을 치료하려고 남쪽 도시를 방문하는 이누이트가 증가하였는데, 마약과 알코올중독 치료를 마친 이누이트들은 고향으로 돌아가는 것을 꺼리는 경향이 나타났다. 고향 마을에서는 마약과 알코올에 쉽게 중독되는 분위기가 존재했기 때문이다.[39] 교육과 의료 서비스를 제공받았던 이누이트 중 상당수가 고향으로 돌아와 생활하게 되었으나, 고향에 적응하지 못하는 문제, 그리고 남부 도시에 대한 동경 등이 복합적으로 작용하여 남부 지역으로의 이주가 발생하게 되었다. 특히, 과거 방문 경험이 있거나, 이누이트에 대한 복지 지원 혜택이 많고, 도시에 거주하는 이누이트에 대한 정보가 많은 곳이 이주의 주된 목적지가 되었다.

현재의 이주 패턴(1990년 이후)은 과거보다 복잡한 이주 패턴을 보인다. 이주자는 별도의 탐색 과정을 거치는 것이 아니라, 삶의 과정 속에서 탐색과 선택이 이루어진다. 이는 전출 지역뿐만 아니라 전입 지역에서도 나타나는데, 탐색과 선택 과정에 따라 현재의 목적지에 정착하거나 귀향하고 이주 지역을 다른 곳으로 변경할 수도 있다. 이처럼 현대의 이주는

---

38   Stern, P., *Daily Life of the Inuit*.

39   Pauktuutit Inuit Women of Canada, Understanding the Needs of Urban Inuit Women.

과거보다 다양한 요인(남부 도시에서의 체류 경험, 실업, 물가, 교육 · 의료 · 주택의 부족, 가정폭력, 남부 도시에 대한 정보 등)이 직접적으로 이주에 영향을 미치고, 또한 모빌리티의 증대도 이주 선택과 결정에 많은 영향을 미친다. 현재의 이주 패턴을 단순화시키는 것은 힘들지만, 남부 도시가 갖는 매력이 이주에 미치는 영향을 간과할 수는 없을 것 같다.

이누이트 이주자의 주변화와 공동체 정치

주변화의 표상

이누이트 이주자는 인구가 희박한 북극 지역에 오랫동안 거주하면서 고립된 생활을 하였기에 도시문화에 적응하는 것이 쉽지 않았다. 영어나 프랑스어에 익숙하지 않았던 이누이트는 취업의 기회가 적었고, 주류문화에 동화되지 못한 채 주변부의 삶을 살게 되었다. 이누이트의 주변화는 한편으로 캐나다 정부의 책임도 있다. 정부의 도시 거주 원주민 지원 정책이 이누이트의 문화적 특성을 제대로 고려하지 못했기 때문이다.[40] 이누이트는 북미 인디언이나 메티스처럼 현재의 도시 지역에 거주하지 않았고, 공동체 문화에 익숙하여 도시의 개인주의 문화에 쉽게 포함되지 못하였다.

도시로 이주한 이누이트는 정부와 사회단체로부터 다양한 복지 서비스를 제공받았으나, 일과 가정이 명확히 구분되고 이웃이 분리된 개

---

40 Morris, M., "A statistical portrait of Inuit with a focus on increasing urbanization: implications for policy and further research," pp. 4-31.

인주의 도시문화에 적응하지 못하였다. 직장에서 고립되고 이웃으로부터 고립된 이누이트들은 함께 모여 서로 의지하였는데, 이 과정에서 일부는 술 · 담배 · 마약에 빠졌다. 소외된 이누이트는 적극적으로 직업을 구하려고 하지 않았고, 이누이트에게 일자리를 제공하려는 백인도 많지 않았다.[41] 직업을 구하기 힘든 이누이트들은 더욱 알코올중독에 빠져들어, 몬트리올 지역으로 이주한 이누이트의 약 60퍼센트가 술과 관련한 문제를 가졌던 것으로 조사되었다. 알코올중독은 도시에 거주하는 이누이트의 주변부 위치성을 표상하는 대명사가 되었다. 이누이트에게 지급되는 실업 · 복지수당이 시민의 세금이란 점에서 백인 사회의 실망은 이누이트에 대한 차별로 나타났다.

알코올중독과 함께 이누이트를 주변부 존재로 위치 짓는 데 큰 영향을 미친 것은 날고기를 먹는 습관이다. 특히 바다표범 사냥을 둘러싸고 동물보호단체와 이누이트가 첨예하게 대립했고, 백인 사회에서 바다표범 고기를 판매하는 이누이트 식당이 '미개한 야만인', '환경파괴자' 등으로 표상되었다. 일부 동물보호단체는 이누이트 식당의 존재 자체를 지구 환경보호의 위협적 요소로 인식하였다.[42] 아무리 유명한 이누이트라도 바다표범을 먹는다는 사실만으로 타자화되는 것이 현실이다.

이누이트가 도시에서 주변부의 삶을 살아가는 가장 큰 이유는 낮은 소득과 높은 실업에 기인할 것이다. 도시는 누나부트에 비해 경제활동의 기회를 많이 제공하나, 교육과 취업 경험이 부족한 이누이트가 안정

---

[41] Kishigami, N., "Homeless Inuit in Montreal," pp. 73-90.

[42] *The Guardian*, "Animal rights activists and Inuit clash over Canada's indigenous tradition," 2017, https://www.theguardian.com/inequality/2017/nov/01/animal-rights-activists-inuit-clash-canada-indigenous-food-traditions (접속일: 2019년 2월 25일)

적 직업을 갖는 것은 쉬운 일이 아니다. 누나부트에 비해 실업률이 낮다고 하더라도, 여전히 도시에 거주하는 이누이트의 실업률은 높은 편이다. 온타리오주에 거주하는 이누이트의 실업률은 15퍼센트로 캐나다 평균의 2배에 달한다.[43] 실업률이 높다는 것은 도시에서 안정된 생활을 하지 못하는 이들이 많다는 것을 의미하며, 이는 교육수준과도 밀접한 관계가 있다고 판단된다. 오타와에 거주하는 이누이트의 교육수준은 도시 평균에 비해 상당히 낮은 것으로 조사되었다.

도시로 유입되는 이누이트의 증가는 범죄, 폭력 등과 같은 다양한 사회문제에 대한 우려를 낳고 있다. 미디어는 이누이트의 폭력과 실종을 보도하면서 이누이트를 문제가 많은 종족으로 규정하는 데 일조한다.[44] 특히, 이누이트 여성의 실종 사건이 많다는 점 때문에 이누이트 사회가 매우 불안정하고 여성에 대한 남성의 폭력이 제어되지 못하는 미개하고 부도덕한 종족으로 타자화되는 경향이 있다. 하나의 사건에 불과할 수 있는 이누이트 남성의 폭력이 사회에 만연한 범죄이자 사회 정화를 위한 백인 사회의 부담으로 인식되기도 한다.

이누이트는 백인 사회 영역으로 침입한 이방인이자 사회 안정을 위협하는 존재로 표상된다. 도시에 거주하는 이누이트가 소수임에도, 백인 사회는 낯선 이방인이 도시 공간을 점령한 것처럼 과장된 수사를 동원하여 이들을 타자화한다. 오타와에서 이누이트는 전체 인구의 0.35

43 Payne, E., "Ottawa's urban Inuit renaissance," *Ottawa Citizen*, 2015, http://ottawacitizen.com/news/local-news/ottawas-urban-inuit-renaissance (접속일: 2019년 1월 28일).

44 Woods, J., "Canada's growing indigenous population reshaping cities across the country," *The Globe and Mail*, 2016, https://www.theglobeandmail.com/news/growing-indigenous-population-reshaping-cities-across-the-country/article33436120 (접속일: 2018년 1월 12일).

퍼센트를 차지하나, 실제보다 더 많은 이누이트가 거주하는 것으로 인식된다. 술을 먹고 저녁의 도시 거리를 배회하는 것, 가정에서 폭력적인 가부장적 태도, 직장에서 진지하게 일하지 않는 태도 등이 이누이트를 도시에 적합하지 않는 존재, 즉 낯선 침입자로 규정하게 한다. 사실, 이누이트는 백인이 거주하지 않는 빈 공간(오타와의 베니에 등)으로 유입되었으나, 주류사회와 미디어는 이누이트가 유입되면서 현 공간이 낙후된 공간으로 변모하였고, 조용했던 지역이 말썽 많은 우범지역으로 변모했다고 인식한다.

대체로 이누이트는 날음식을 먹고, 게으르고, 가난하고, 가정폭력이 심한 집단으로 타자화되며, 백인의 도시문화와 어울리지 않는 존재로 주변화된다. '쓰레기', '추장' 등은 이누이트를 차별하는 통상적 용어이며, 일부 백인은 이누이트를 아시아인 또는 중국인과 동일한 종족으로 간주하기도 한다. 심지어 이누이트가 취업을 하려면 스스로 알코올중독 상태가 아님을 증명할 것을 요구받는 등, 백인의 관점에서 이누이트의 정체성이 해석되고 이해된다.

거주지 분리와 공동체의 정치

사회적 위치가 낮고 도시 거주 경험이 부족한 이누이트는 임대료가 저렴한 낙후된 지역으로 집중되고, 연고가 없는 일부 이누이트는 임시 숙소에 머물게 된다. 대개 임시 숙소는 알코올중독자·정신이상자 등 장기 노숙자를 위한 보호센터(쉼터)이기에, 이누이트는 이들의 행동에 쉽게 영향을 받는다. 문제는 보호센터에서도 이누이트는 주변부에 위치한다는 것이다. 타자인 백인 노숙자가 또 다른 타자인 이누이트를 차별하는 공간이 바로 보호센터이다.

그림 3 오타와 베니에 지역. 자료: www.google.com

　캐나다 수도 오타와는 이누이트 이주자가 정착한 대표적 장소로, 이누이트는 이곳에서 주류사회의 차별에 맞서 자신들의 문화를 로컬에 뿌리내리고 있다. 오타와에는 3천 명 이상의 이누이트가 거주한다. 이칼루이트에서 비행기로 3시간 거리에 있고, 캐나다 연방정부가 자리 잡고 있으며, 베니에 등 저렴한 주택지역이 분포하고 있다는 점이 이누이트의 유입을 자극하고 있다. 베니에의 주택(방 3개) 임대료가 4주에 1,100달러인 데 비해, 이칼루이트의 주택(방 1개) 임대료는 월 2,100달러이다.[45] 이처럼 임대료가 저렴하지만, 베니에는 마약과 매춘이 성행하는 곳으로 오타와의 대표적 우범지역이다.

　베니에 지역은 예전부터 정착한 이누이트가 많아 가족과 공동체를 강조하는 이누이트의 연쇄이주를 이끌었다(그림 3 참조). 오타와에는

---

45 Budak, J., "A modern migration: Inuit go south," *the GRID*, 2010, https://jasminebudak. com/2010/09/15/inuk-tropolis (접속일: 2018년 1월 12일)

이누이트를 위한 서비스센터TI: Tungasuvvingat Inuit가 몇 군데 있는데, 이들 센터는 이누이트 공동체활동을 촉진하는 핵심이 되어 왔다. 이누이트 공동체가 활성화되는 데 많은 시간이 걸렸으며, 1970년대 이래 캐나다가 추구한 다문화주의가 오타와에서 이누이트 공동체가 활성화되는 데 큰 영향을 미쳤다. 1987년 설립된 이래로 이누이트 서비스센터는 이누이트를 위한 다양한 사회 적응 프로그램을 제공하고 있다. 2017년에는 23개 프로그램에 4,500건 이상의 서비스를 제공하였다.[46]

오타와에서 이누이트 공동체 정치는 백인 사회로부터의 주변화와 일상에서 마주하는 이누이트 사회의 다양한 문제를 개선하는 과정으로 실천되었다. 무엇보다 이누이트는 알코올중독자라는 편견과 맞서야 했다. 이누이트의 정체성 찾기 운동은 한 예술가의 죽음과 관련이 있다. 케이프 도싯Cape Dorset 예술가상을 수상하고 내셔널 갤러리National Gallery에 작품이 소장되어 있는 푸토국A. Pootogook이란 이누이트 예술가가 알코올에 중독되어 노숙자 생활을 하다가 오타와 거리에서 생을 마감했다.[47] 이 사건이 이누이트의 삶을 알코올중독과 더 관련시키자, 사회적 차별과 자체의 문제에 맞서는 이누이트 공동체운동이 확대되었다. 땅land과의 유대 찾기가 이누이트 공동체 실천의 모토가 되었고,[48] 공동체 네트워크는 이누이트 문화와 가치가 실천되는 토대가 되었다. 이를 통

46 Tungasuvvingat Inuit, Annual Report 2016-2017, Tungasuvvingat Inuit, 2018.

47 Budak, J., "A modern migration: Inuit go south," *the GRID*, 2010, https://jasminebudak.com/2010/09/15/inuk-tropolis (접속일: 2018년 1월 12일).

48 Kushwaha, A., "The Significance of Nuna (the Land) and Urban Place-making for Inuit Living in Ottawa, Ontario, Canada," Unpublished Ph.D thesis in Carleton University in Ottawa, Canada, 2013.

해 이누이트의 언어, 음식, 가치(관), 생활양식이 로컬에 뿌리내리고, 모빌리티mobility가 약한 이누이트의 단점은 집단 네트워크를 통한 연대의 정치로 보완되었다. 이누이트 문화가 오타와에 뿌리내리는 과정은 재영역화reterritorialization의 맥락에서 이해될 수 있다. 재영역화를 통해 무미건조한 오타와의 추상적 도시 공간이 의미를 갖는 장소로 전환되고, 이누이트의 도시적 삶이 활기를 띠게 되었다. 이처럼 주변화에 맞서고 삶에 활력을 불어넣는 이누이트의 공동체 정치는 다음과 같은 특징을 갖는다.

첫째, 사회적 차원에서 이누이트의 공동체 정치를 이끄는 핵심적 역할을 이누이트센터가 수행하고 있다(그림 4 참조). 이누이트센터는 만남, 활동, 모임, 이벤트, 정보 교류, 적응 문제 등을 공유하는 장소이다. 전통적으로 이누이트의 정체성 형성에서 가장 중요한 요소는 사냥 · 채집 · 바느질 · 언어인데, 이는 모두 땅과 관련된 문화다. 도시 일상에서 마주치는 소외를 극복하기 위해 이누이트센터가 강조하는 것은 가족, 친지, 지인과의 연대를 통한 사회적 관계의 회복이다. 이러한 유대감은 이누이트의 사회 적응에 매우 중요했을 뿐만 아니라 존재감을 고취시키는 데도 큰 영향을 미쳤다.

'존재감 찾기 운동'은 이누이트의 공동체 정치에서 매우 중요한 부분을 차지하였다. 이누이트가 느끼는 차별의 대표적 감정이 바로 '존재감의 부재the absence of the sense of existence'였기 때문이다. 이누이트는 전통적으로 공동체 의식과 연대를 강조하는데, 도시의 삶은 개인주의적이고 주류사회의 차별이 심하다. 소외와 부재감은 여성일수록 심하게 겪을 수 있으며, 일부 여성은 소외와 격리의 감정을 극복하지 못하여 도시를

그림 4 이누이트의 공동체 정치

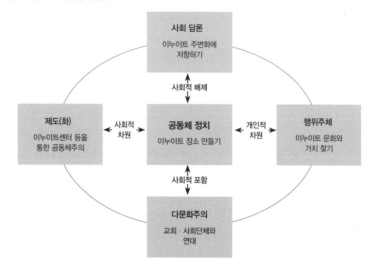

배회하다가 마약, 폭력, 성매매의 주요 목표가 되기도 한다.[49] 정체성 찾기 운동가들은 주류사회의 일상에서 이누이트의 존재감이 제고되도록 이누이트의 사회적 참여를 독려하는데, 특히 도시생활의 정보 공유와 공동체활동 참여를 독려한다. 이와 함께, 이누이트센터는 바람직한 자녀양육과 교육, 그리고 양성평등을 위한 다양한 활동과 프로그램을 운영하고 있다.

둘째, 개인적 차원의 공동체 정치에서 강조하는 것은 이누이트의 문화와 가치를 통한 정체성의 회복이다. 봉사, 교육, 종교 등 다양한 단체

---

49 Pauktuutit Inuit Women of Canada, Understanding the Needs of Urban Inuit Women.

가 전통문화와 가치 회복을 통해 이누이트의 발전을 추구하는 운동을 전개하고 있다. 이민 1세대와 2세대 간 전통문화를 연결시키려는 노력은 이들 단체가 지향하는 주요 목표이다. 이민 1세대는 1970~1980년대 이누이트어를 사용하지 못하는 분위기 속에서 자녀를 키웠고, 따라서 당시에는 이누이트 언어와 문화를 자녀에게 학습시키는 것이 쉽지 않았다. 이러한 과정을 거치면서 이민 세대 간 가치관의 차이와 갈등이 나타났고, 이는 공동체정신을 공유하는 데 문제로 등장하였다. 이를 극복하기 위해 이누이트 학교는 이민 2세대에게는 전통언어와 문화를 가르치고, 이민 1세대에게는 캐나다 문화를 교육시키면서, 세대 간 문화적 차이를 줄이고 이누이트의 공동체 문화와 가치를 제고하는 노력을 전개하고 있다. 이처럼 개인적 차원에서 공동체 정치가 강조하는 것은 이누이트의 문화와 가치를 유지하는 것이다.

셋째, 백인 사회의 사회적 배제에 저항하기 위해 이누이트 공동체 정치에서 강조하는 것으로 이누이트 문화와 다른 원주민 문화가 동질화되는 사회 담론에 저항하고, 주류사회로부터의 이누이트 주변화에 저항하는 것이다. 이누이트 공동체가 추구하는 것은 이누이트의 정체성이 다른 원주민과 다르다는 것이 사회적으로 받아들여지고, 사회적 편견이 해소되어 이누이트 문화의 가치가 주류사회에 인식되도록 하는 것이다. 이를 통해 이누이트 공동체는 다양한 프로그램과 사회활동 참여를 통해 이누이트의 문화와 가치(언어, 음식, 육아 등)가 반영되는 복지와 서비스가 제공되도록 정부와 지역사회를 설득시키고자 한다.[50]

---

50 Morris, M., "A statistical portrait of Inuit with a focus on increasing urbanization: implications for policy and further research," pp. 4-31.

넷째, 다문화주의와 같은 사회적 포함 정책에 편승하면서 이누이트의 연대를 강조하는 것이 이누이트 공동체 정치가 추구하는 방향이다. 오타와의 이누이트 전통식품점에서는 곤들매기, 물개, 고래, 전통 제품 등을 판매한다. 이누이트는 다양한 행사를 통해 전통문화(음식 등)를 공유하고자 하는데, 전통의 공유는 이누이트의 연대와 공동체 정치가 실현되는 토대가 된다. 이러한 공동체 정치는 이누이트에 대한 사회적 관심을 고조시키고 이누이트의 위상을 강화시킨다. 이누이트 공동체 정치의 노력을 반영하듯 2015년 오타와의 성공회교회는 처음으로 이누이트 출신 여성을 성직자로 배출하였다. 1998년 아크틱베이에서 오타와에 온 아타구티지아프A. Attagutisiakf는 마침내 성직자가 되어 베니에 지역에서 이누이트어인 이누크티투트로 설교하게 되었다.[51] 성공회교회의 사회운동가들은 이누이트와의 화해는 과거의 백인 잘못에 대한 사과로서 끝날 것이 아니라, 반성에 대한 실제적 실천이 필요하다고 주장한다.[52] 성공회교회는 이누이트 공동체를 위하여 다양한 프로그램을 제공하고 있으며, 베니에에 위치한 성공회교회는 일요일 오전 9시 30분 예배는 영어로 11시 30분 예배는 이누이트어로 진행하고 있다.

이누이트가 주류사회로 포함되는 과정에서, 백인 사회의 차별에 맞서는 이누이트의 저항과 공동체의 가치를 추구하는 이누이트 운동의 결합이 중요한 역할을 하고 있다. 이누이트의 남부 도시 정착은 주변화를 포함한 많은 문제점을 갖고 있지만, 이누이트는 정착 사회에 정신적 · 물

---

51 Payne, E., "Ottawa's urban Inuit renaissance," *Ottawa Citizen*, 2015, http://ottawacitizen. com/news/local-news/ottawas-urban-inuit-renaissance (접속일: 2019년 1월 28일).

52 *Anglican Journal*, "Reconciliation is doing 'with,' not 'for'," 2018, https://www. anglicanjournal.com/reconciliation-is-doing-with-not-for (접속일: 2019년 2월 24일).

질적 경관을 만들면서 자신들의 문화를 로컬에 뿌리내리고 있다. 이러한 이누이트의 경관 만들기는 정착 사회를 점점 이누이트에게 매력적인 공간으로 변모시키고 있다. 지난 20~30년간 공동체 정치를 수행한 결과, 현재의 도시 공간은 이누이트에게 좀 더 편한 공간으로 변화했으며, 문화와 공동체정신에 대한 이누이트의 자부심도 고양되었다.

이처럼 이누이트는 사회적 관계를 통해 이주하고, 정착 지역에서 자신들의 장소를 만들어 가고 있다. 정착 지역에서 이누이트의 가장 기본적이고 강한 네트워크는 가족 · 친구 · 지인 사이에서 발생하는 사회적 관계이며, 이와 함께 로컬의 사회적 관계에서 중요한 역할을 하는 것은 이누이트센터 · 학교 · 단체 · 종교이다(그림 5 참조). 이들 네트워크가 로컬 수준에서 작동하는 이누이트의 네트워크라면, 로컬과 지역 수준에서 이누이트의 삶과 공동체 정치에 가장 큰 영향을 미치는 것은 주류사

그림 5 이누이트의 사회적 네트워크

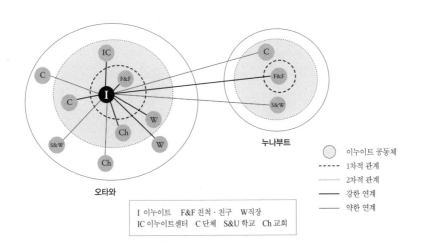

회의 주변화와 다문화주의라 할 수 있다. 주류사회의 문화와 가치는 이누이트의 사회적 관계와 네트워크의 구성·작동에 많은 영향을 미친다.

이누이트의 네트워크는 로컬과 지역 수준에 제한되는 것이 아니라 누나부트를 포함한 북극 지역, 그리고 남부 지역의 여러 장소들을 연결시키고 있다. 따라서 이누이트의 공동체 정치는 단순히 로컬 스케일에서만 작동하는 것이 아니라 캐나다 전역, 그리고 세계의 여러 장소들과 연결되는 장소 정치라 할 수 있다. 하지만, 다중-스케일에서 작동하는 이누이트 공동체 정치의 원동력은 로컬 수준에서 작동하는 사회적 관계, 즉 장소를 점유하고 이누이트 경관을 생성하는 장소 만들기에 토대를 두고 있다고 할 수 있다.

맺는 말

그동안 지리학을 포함한 인문·사회과학에서 북극 지역의 인문 현상에 대한 관심이 부족하였고, 이주 연구에서도 북극 지역의 이주는 대개 기후변화의 관점에서 미미한 관심 속에 전개되었다. 캐나다 누나부트에 거주하는 이누이트는 그 수는 많지 않지만, 극한 지역에 거주하면서 독특한 문화를 유지하는 소수종족이고 이들이 경험한 사회적 변화와 모빌리티가 다른 캐나다 지역과 많은 차이가 있다는 점에서, 이누이트에 대한 인구와 이주 연구는 중요하다. 특히, 이누이트의 인구 변화와 이주 배경, 그리고 정착지에서 이누이트의 주변화에 대한 이해는 사회적·지리적으로 시사하는 바가 매우 크다.

첫째, 누나부트의 인구 변화는 서구 사회의 도시화 과정에서 보여 주었던 이촌향도의 패턴이 확연하게 나타나지는 않는다. 누나부트의 전입-전출 자료에서 알 수 있듯이, 전출이 전입보다 많았던 것도 아니다. 누나부트에서 타 지역으로의 전출은 급격하게 발생하지 않았고, 점진적으로 증가하는 추세를 보인다. 이는 기후변화와 같은 급격한 동인에 의해 이주를 설명하는 것이 신중할 필요가 있음을 보여 준다. 본 연구에서 살펴본 바와 같이 물가, 주택, 교육, 의료 등의 문제가 복합적으로 작용하면서 이누이트의 타 지역 전출이 나타났다고 볼 수 있다. 또한, 이주의 발생학적 요인도 강제적 요인과 자발적 요인이 복합적으로 작용하는 가운데, 목적지에 대한 방문 경험이나 지인의 존재 즉, 이누이트의 사회적 네트워크가 이주 발생에 큰 영향을 미치고 있음을 알 수 있다.

둘째, 누나부트 이누이트의 출산율은 캐나다의 평균보다 높으나, 여러 사회지표는 캐나다의 평균보다 낙후된 상태이다. 특히, 교육과 의료 등의 사회복지 수준이 낮고, 물가와 주택 부족은 현재 유소년이 성인이 되었을 때 대량 이주를 유발할 수 있다고 판단된다. 이주의 발생학적 경로에서 언급하였듯이 과거와 다르게 현재의 이주 패턴은 누나부트에서 캐나다 남부로 바로 이동하는 패턴을 보인다. 이런 맥락에서 누나부트에 대한 사회복지의 개선이 없다면, 향후 이출의 규모는 현재보다 훨씬 커질 것으로 예상된다.

셋째, 이누이트는 도시문화에 낯설어 주류사회에 쉽게 포함되지 못하였고, 주류사회도 이누이트에 대한 정보가 부족하였다. 오타와를 중심으로 주변화된 이누이트는 엔클레이브enclave를 형성하였고, 현재 이누이트 공동체가 활발하게 작동하고 있다. 베니에를 중심으로 형성된 공동체 정치는 이누이트의 사회적 포함에 크게 기여할 것으로 보이나,

이누이트의 주변부 위치성이 쉽게 해소되기는 어려울 듯하다. 가족과 공동체를 강조하는 전통은 자칫 이누이트의 지리적 고립을 가중시킬 수 있어, 향후 좀 더 개방적이고 포용적인 공동체 정치가 추진될 필요가 있다.

넷째, 이누이트의 이주는 다양한 요인들에 의해 발생하였고, 가족과 지인의 네트워크는 이주자 일상에서 매우 중요한 요소임이 밝혀졌다. 본 연구는 이주의 발생과 이주자의 장소 만들기가 시대와 상황에 따라 달라진다는 점을 강조한다. 낯선 문화와 종족이 한 사회로 유입된다는 것은 긍정적 변화도 있지만 다른 경관을 장소에 뿌리내리는 과정에서 발생하는 주변화의 문제도 간과할 수 없다.

경관은 과거의 무수한 시간 속에 누적적으로 형성된 문화의 층인데, 이러한 층과 틈새에 새로운 경관이 스며드는 것이 현재 이누이트가 캐나다 남부 도시에서 수행하는 장소 만들기이다. 시간이 지나면서 이누이트 문화는 도시 경관을 구성하는 하나의 요소가 될 것이다. 이런 점에서 모빌리티로서 이주란 장소의 문화를 새롭게 쓰는 핵심적 활동이자 실천이라 할 수 있다.

참고문헌

이용균, 《글로벌 이주: 이동, 관계, 주변화》, 전남대학교출판문화원, 2017a.
이용균, 《인구와 사회》, 전남대학교출판문화원, 2018.
한국방송학회 엮음, 《한국 사회 미디어와 소수자 문화 정치》, 커뮤니케이션북스, 2011.

이용균, 〈결혼 이주여성의 사회문화 네트워크의 특성: 보은과 양평을 사례로〉, 《한국
　　도시지리학회지》 10(2), 2007, 35~51쪽.
이용균, 〈이주자의 장소 점유와 주변화 담론 연구: 서울 자양동 중국음식문화거리를
　　사례로〉, 《한국경제지리학회지》 16(2), 2013a, 218~232쪽.
이용균, 〈이주자의 주변화와 거주공간의 분리: 주변화된 이주자에 대한 서발턴 관점
　　의 적용 가능성 탐색〉, 《한국도시지리학회지》 16(3), 2013b, 87~100쪽.
이용균, 〈이주의 관계적 사고와 이주자 공간의 위상 읽기: 관계, 위상 및 아상블라주
　　의 관점을 중심으로〉, 《한국도시지리학회지》 20(2), 2017b, 113~128쪽.
이용균 · 이승호, 〈기후변화가 이누이트의 일상에 미친 영향: 캐나다 이누이트 누난
　　겟을 사례로〉, 《대한지리학회지》 53(2), 2018, 133~148쪽.
데스캉, 〈유럽인들이 사라진다〉, 《르몽드 디플로마티크》, 2018, 6월호.

Anderson, J., *Understanding Cultural Geography: Places and Traces*, Routledge,
　　London, 2010. (존 앤더슨, 《문화 · 장소 · 흔적: 문화지리로 세상읽기》, 이영민 · 이종
　　희 옮김, 한울 아카데미, 2013.)
Bailey, A., *Making Population Geography*, Hodder Education, London, 2005.
Bloy, K., *Winnipeg Urban Inuit Study, 2008*, Social Planning Council of Winnipeg,
　　Winnipeg, 2008.
Bougie, E., Kelly-Scott, K., Arriagada, P., *The Education and Employment Experiences
　　of First Nations People Living Off Reserve, Inuit, and Metis: Selected Findings from
　　the 2012 Aboriginal Peoples Survey*, Ottawa, Statistical Canada, 2013.
Department of Environment Government of Nunavut, *Climate Change Impacts
　　and Adaptation in Nunavut*, Nunavut, 2017.

Dorling, D., *Population to Billion: the Coming Demographic Crisis and How to Survive It*, Constable and Robinson, London, 2011. (대니 돌링, 《100억 명: 전 세계 100억 인류가 만들어낼 위협과 가능성》, 안세민 옮김, 알키, 2014.)

Foucault, M., *Sécurité, Territoire, Population: Cours au Collège de France 1977~78*, Paris: Éditions du Seuil, 2004. (미셸 푸코, 《안전, 영토, 인구: 콜레주드프랑스 강의 1977~78년》, 심세광 외 옮김, 난장, 2011.)

Giddens, A. and Sutton, P., *Sociology* (7th ed.), Polity Press, Cambridge, 2013. (앤서니 기든스·필립 서튼, 《현대사회학》, 김미숙 외 옮김, 을유문화사, 2014.)

International Organization for Migration, *Migration, Environment and Climate Change: Assessing the Evidence*, Geneva, IOM, 2009.

Inuit Tapiriit Kanatami, *Inuit and Europeans*, Ottawa, ITK, 2015.

Inuit Tapiriit Kanatami, *Inuit Statistical Profile 2018*, Ottawa, ITK, 2018.

Massey, D., *For Space*, Sage, London, 2005. (도린 매시, 《공간을 위하여》, 박경환 외 옮김, 심산, 2016.)

Milon, A., *L'Etranger dans la Ville: Du rap au graff mural*, Presses Universitaires de France, Paris, 1999. (알랭 밀롱, 《도시의 이방인: 랩에서 그래피티까지》, 김미성 옮김, 연세대학교 대학출판문화원, 2017.)

Nunavut Bureau of Statistics, *Nunavut Housing Needs Survey Fact Sheet*, Nunavut, 2011.

Nunavut Bureau of Statistics, *Nunavut Population Estimates by Region and Community, 2006 to 2013*, Nunavut, 2014.

Pahl, J., *Money and Marriage*, Macmillan, Basingstoke, 1989.

Pauktuutit Inuit Women of Canada, *Understanding the Needs of Urban Inuit Women*, Final Report, PIWC, 2017.

Qikiqtani Inuit Association, *Qikiqtani Truth Commission: Thematic Reports and Special Studies 1950-1975*, Iqaluit, 2014.

Saturviit Inuit Women's Association of Nunavik, *Bring Hope and Restore Peace: A Study Report on the Life and Concerns of Inuit Women in Nunavik*, Inukjuak, Quebec, 2015.

Statistical Canada, *Aboriginal peoples in Canada: Key results from the 2016 Census*, Ottawa, 2017.

Therborn, G., *The World: A Beginner's Guide*, Polity, Cambridge, 2011.

Tungasuvvingat Inuit, *Annual Report 2016-2017*, Tungasuvvingat Inuit, 2018.

Wallace, S., *Inuit Health: Selected Findings from the 2012 Aboriginal Peoples Survey*, Ottawa, Statistics Canada, 2014.

Ehrkamp, P., "We Turks and no Germans: assimilation discourse and the dialectical construction of identities in Germany," *Environment and Planning A* 38, 2006, pp. 1673-1692.

Ford, J. and Berrang-Ford, L., "Food security in Igloolik, Nunavut: an exploratory study," *Polar Record* 45, 2009, pp. 225-236.

Ford, J., Bolton, K., Shirley, J., Pearce, T., Tremblay, M., Westlake, M., "Research on the human dimensions of climate change in Nunavut, Nunavik, and Nunatsiavut: A literature review and gap analysis," *Arctic* 65(3), 2012, pp. 289-304.

Gatzweiler, F., Baumuller, H., Ladenburger, C., Braun, J., "Marginality: Addressing the Root Causes of Extreme Poverty," *ZEF Working Paper Series* 77, University of Bonn, 2011.

Hugo, G., "Environmental concerns and international migration," *International Migration Review* 30(1), 1996, pp. 105-131.

Kishigami, N., "Homeless Inuit in Montreal,"*Inuit urbains* 32(1), 2008, pp. 73-90.

Kushwaha, A., "The Significance of Nuna (the Land) and Urban Place-making for Inuit Living in Ottawa, Ontario, Canada," Unpublished Ph.D thesis in Carleton University in Ottawa, Canada, 2013.

Minich, K., Saudny, C., Lennie, Wood, M., Cao, Z., Egeland, G., "Inuit housing and homelessness: results from the International Polar Year Inuit Health Survey 2007-2008," *International Journal of Circumpolar Health* 70(5), 2011, pp. 520-531.

Mitchell, M., "Networks of ethnicity," in Sheppard, E. and Barnes, T.(eds.), *A Companion to Economic Geography*, Malden, Blackwell Publishers, 2000, pp. 392-408.

Morris, M., "A statistical portrait of Inuit with a focus on increasing urbanization: implications for policy and further research," *Aboriginal Policy Studies* 5(2),

2016, pp. 4-31.

Riva, M., Plusquellec, P., Juster, R., Laouan-Sidi, E., Abdous, B., Lucas, A., Dery, S., and Dewailly, E., "Household crowding is associated with higher allostatic load among the Inuit," *Journal of Epidemiology and Community Health* 68(4), 2014, pp. 363-369.

Trudeau, D. and McMorran, C., "The geographies of marginalization," in Casino, et al.(eds.), *A Companion to Social and Cultural Geography*, Blackwell Publishing, Malden, 2011, pp. 437-453.

Anglican Journal, "Reconciliation is doing 'with,' not 'for'," 2018, https://www.anglicanjournal.com/reconciliation-is-doing-with-not-for, (접속일: 2019년 2월 24일).

Budak, J., "A modern migration: Inuit go south," *the GRID*, 2010, https://jasminebudak.com/2010/09/15/inuk-tropolis, (접속일: 2018년 1월 12일).

Cecco, L., "Urban Inuit: nomads from the arctic find new home in Canada's capital," *Al Jazeera America*, 2014, http://america.aljazeera.com/multimedia/2014/11/urban-inuit-canada.html (접속일: 2018년 1월 12일).

Payne, E., "Ottawa's urban Inuit renaissance," *Ottawa Citizen*, 2015, http://ottawacitizen.com/news/local-news/ottawas-urban-inuit-renaissance (접속일: 2019년 1월 28일).

The Guardian, "The struggle in Iqaluit: north and south collide in Canada's Arctic capital," 2016, http://www.theguardian.com/cities/2016...html (접속일: 2018년 1월 19일).

The Guardian, "Animal rights activists and Inuit clash over Canada's indigenous tradition," 2017, https://www.theguardian.com/inequality/2017/nov/01/animal-rights-activists-inuit-clash-canada-indigenous-food-traditions (접속일: 2019년 2월 25일).

Woods, J., "Canada's growing indigenous population reshaping cities across the country," *The Globe and Mail*, 2016, https://www.theglobeandmail.com/news/growing-indigenous-population-reshaping-cities-across-the-country/article33436120, (접속일: 2018년 1월 12일).

2부

이동과 정동, 그리고 공동체

식민지 조선인의 이주와 문화적 실천

: 한국인 원폭피해자의 경험을 중심으로

이은정

이 글은 《민족문화논총》 제77집(2021)에 게재된 원고를 수정 및 보완하여 재수록
한 것이다.

'한국인 원폭피해자'의 이주경험에 문화는 어떻게 개입했을까

이 연구는 일제강점기 식민지 조선인의 이주 경험을 검토함으로써 이들의 이동을 추동한 거시적·미시적 차원의 배경, 이주 과정에서 드러나는 특징적 양상과 문화적 의미를 파악해 보는 데 목적이 있다. 여기에서 말하는 이주 경험이란 20세기 초 식민지민의 '이동'으로서 도일渡日, 밀항, 귀환 이주, 재이주, 역내 이주, 국내 이주 등과 같은 다양한 양상을 포섭하는 의미이다.

20세기 초 식민지 조선인의 초국적 이동의 양상은 일반적으로 다음과 같이 구분될 수 있다. 식민지에서 제국 본국으로(조선→일본), 제국의 범역에 속하는 또 다른 식민지로(조선→대만/오키나와/1931년 이후 만주국), 제국의 영향력이 미치는 지역이나 국가로(조선→중국/1931년 이전의 만주), 그리고 제국의 영향력이 상대적으로 미약하거나 어느 국면에서는 적대적이기도 한 지역이나 국가로(조선→미국, 남미, 러시아 등). 이 4개 경로의 이동은 각기 다른 형태의 식민지민 디아스포라를 형성한다.[1]

다양한 디아스포라 경로 가운데 이 연구에서는 첫 번째 유형인 식민지와 제국 사이에서 이루어진 이주의 문제에 관심을 둔다. 일제강점기 식민지와 제국이라는 특수한 역사적 맥락에서 포착되는 이주의 양상과 특징을 비롯해 이주 경험에 내재되어 있는 문화적 의미를 탐구해 보고자 하는 것이다.

---

[1] 유지영, 〈20세기 전반기, 초국적 이동의 예외로서 식민지민의 이동〉, 《'동아' 트라우마》, 그린비, 2014, 26쪽.

특히, 이 연구에서 주목하는 대상은 한국인 원폭피해자[2]들이다. 이들은 일제강점기 하에서 현실적 실존을 위해 도일을 선택했으나 1945년 히로시마, 나가사키에 투하된 원자폭탄으로 인한 피해를 구조적으로 경험하면서 다시 조선으로 귀환하여 정착한 집단을 가리킨다.

한국인 원폭피해자들은 이들의 조건과 존재 자체가 한국 사회에 유의미한 질문을 제공하기도 한다. 첫째는 일본제국주의의 식민지민으로서 차별과 구조적 폭력의 문제를 경험하였다는 것이고, 이는 당시 식민지민이라면 예외 없는 조건에 해당한다. 둘째는 이들이 식민지 통치 아래에서 구조적으로 강제된 이주의 과정을 거쳐 식민 본국인 일본에 정착한 사회적·문화적 소수자로서의 삶을 경험했다는 것이다. 셋째는 1945년 히로시마와 나가사키 원폭 투하로 인해 삶의 토대가 철저하게 파괴되었을 뿐만 아니라, 가족의 죽음을 목도하거나 각자의 신체에 1945년 8월의 고통이 기록되어 있는 존재들이다. 가장 공포스러운 지점은 그 고통의 기록이 신체를 통해 유전의 메커니즘을 따라 다음 세대로 전달될 가능성을 배제하지 못한다는 것이다. 이와 같이 한국인 원폭피해자들만큼 여러 층위의 다양한 차원의 고통을 경험한 사회적·역사

---

2 한국인 원자폭탄 피해자 지원을 위한 특별법에서는 피해자를 다음과 같이 정의하고 있다. "피해자"란 1945년에 일본의 히로시마와 나가사키에 투하된 원자폭탄과 관련하여 다음 각호의 어느 하나에 해당하는 사람을 말한다.
① 원자폭탄이 투하된 때 일본의 히로시마 지역, 나가사키 지역에 있었던 사람.
② 원자폭탄이 투하된 때부터 2주 이내에 투하 중심 지역 3.5킬로미터 이내에 있었던 사람.
③ 원자폭탄이 투하된 때 또는 그 후에 사체 처리 및 구호에 종사하는 등의 사유로 원자폭탄으로 인한 방사능의 영향을 받은 사람.
④ 제1호부터 제3호까지의 사유에 해당하는 사람이 당시에 임신 중인 태아.
⑤ 대한적십자사 조직법에 따른 대한적십자사에 원자폭탄 피해자로 등록되어 대한민국 정부로부터 진료비 또는 진료보조비를 지급받은 사람(한국보건사회연구원, 《원자폭탄 피해자 현황 및 건강·생활 실태조사》, 2018, 15쪽.)

적 존재는 찾기 어려울 정도다.

지금까지 한국인 원폭피해자에 관한 논의는 법률투쟁 중심의 운동과 피폭자 증명의 정치학,[3] 고통[4]과 의료 문제에 집중되어 왔다. 한국인 원폭피해자는 일제강점기, 해방 후, 혹은 도일 치료를 위해서 부단하게 월경越境하는 존재였다. 일제강점기 조선에 대한 수탈정책으로 인해 파탄 난 생활을 극복할 전략적 선택으로서 일본 이주를 감행한 조선인이 많았고, 한국인 원폭피해자들은 그들 중 일부에 해당하는 집단이다.

이 연구에서는 한국인 원폭피해자에 관한 논의를 이주의 관점으로 살펴보고자 한다. 연구 주제로서 이주는 이주민의 출신국과 유입국의 정치·경제·역사적 배경, 가족과 친족 배경, 젠더·지역사회·민족적 배경, 노동, 문화적·사회적 수용의 맥락, 아이덴티티identity, 소속감, 사회적 지위의 특성, 다양한 차별 등의 문제를 압축적으로 담지하고 있다.[5] 이주라는 현상은 어떻게 보면 불평등의 문제를 물리적 이동을 통해 해결하는 방법으로서 어떤 방식으로든 사회적·역사적 이슈를 전면에 드러낼 수 있는 주제이기도 하다.

뿐만 아니라 이주라는 행위는 개인의 신체적 이동을 통해서만 설명 가능하다는 점에서 특정 개인이 구축해 온 삶의 맥락에 대한 천착 없이

---

3 곽귀훈, 〈한국인 원폭 피해자의 수난과 승리〉,《황해문화》50, 2006; 김형률 외,《나는 反核人權에 목숨을 걸었다》, 행복한 책읽기, 2016; 오은정, 〈관료제적 문서주의 속에서 기록과 기억: 한국 원폭피해자의 일본 피폭자건강수첩 취득 과정에 대한 민족지적 연구〉,《한국문화인류학》47(2), 2014; 김원, 〈밀항, 국경 그리고 국적 : 손진두 사건을 중심으로〉,《한국민족문화》62, 2017.

4 정근식,《고통의 역사: 원폭의 기억과 증언》, 선인, 2005; 박성실, 〈한국원폭피해자의 사회적 고통, 그 구성과 대물림〉, 성공회대 석사학위논문, 2015; 이은정, 〈피폭된 신체와 고통 : 한국인 원폭피해자를 중심으로〉,《민족연구》73, 2019.

5 마이클 새머스,《이주》, 이영민 외 옮김, 푸른길, 2017, 401쪽.

는 타당성 있는 설명력을 담보하기 어렵다. 지금까지 역사적 존재에 관한 연구는 거시적 차원의 국가를 단위로 사회적 조건을 중심으로 전개된 것이 많았고, 미시사 차원의 연구가 진행되더라도 특정 개인의 경험에 집중한 연구는 많지 않았던 것이 사실이다.

한국인 원폭피해자의 삶에 천착해 이주의 관점을 녹여 연구한 성과[6]는 많지 않다. 괄목할 만한 성과로는 이치바 준코市場 淳子(2003)[7]가 '한국의 히로시마 합천'의 사례를 들어 이주의 문제를 살펴본 바가 있다. 신문자료, 통계자료, 지도, 문헌자료를 종합해 검토한 최초의 작업으로서 자료적 가치를 충분히 가지는 데 비해서 원폭피해자들과 그 가족, 친족의 개별성과 구체성까지 드러내지는 못했다.

본 연구에서는 한국인 원폭피해자의 경험을 연구자료로 사용하여 식민지 조선인의 일본 이주, 귀환 과정에 개입한 가족 · 친족 · 공동체의 이주 양상, 이주 과정에 드러난 문화적 실천과 그 의미를 파악하고자 한다. 귀환을 통해 뿌리 뽑히는 고통을 경험한 이들은 또다시 해외이주를 시도하기도 하고, 초국가적 가족을 구성하면서 '피폭'에 대하여 개별적이면서 가족 단위의 대응을 모색하기도 한다. 1980년대부터 도일 치료가 이루어지고, 한국인 원폭피해자들이 치료를 위해 일본으로 건너가는 경우가 많았으며 '밀항'도 관찰되는 이동 방법 중 하나였다. 뿐만 아니라, 한국에서 재정착하는 과정에서 '정상적'이지 않은 존재로서 부정당하는 고통을 경험함과 동시에 산업구조의 변화로 인해 귀환정착지

---

6   문경희, 〈도일과 히로시마 원폭피해, 귀환: 일제강점기 합천 출신 이주 1.5, 2세대의 경험〉, 《호모 미그란스》 19, 2018.

7   이치바 준코, 《한국의 히로시마》, 이제수 옮김, 역사비평사, 2013.

를 떠나는 사례도 있었다.

연구의 질문은 두 가지로 요약할 수 있다.

첫째, 일제강점기 식민지 조선인의 일본 이주, 조선으로의 귀환, 그리고 재정착 과정에서 가족과 친족, 지역사회 차원에서 형성된 '연속적 continuation' 또는 '경로의존적 이주 시스템path dependency of migration'[8]이 구축된 것으로 파악된다. 이들의 구체적 이주 · 귀환 과정과 경로, 그리고 거시적 · 미시적 차원의 배경을 삶의 맥락 안에서 확인하고자 한다.

둘째, 이주 실천의 과정에서 포착되는 문화적 실천 양상을 확인해 보고자 한다. 특정인의 물리적 · 신체적 이동은 사회적이고 문화적인 이동과 다르지 않다. 특히 특정 집단의 문화적 지위를 담보하고 있는 존재의 경우에는 그 양상이 특징적으로 드러날 수 있다. 따라서 이 연구에서는 삶의 전략적 실천행위로서 선택한 이주가 어떤 사회적, 문화적 의미를 가지고 있는지를 탐색해 보고자 한다.

연구자료는 합천 원폭피해자복지회관에 거주하는 김순희 님[9]과의 구술생애사 인터뷰를 통해 확보한 자료, 2011년 사단법인 한국원폭피해자협회에서 발간한 《한국원폭피해자 65년사》, 2017년 창원대 경남학연구센터에서 작성한 《합천군 원자폭탄 피해자 구술증언 조사사업 결과보고서》에 담긴 구술채록 자료를 활용하였다. 연구 기획 당시에는 한국인 원폭피해자들 가운데 구술 사업에 응하지 않은 분들을 중심으로 새로운 구술을 확보하려 했으나, 코로나19 국면에서 이러한 기획은 무기력하게 좌절되었다. 그럼에도 뜻 있는 연구자들이 구축해 놓은 구술

---

8 마이클 새머스, 《이주》, 92쪽.

9 이 글에 등장하는 구술자 이름은 개인정보 보호를 위해 모두 가명 처리하였다.

채록 자료를 토대로 검토할 수 있었음에 감사 드린다.

식민지 조선인의 일본 이주와 의례적 실천

식민지는 무엇보다도 '식민植民', 즉 사람을 이식시키는 곳이다. 따라서 식민지의 핵심은 (자발적이든 강제적이든) '이동'에 있다고 할 수 있다. 물론 사람이 이식됨으로써 관계도, 문화도 이식된다. 사람과 관계의 이식 및 재구성은 내부·외부 식민지들의 더 많은 뿌리 뽑힌 자들의 이동과 이주를 파생시켰다.[10]

일제강점기 한반도에서도 이주가 활발하게 이루어지고 있었고, 이주 조선인의 목적지는 중국(만주)과 일본이었다. 해방 직전 만주와 일본 체류 조선인이 4백만 명 규모였고, 당시 조선 내 총인구가 2,500만 명임을 감안하면 상당한 규모의 이주 집단을 형성하고 있었음을 알 수 있다. 이러한 큰 규모의 이주가 전개된 것은 식민지 농촌경제의 붕괴에 따라 이농의 압력이 컸기 때문으로 추정된다.[11]

이 장에서는 연구 대상자인 한국인 원폭피해자들이 식민지 조선을 떠나게 된 이주의 배경과 과정에 주목하여 논의를 전개하고자 한다. 안타깝게도 이주를 선택하고 결정했던 1세대들은 이미 생존하지 않기 때

---

10 차승기, 〈내지의 외지, 식민본국의 피식민지인, 또는 구멍의 (비)존재론〉,《'동아' 트라우마》, 그린비, 2014, 135쪽.

11 김철,《韓國の人口と京制》, 岩波書店, 1965, 40쪽; 한석정, 〈지역체계의 허실: 1930년대 조선과 만주의 관계〉,《한국사회학》 37(5), 2003; 박경숙, 〈식민지 시기(1910년~1945년) 조선의 인구 동태와 구조〉,《한국인구학》 32(2), 2009, 43쪽에서 재인용.

문에 명징한 설명력을 갖추기는 어렵다. 따라서 부모 세대에게 일종의 구술증언을 들은 바 있는 분들의 기억과 경험에 의존하는 것이 유일한 방법이 될 수밖에 없다.

1945년 일본의 히로시마와 나가사키에 투하된 원자폭탄은 약 70만 명의 피폭자를 발생시켰고, 그 가운데 23만 명이 사망하였다. 이 가운데 조선인은 약 7만 명이 피폭자가 되었고, 이 중 4만 명은 사망하였다. 전체 피폭자 수의 약 10퍼센트에 해당하는 민족집단이 조선인이었다. 피폭 조선인 약 2만 5천 명은 조선으로 귀환하였고, 이 가운데 2만 3천 명은 조선의 남쪽, 2천 명은 북쪽으로 돌아갔으며 귀환하지 않은 일본 체류자도 있었다.[12]

특히 이 연구에서 주목하는 합천군은 '한국의 히로시마'라는 별칭이 따라다니는 곳이다. 합천군의 피해자 규모를 이치바 준코의 연구 성과에 기대어 살펴보면, 1978년 전국 전체 등록 피폭자 9,362명 가운데 합천군민이 3,570명으로 약 40퍼센트를 차지했고, 1998년에는 전체 2,288명 가운데 합천군민이 594명으로 약 25퍼센트 규모였다.[13] 이는 '식민지 조선의 합천과 식민본국 일본의 히로시마'라는, 식민지/제국 체제 안에서 특정 지역 간의 이주 경로가 확보되어 독특한 이주자 네트

---

12 이치바 준코,《한국의 히로시마》; 허광무, 〈한국인 원폭피해자에 대한 제연구와 문제점〉,《한일민족문화연구》6, 2004; 이은정, 〈피폭된 신체와 고통〉, 166쪽 재인용.

13 이치바 준코,《한국의 히로시마》, 138~139쪽. 2018년 현재 기준으로 대한적십자사에 등록된 생존 피해자는 모두 2,283명이고 거주지는 경남 지역이 31퍼센트로 압도적으로 높다. 생존 피해자의 약 70퍼센트가 경상도 지역에 편향되어 있다는 것을 확인할 수 있다(한국보건사회연구원,《원자폭탄 피해자 현황 및 건강·생활 실태조사》, 18쪽). 한국보건사회연구원(2018)과 비교했을 때, 1998년과 2018년 등록자 수의 차이가 거의 없음을 알 수 있다. 이는 사망자 발생보다 신규 등록자 수가 많았음을 의미하는 것은 아닐지 조심스럽게 추론해 본다.

워크가 구축되었음을 보여 주는 것이기도 하다.

식민지 조선인의 일본 이주

식민지민 이동의 성격을 톺아보면, 더 나은 삶을 위한 자유로운 선택이기보다는 오히려 환경 변화에 따른 동물의 생존을 위한 운동 혹은 서식지 이동, 곧 이동운동locomotion과 유사한 점이 있다. 이 과정에서 모국어 상실, 문화 혼종, 정체성 변화 등이 일어난다는 점에서 이동운동형 이동성locomotive mobility으로 규정할 수 있다. 이는 식민지민 이주의 특성이자 식민적 이동의 한 유형을 구성한다.[14] 식민지 조선인의 일본 이주 또한 이러한 이동운동의 성격을 가지고 있음을 구술자료를 통해 확인할 수 있다.

합천 원폭피해자복지회관에서 만난 합천군 쌍책면이 고향인 김순희 님(1930년생)은 도일 과정을 비교적 상세하게 기억하고 있었다. 인상적인 부분은 두 가지이다. 하나는 도일의 경제적 배경으로서 극심한 흉년이고, 나머지 하나는 삼촌이 일본에서 나와 김순희 님 가족들을 데리고 다시 재도일再渡日하는 과정이다. 이 구술에 따르면, 삼촌과 고모, 할아버지와 할머니는 이미 일본에 거주하고 계셨고, 당시 조선에 흉년이 크게 발생하자 김순희 님의 아버지가 그의 동생에게 편지를 보내 이를 확인한 삼촌이 김순희 님 가족을 일본에 데리고 가기 위해 잠시 합천으로 온 것이다. 이러한 정황은 식민지 조선인이 조선과 일본을 오가는 과정에서 국가와 영토 간 경계의 장벽이 크게 부각되지 않고 있다는 점에서 특기할 만하다.

---

14 유지영, 〈20세기 전반기, 초국적 이동의 예외로서 식민지민의 이동〉, 35~36쪽.

〔김순희, 1930년생〕

그해 흉년이 졌어요. 흉년이 져가꼬는 벼농사는 못 짓고 비가 안 와가
지고는, 그때는 댐도 없었고 못도 없었거든요. 요새는 골짝 동네도 못을
해 놓고 있지만은, 그때는 그런 것도 없고 그래놓으니까네 비가 안 와가지
고는 벼를 못 숨구고 피 카는 거. 요새는 그런 거 안 숨구지만, 피 카는 거
그걸 숨갔는데 피 그걸 찧가지고 밥 해도 풀풀 날아갈 거 같고. 피 그걸 갖
고 비가지고 나물 이파리 해가 죽을 해 놓으니께네 건디기도 없고 나물뿐
이고 이렇대예. 그때 그 피 그걸 수확하기 전에 삼촌하고 고모하고 할아버
지, 할머니가 일본에 계셨어. 먼저 가가지고 있었어. 편지를 했던 모양이
라. 아버지가. 한국에는 올해 흉년이 져서 농사 못 짓고 그런데 여서 못 살
겠다. 나도 일본 가야겠다 카니까. 삼촌이 일본서 몇 년 살아가지고 일본
말도 잘하고 똑똑하더라고. 우리 삼촌이 똑똑하더라고. 여러 사람 한국 사
람 증명도 많이 내주고, 경찰서장하고도 친구 간이고. 그래서 우리를 증명
내가지고 다 데리고 갔어요. _ 2018년 1월 11일, 합천 원폭피해자복지회관

이 지점에 관해서 차승기의 논의는 함의를 제공하고 있다. 차승기
는 대규모 인구의 이주 및 정주는 이동을 촉발하고 동선을 조정하는 역
사-지정학적 규정성과 함께 이해되어야 한다고 주장한다. 다시 말하
면, 조선과 일본은 각각 식민지와 식민본국으로서 비대칭적 위계 관계
를 내포한 채 '하나의 식민지와 제국 체제' 아래 들어가 있다고 보는 것
이 타당하다는 설명이다. 지리적인 이동과 법적 전환, 문화적이고 관습
적인 충돌이 경험적으로 존재함에도 불구하고, 그것이 가시적인 영역
을 지배하기 때문에 오히려 식민지와 제국을 하나의 체제로 파악할 필

요도 있다는 것이다.[15]

이러한 이해 방식은 민족주의적 디아스포라에 주안점을 두기 쉬운 우리 사회에서 익숙한 시선은 아니다. 그럼에도 20세기 초 조선인들이 경험한 '부단한 이동'과 구체적인 삶의 양태를 설명해 내는 데 꽤 유의미한 시점을 제공하는 것도 사실이다. 지금까지 영토에 관한 감각과 지리적 경계는 손쉬운 인식의 틀을 제공해 주었지만, 이들의 월경·도일·도항·귀환·밀항 등 층위가 교차된 이동의 다양성을 설명하는 데 한계가 있었기 때문이다.

식민지 조선과 제국 일본의 물리적 거리가 분명 존재함에도 이영춘 님(1935년생)의 구술에서는 그 거리감이 무색할 정도로 흥미로운 지점이 포착된다. 이영춘 님의 아버지(1910년생)는 도일 이후 결혼을 하기 위해 합천에 왔다가 결혼을 한 뒤 어머니와 함께 재도일하였다. 이영춘 님의 구술에서 확인되는 두 가지 정황은 공출로 인한 이주 감행과 아버지의 유연한 방식의 초국가적 전략transnational strategies을 실천하는 과정이다.

〔이영춘, 1935년생〕

아버지가 얘기하는데, 농사를 져도 공출이라 캐갖고 왜놈들이 전부 다 뺏들어 가뿌고. 합천 시골에 사람들은 공출에 다 뺏기고 배고픔에 못 이겨서 전부 일본으로 가는 기야. 배고픔을 애들한테 넘겨주기 싫어서 돈만 벌이모 땅을 샀다. 합천에다가. 아버지 처음에는 혼자 가서 있었는데 일본에 가서 살아 보니까 합천서 시골에 있을 때 배고픈 거보다 나으니까 일본에

---

15   차승기, 〈지방주의의 역사-지정학: 식민지 시기 내지 이주 조선인들의 지방주의적 갈등〉, 《'동아' 트라우마》, 그린비, 2014, 173쪽.

마이 델고 들어갔어요. 내 사촌형님들도 아버지가 불러서 전부. 우리 친척들 많이 갔어요. (중략) 〔원폭 투하 후〕 한국에 돌아왔는데 부산에 도착하자마자 배에 불이 났어요. 아부지가 '30년 헛것 살았다', '이대로는 고향에 못 간다' 캄서 다시 일본으로 건너가뿌릿고. (중략) 우리 아부지가 사업하는데 일본에서 같이 다니는 분이 일본 사람이거든요. 남매 있지요. (중략) 아버지가 〔한국에〕 자주 나왔지예.[16]

이영춘 님의 구술에서도 드러나듯이, 일본에서의 생활이 합천 시골에서의 삶보다 조건이 수월하였기에 많은 친족들을 데리고 도일하였음을 확인할 수 있다. 식민지와 제국의 차별과 격차를 체제 동력의 기초로 삼고 있는 체제 내에서 조선인의 역내域內 이동, 특히 일본으로의 도항은 무엇을 의미하는가? 이것은 식민지 조선 '농민'에서 제국 일본의 '노동자'로의 이동이었다.[17] 조선인들의 도항은 제1차 세계대전 종전 후 일본 자본주의의 재생산 규모가 확대되고 노동력 수요가 증대하는 과정과 맞물려 있다. 국가 주도 공공사업과 사회 인프라 구축 사업 확대로 인해 저임금 노동력에 대한 요구가 증대됨에 따라 식민지 조선인이 일본의 저임금 노동시장을 점유하기 시작한 것이다.[18]

이영춘 님의 구술에서 가족이 해방 직후 조선으로 귀환하는 과정에

---

16   창원대 경남학연구센터, 《합천군 원자폭탄 피해자 구술증언 조사사업 결과보고서》, 2017, 61~65쪽의 내용을 시간 흐름에 따라 재정렬하였다.

17   차승기, 〈내지의 외지, 식민본국의 피식민지인, 또는 구멍의 (비)존재론〉, 138쪽.

18   켄 카와시마, 〈상품화, 불확정성, 그리고 중간착취: 전간기 일본의 막노동시장에서의 조선인 노동자들의 투쟁〉, 《근대성의 역설: 한국학과 일본학의 경계를 넘어》, 후마니타스, 2009; 차승기, 〈내지의 외지, 식민본국의 피식민지인, 또는 구멍의 (비)존재론〉, 137~138쪽에서 재인용.

서 아버지가 조선을 포기하고 재도일을 선택하였다는 점은 인상적이다. 귀환하던 선박에서 화재가 발생하면서 아버지는 일본에서 구축한 경제적·사회적 자본을 포기할 수 없다는 이유로 혼자 다시 일본으로 갔다. 물론 일본 체류 시절 동안 돈을 버는 대로 고향 합천에 땅을 사두었기에 남은 가족의 형편이 크게 걱정되지 않았던 것도 이러한 선택을 할 수 있었던 배경이다.

이영춘 님의 구술에서 흥미로운 지점은 아버지가 최초의 도일 이후 조선으로 재도항하게 된 배경이 조선인과의 결혼이었다는 점과, 해방 직후 귀환 과정에서 조선이 아닌 일본으로의 재도일을 선택한 이후 일본에서 민족적 배경이 다른 일본인 여성과 새롭게 가족을 구성하였다는 점이다. 조선과 일본, 두 국가에 민족적 배경이 다른 두 가족을 구성해서 운영한 방식은 그야말로 초국가적 전략이라 할 수 있다. 초국가주의는 출신국과 적극적 유대를 형성하고 국경을 횡단하여 두 개의 사회를 하나의 사회적 장으로 연결시킨다는 시각으로, 이주민들이 출신국과 유입국을 연결시키는 다양한 사회적 관계를 통해 이를 촉진하고 유지하는 과정이라고 할 수 있다.[19] 이영춘 님의 아버지는 양국에 가족들을 배치해 두고 일본에서 합천으로 자주 왕래하였으며, 이영춘 님 또한 아버지 사업을 돕기 위해 일본으로 자주 왕래했다고 한다. 이것은 초국가적 소속감transnational belonging으로도 설명할 수 있으며, 이주민들이 항상 여기와 저기를 생각하면서 모순적인 태도를 보이기도 하는 존재[20]임

19 L Basch, NG Schiller, CS Blanc, *Nations unbound: Transnational projects, Postcolonial Predicaments and Deterritorialized Nation-States*, Basel: Gordon and Breach, 1994; 김혜선, 《글로벌 이주와 초국가적 가족유대》, 한국학술정보, 2014, 55쪽 재인용.

20 마이클 새머스, 《이주》, 373쪽.

을 말해 준다. 이들 가족에게는 국가 간 경계가 견고한 장벽으로 기능하지 않았다. 그런 측면에서 이영춘 님의 가족이 물리적·사회적 장벽을 넘어 유연하게 초국가적으로 가구를 운영한 전략은 특징적이다.

김순희 님과 이영춘 님 가족의 이주는 모두 식민지민의 이동운동[21]의 성격을 지니고 있다고 할 수 있다. 구술자들은 '(아버지가) 돈 벌기 위해 일본에 갔다'고 진술함으로써 이주가 자유로운 선택과 결정이었음을 강조하고 싶어 한다. 그럼에도 그 '자유로운 선택'의 배경에 식민지체제라는 환경적·사회적 압력이 있었음을 외면할 수 없다.

이주와 의례적 실천

식민지 조선인의 일본 이주 과정에서 관찰되는 흥미로운 지점은, 문화적 규범의 실천을 대하는 태도이다. 어린 김순희 님이 도일하기 전날 가족들과 집안 묘사墓祀에 참석했더니, 어른들께서 구술자가 다음 날 저녁에 연락선을 탈 예정이니 음식을 많이 주라고 했다는 언설은 문화적 함의가 있다. 구술자 가족이 도일하기 전 친족들과 작별 인사를 나누기 위해 이들이 함께 모이는 친족공동체 의례인 묘사에 참석한 것으로 보이며, 이를 통해 이주자 집단이 출신국을 떠나는 시점을 선택하는데 있어서 문화적 세시력이 준거로 활용되었음을 확인할 수 있다.

〔김순희, 1930년생〕

내가 일곱 살 때. 내가 진짜 참 희한해요. 내가 일곱 살 때 음력 10월 19일 날 연락선을 탔어요. 〔그 전날〕 모사(묘사) 고기 얻어먹으러, 우리 모사

---

21 유지영, 〈20세기 전반기, 초국적 이동의 예외로서 식민지민의 이동〉, 35쪽.

지내는데 모사 고기 얻어먹으러 간께 "아이고 낼 저녁에 연락선 탈 아다. 많이 줘라" 캤어예. 생전 안 잊어버려예. 그기 아직 생각난다. 기억이 만날 남아 있으니까. _ 2018년 1월 11일, 합천 원폭피해자복지회관

또 다른 사례로 합천군 묘산면 출신 박영순(1928년생) 님의 구술은, 큰오빠가 일본에 가서도 제사를 모시기 위해 갓을 쓰고 도일하는 과정을 설명해 주고 있다. 큰오빠가 갓을 썼다는 이유로 경찰서장에게 질타를 받고 가족들과 떨어지게 됐다고 한다. 식민지 조선인으로서 고향을 떠나 타국으로 가면서도 조상 숭배와 관련된 의례적 실천의 의지를 확인케 해 주는 대목이다.

〔박영순, 1928년생〕

우리 큰오빠는 일본 갈 때 제사 지내는 것을 가지고 갔는 기라. 갓을 일본 가서 제사 지낼라고. 한국서 그거를 가져가 갓을 쓰고 갔는데 수상경찰서장이 갓을 벗기고 맨 뒤에 가서 서라고 우리 오빠를 쫓아내더라고. 우리는 먼저 연락선 타고 오빠는 맨 뒤에 탔지.[22]

이 당시만 하더라도 여전히 전통적인 생활문법의 준수가 강력한 규범으로 작용했음을 두 구술을 통해서 확인할 수 있다. 이처럼 일제강점기 식민지 조선인의 '부단한 이동'의 과정에서도 문화적 규범의 실천은 일상적으로 확인된다.

---

22   창원대 경남학연구센터, 《합천군 원자폭탄 피해자 구술증언 조사사업 결과보고서》, 230~231쪽.

이상 합천 출신 세 구술자의 언설을 통해 확인할 수 있는 지점을 정리해 보면 다음과 같다. 첫째, 이주 배경을 보자면, 식민지 조선의 핍박한 경제 상황으로 인한 농민층 분해와 제국 일본에서 자본주의하 저임금 노동시장 형성이 식민지민의 이주를 촉진한 배경이 된다. 식민지의 농민이 식민 본국의 노동자로 전환되는 과정에서 이주가 발생한 것이다.

둘째 이주 과정을 확인해 보면 김순희 님, 이영춘 님 모두 고향 합천의 가족이나 친족이 매개가 되어 이주자 네트워크를 구축했다. 가족이라는 연계는 이주 자체를 가능하게 해 주는 금융자본, 문화자본, 사회자본을 제공한다. 일단 누군가의 이동이 확립되면 이주자들은 "이미 지나간 경로beaten paths"를 답습하는 것이다. 각 이주 행위가 그 후에 이주가 결정되는 사회적 맥락을 변화시킨다는 점에서, 특히 미래 이주 가능성을 높이는 경향이 있다는 점에서 인과 작용은 누적적이다. 이러한 경향을 "누적적 인과cumulative causation"라고 한다.[23] 요컨대, 합천과 히로시마 간에 이루어진 이주 과정을 살펴보면, 누적적 인과 현상으로 인해 이 두 지역 사이에 독특한 이주자 네트워크가 형성되었음을 알 수 있다. 뿐만 아니라 식민지민들은 여러 이유로 도일 · 도항 · 재도일 · 재도항 등의 '부단한 이동'을 지속하였고, 이들은 두 국가를 하나의 사회적 장으로 구성하는 초국가적 전략을 실천하는 주체가 되기도 하였다.

셋째, 이주의 양상 가운데 문화적 · 의례적 실천이 확인되는 지점들이 있다. 친족공동체 의례인 묘사 참제 이후의 도일, 동일한 민족적 배경을 가진 배우자와의 결혼을 위한 도항 등이다. 도일의 시기, 도항의

---

23 스티븐 카슬 · 마크 J. 밀러, 《이주의 시대》, 한국이민학회 옮김, 일조각, 2013, 67쪽.

이유 등이 전통문화적 관습의 실천과 맞닿아 있음을 확인할 수 있다.

귀환에 개입한 문화적 규범

일본 군수산업의 첨병이었던 히로시마와 나가사키는 1945년 8월 원폭 투하로 인해 순식간에 죽음과 비극의 공간이 되어 버렸다. 많은 조선인이 희생당했고, 이때 발생한 가족 이산과 이별은 지금까지 원폭피해자들의 기억에서 비참하게 복기되고 있다. 국제정치의 폭력에 의해 철저히 희생당한 이들의 죽음에 대해 가족 이외에는 누구도 기억해 주지 않고 책임지려 하지 않는다. 그리고 이들의 죽음과 사후처리는 귀환 과정에서도 중요한 매개가 되고 있음을 확인할 수 있다. 이 장에서는 식민지 조선인의 귀환 과정과 그 배경을 문화적 실천의 관점에서 검토해 보고, 이들이 전략적 실천으로서 이주를 어떻게 활용하였는지를 살펴보려 한다.

귀환 과정과 문화적 규범

조선인들은 원폭 투하가 야기한 해방 이후 가족 단위로 귀환한 사례가 많은데, 대부분은 야미やみ선, 밀선密船과 같은 사행귀환私行歸還[24]을 선택하였다. 야미선은 위험을 각오한 도항이었으나 일본에서 꾸린 짐을 많이 가져올 수 있었던 반면, 연락선은 안전하였으나 짐을 가져올 수 없

---

[24] 이연식, 〈해방 직후 남한 귀환자의 해외 재이주 현상에 관한 연구〉, 《한일민족문제연구》 34, 2018, 88쪽.

는 상황이었다. 어느 것도 최선은 아닌 상황에서 해방 직후 일본에서의 긴박했던 상황은 최선남 님(1933년생)의 구술에서도 잘 드러난다.

〔최선남, 1933년생〕

내가 알기로는 짐을 있는 대로 싸가지고 큰 야미배라고 있었어. 그걸 타고 온다고 짐을 다 묶어 놓고 이래 있었는데, 그 야미배 타고 가면 가다 배가 파산하면 몰살했다카는 소문이 또 났는 거라예. 그래서 그거 타고 가면 안 된다. 연락선을 타야 된다. 짐은 다 내버리고 하나에 한 짐씩 지고 오는 거밖에 못 가져오고 다 버렸어요. 왜 그렇게 오느냐 하면 일본에 있는 우리를 갖다가 어느 골짜기는 누가 어데서 사람이 죽었다더라. (중략)우리 전부 다 이웃집마다 아는 사람끼리 연락을 해가지고 그래 다 나왔어.[25]

한편 박영순 님(1928년생)의 경우. 조선으로 귀환하는 여정에서 아버지와 큰오빠가 잠재적인 위험에 대응하기 위해 선택한 방법은 같은 배에 탑승하지 않는 것이었다. 아버지와 작은오빠는 야미배, 큰오빠와 다른 가족들은 연락선을 타고 귀환하였는데, 이는 혈통에 기반한 직계가족의 대표성을 담지하고 있는 장남을 보호하기 위한 장치로 풀이된다.

〔박영순, 1928년생〕

우리 아버지는 아들 둘이 쪼매난 거 타서 죽으면 안 된다 카면서 우리 아버지하고 작은오빠하고만 쪼매난 배로 오고 우리는 연락선 타고. 작은오빠하고 아버지하고 오다가 대마도가 빌 듯 말 듯한데 풍파가 일어가 다

---

25 창원대 경남학연구센터,《합천군 원자폭탄 피해자 구술증언 조사사업 결과보고서》, 127쪽.

부 일본으로 갔다 캐. 보름을 있었대. 우리는 시모노세키에서 보름 있었는데 부산에 온 게 다 만냈어.[26]

이철수 님(1934년생)은 장남으로서 아버지가 귀환해야 했던 당위성을 설명하면서 선산 관리가 가장 큰 이유였다고 말한다. 이와 같이 일제강점기 도일했던 장남들은 문화적·의례적 실천자로서 귀환을 서두르면서도 안전하게 수행해야 할 존재들이었다.

〔이철수, 1934년생〕
우리하고 셋째 삼촌은 귀국하고 나머지 두 삼촌 가족은 거기 남으셨죠. 저희 아버지는 장남이라 선산도 관리해야 하고 그런다고 나왔지요. 그때 나와 가지고 고생 많이 했지요. 들어올 때 교환되는 돈도 한정이 있어서 그 정도만 교환해서 오니 기본 재산도 없고 참 고생 많았어요.[27]

식민지 조선인들은 식민지와 제국 체제 내부를 가르는 다양한 분할 선들을 그 신체에 각인하고 있다. 이렇게 각인한 채 이들은 실제로 '이동한' 존재일 뿐만 아니라 언제나 '이동하는' 존재이기도 하다. 다양한 종류의 선들을 가로질러 갈등 속에서 부단히 이동할 수밖에 없는 삶이었던 것이다. 이동이 지리적·물리적 차원에서 이루어진다 할지라도 그것이 또한 사회적 존재의 차원에서 이동과 분리될 수 없음을 상기시

---

26 창원대 경남학연구센터, 《합천군 원자폭탄 피해자 구술증언 조사사업 결과보고서》, 235~236쪽.
27 한국원폭피해자협회, 《한국원폭피해자 65년사》, 2011, 537쪽.

켜 준다.[28] 한 가계의 혈통을 계승하는 장남의 물리적 이동은 사회적·문화적 차원의 이동과 다르지 않기 때문에 잠재적 불안 요인을 최소화시키는 전략을 구사하게 되는 것이다.

앞서 살펴본 바와 같이, 식민지 조선인의 도일 과정에서 드러난 문화적 실천은 친족공동체 의례, 제사, 결혼 등과 같은 맥락에서 포착할 수 있다. 본 글에서는 그들이 해방 직후 조선으로의 귀환을 선택하게 된 배경과 과정에 관해서 관심을 두고자 한다. 일반적으로 식민지와 제국이라는 거대담론의 무게감에 압도당하여 미시적 차원의 개인과 가족 단위의 슬픔은 가시화되지 못했다. 구술사가 담보하고 있는 서사적 진실이 보여 주는 힘은 그렇기에 적지 않다.

하중우 님(1928년생)의 구술에 따르면, 본인은 귀환 의사가 없었지만 아버지의 유골이 일본 절에 있었던지라 고향 땅에 모시는 것이 자식 된 도리라고 생각해서 선택한 귀환이었다. 일본에서 어머니가 돌아가셨을 때 아버지가 어머니 유골을 기름종이에 어머니 속옷과 함께 싸서 고향 큰아버지께 보내는 것을 본 하중우 님의 선택은 귀환이었다. 귀환 이후 아버지와 어머니를 합장해서 모셨다고 한다. 정태수의 구술 또한 비슷한 맥락이다. 돌아가신 아버지를 화장한 후 뼈 하나 버리지 않고 담아서 어깨에 메고 귀환했다고 한다.

〔하중우, 1928년생〕

한국 와서는 말할 수 없이 고생했어요. 근데 내가 일본에서 안 나오는

---

28 차승기, 〈지방주의의 역사-지정학: 식민지 시기 내지 이주 조선인들의 지방주의적 갈등〉, 191쪽.

긴데 그때 아버지 유골이 절에 있었거든. 그때 해방되고 사람들 독립되서 좋다고 한국 간다 하는데 나는 안 가고 싶었어. 그런데 유골이라도 아버지가 얼마나 가고 싶겠나 하는 생각이 들어서. 왜냐면 어렸을 때 보면 어머니가 돌아가셨을 때 아버지가 기름종이를 펴 놓으시고 어머니 속옷을 꺼내고 그 옷에 엄마 유골을 넣어서 곱게 싸서 거창에 큰아버지한테 보냈거든. 그게 생각이 나더라고, 그래서 고향에 가서 엄마 아버지 합장을 해야겠다 싶어서 절에 있는 아버지 유골을 가지고 한국으로 나오기로 한 거예요. 그리고 한국으로 돌아와서 두 분을 합장을 했어요.[29]

〔정태수, 1935년생〕
아버지가 화기를 먹은 거예요. 아버지 시체를 집으로 가지고 와서 무너진 바라쿠 나무 같은 것을 태워서 화장을 했어요. 그걸 상자로 담는데 그걸 뼈 하나 안 버리고 다 담으면 얼마나 많아요. 그래도 그걸 귀국할 때 내가 메고 다니고 가져왔어요.[30]

장례 풍습은 좁은 의미에서 죽음을 처리하는 의례의 전통과 관련되어 있을 뿐만 아니라, 죽은 자와의 관계를 통해 살아 있는 자들의 세계를 의미 있는 것으로 만드는 전통적인 세계의 질서와 관련된 것이다.[31] 조선인들의 장례법이 매장에서 화장으로 변화했다는 것은 한시적으로

---

29 한국원폭피해자협회, 《한국원폭피해자 65년사》, 482쪽.
30 한국원폭피해자협회, 《한국원폭피해자 65년사》, 561쪽.
31 차승기, 〈지방주의의 역사-지정학: 식민지 시기 내지 이주 조선인들의 지방주의적 갈등〉, 188쪽.

수용했다 하더라도, 부모님의 유해를 고향에 묻겠다는 문화적 의지와 실천은 강력했던 것으로 풀이된다. 전통과 의례의 실천이 조선으로의 재도항을 추동하는 동력이 되었던 것이다.

재정착 과정과 이주자 네트워크

다음으로 일본으로 이주한 조선인이 귀환 이후 재정착하는 과정에서 경험한 좌절, 그리고 그 절망에 대응하기 위해 사회·문화적 자본을 활용하는 방식에 관한 논의에 주목하고 한다. 이주 사회에서 구축된 사회적 자본은 가족이나 가까운 친구·동향 출신자에 대한 신뢰, 보다 넓은 범주의 사람들과 공식·비공식적 접촉과 교류를 통한 규범과 사회적 지지의 형태로, 주류사회와 소통하는 개인 혹은 집단의 자산이나 정보의 형태로 드러날 수 있다.[32]

우선 해방 직후 귀환 전후의 사정을 살펴보면 다음과 같다. 김미순 님(1928년생)이 귀환 이후 재도일의 가능성을 탐색하게 된 배경을 통해서 당시 귀환이주자들의 경제적 상황을 짐작할 수 있다. 식민지 조선의 농민이었다가 일본 사회에서 임금노동자로서 일하며 얻은 노동 경험은 이들의 사회적 정체성을 새롭게 구성하였다. 공적 노동공간인 공장에서의 노동 경험이 농촌사회에서 획득하지 못했던 신체 감각과 시간 감각을 근대적 감각으로 재조직한 것이다.[33] 일본에서 노동이 임금으로 즉각적으로 환원되는 알고리즘을 경험한 조선인은 고향에 재정착했지

---

32   이은정·이용승, 〈이주민 사회자본에 관한 연구: 대구·경북 이주민과의 인터뷰를 중심으로〉, 《OUGHTOPIA》, 경희대 인류사회재건연구원, 2015, 94쪽.

33   이은정, 〈식민지기 만주 경험 여성의 귀환과 정체성 전략〉, 《민족문화논총》 71, 2019, 28쪽.

만 농사지을 땅도 없을 뿐더러 먹고살 일이 막막하게 느껴질 뿐이었다. 이것을 타개하기 위한 방안으로서 재도일을 기획했으나 일본 경비선에 발각되는 바람에 수포로 돌아갔다고 한다. 이 구술만 보더라도 당시 귀환자 가운데 재도일을 시도한 사람이 적지 않았음을 확인할 수 있다.

〔김미순, 1928년생〕

시월 그믐끼 와가지고 한국에 들어와서 일본서 맹크로 열심히 일만 하면 되는가 해도 공장이 있어야지. 뭐 묵고 살꼬? 농사가 있나. (중략) 우리 한국 사람은 나물도 우째 그래 못 먹는 나물이 없지. 일본서는 쑥하고 미나리하고 그런 거밖에 몰랐는데. (중략) 도저히 여기서는 못 살겠다 싶어가꼬 그 이듬해 일본 다부 갈라꼬 보따리 쌌다 아입니까. 보따리 쌌는데 마산서는 유월 그믐날 배를 탔는데 하루 종일 가고 그 이튿날 새벽에까지 갔는데 파도가 세서 못 가고 배는 작제 사람은 많이 탔제 이래가꼬 "이래가 못 간다. 대마도 가에 대라" 대가꼬 고마 일본 경비선한테 붙들리가 못 갔거든예. (중략) 다시 한국에 들어왔다 아입니까.[34]

김미순 님처럼 먹고사는 문제를 해결하기 위해 재도일을 시도하는 사람들이 있었던 반면, 일본 체류 당시 획득한 사회적·문화적 자본을 활용해서 취업에 성공하여 정착한 사례도 있었다. 히로시마에서 출생한 강수옥 님(1936년생)은 귀환 이후 일본어 능력을 활용해서 재정착한 사례로 한국인 원폭피해자협회 네트워크를 통해 취업을 하였다.

---

34   창원대 경남학연구센터, 《합천군 원자폭탄 피해자 구술증언 조사사업 결과보고서》, 165쪽.

〔강수옥, 1936년생〕

사람들이 문둥이라고 나병환자 취급해서 목욕탕도 못 갔어. (중략) 그러다가 서울을 와가지고 직장 생활하면서 내가 살길을 찾았지. 그게 취직을 시켜 준 게 나중에 보니 우리 협회 회원인데 (중략) 일본말 할 줄 알면 내일이라도 당장 취직시켜 준다는 거야. (중략) 일본말이 태생으로 배워서 그런지 나도 모르게 쉽게 이해가 되고 하는 거야.[35]

권진철 님(1935년생) 가족은 귀환이주를 한 후에 아버지의 히로시마 지인 네트워크를 따라서 전남 광주로 가서 모든 가족이 정착한 사례이다. 고향 합천에서 살림살이가 시원치 않자 권진철 님 아버지는 전남 광주로 이주하였다. 히로시마에서 만난 지인이 광주에서 자동차 정비를 하고 있었고, 이 분의 권유가 있었기 때문이다. 지인이 돌아가신 뒤 권진철 님 아버지가 본격적으로 자동차 정비업을 이어서 운영하게 되었고, 가족의 삶의 터전이 광주가 된 사례이다.

〔권진철, 1935년생〕

합천에서 한 1년 반 살다가 아버지 친구가 전남 광주에 사셨어요. 일본 계실 때 아시던 분인데 그분이 자동차 정비공장을 하셔서 그 기술을 가지고 계셨어요. 그 친구가 광주로 와라 해서 아버지가 저희를 데리고 광주로 가셨어요. 근데 그분이 1년 반 있다가 돌아가셨어요. 그러니 우리 아버지가 그 공장을 관리 감독하는 일을 맡으셔가지고 계속 거기 사시게 되었지요. 그게 다 육이오동란 전이니까 우리가 다 거기서 전쟁도 다 겪고 그런

---

35 한국원폭피해자협회, 《한국원폭피해자 65년사》, 490~491쪽.

거지요.[36]

일본에서 체류할 당시 구축해 둔 네트워크 혹은 한국인 원폭피해자 네트워크는 이들에게 중요한 사회적 자본이었다. 그 사회적 자본을 구성하는 핵심 동력은 가족과 친족, 일본에서 거주할 당시 소수자로서의 민족 네트워크, 원폭이라는 동일한 재난경험자 네트워크라 할 수 있다.

이상의 구술을 정리해 보자면, 첫째 식민지 조선인 귀환 과정에서 한 가계의 혈통을 계승하는 장남의 물리적 이동은 사회적 · 문화적 차원의 이동과 다르지 않기 때문에 잠재적 불안 요인을 최소화시키는 전략을 구사했다. 둘째, 이들의 귀환 배경과 관련해서 의례적 실천이 조선으로의 귀환을 추동하는 동력이 되었음을 확인할 수 있다. 셋째, 귀환 이후 이들이 재정착하는 과정에서 일본에서의 이주자 네트워크를 통해 구축한 사회 · 문화적 자본이 유용하게 작동하였다.

'부단한 이동'에 개입한 문화적 실천과 전략

식민지 조선인은 비참했던 정치 · 사회적 생태계 안에서 맞닥뜨린 생존과 실존의 문제에 대응하는 방법의 하나로서 '부단한 이동'을 삶의 전략으로 선택하였다고 할 수 있다. 이 연구는 일제강점기 식민지 조선인의 이주 경험을 검토함으로써 이들의 이동을 추동한 거시적 · 미시

---

36   한국원폭피해자협회,《한국원폭피해자 65년사》, 645쪽.

적 차원의 배경, 이주 과정에서 드러나는 특징적 양상과 문화적 의미를 파악해 보는 데 목적을 두었다. 특히 한국인 원폭피해자의 이주 경험에 주목하였는데, 그간 이들의 피폭 경험과 고통에 관한 많은 논의가 있었지만 이주의 관점에 천착한 연구는 많지 않았다.

이주의 관점에서 한국인 원폭피해자를 연구하게 된 배경은 이들이 식민지기의 디아스포라적 월경, 해방 직후 모국으로의 귀환, 치료 목적의 반복적 도일, 그리고 재정착 과정 등에서 '뿌리 뽑힌' 고통을 경험한 역사적 존재들이기 때문이다. 그들이 경험한 신체적 · 사회적 고통의 크기에 비해서 한국 사회는 정치적·사회적 담론의 장에서 이들을 외면해 왔던 것이 사실이다.

한국인 원폭피해자의 이주 경험을 검토하기 위해 구술생애사 인터뷰 자료와 구술채록 자료집을 최대한 활용하였다. 연구 질문은 크게 두 가지였다. 첫째, 일제강점기 식민지 조선인의 구체적인 이주 · 귀환 과정과 경로, 그리고 거시적 · 미시적 차원의 배경을 삶의 맥락 안에서 확인하고자 하였다. 둘째, 이주 실천 과정에서 포착되는 문화적 실천 양상을 확인해 보고자 하였다.

연구 결과를 요약해 보면 다음과 같다. 첫째, 합천과 히로시마 사이에 이루어진 이주 과정을 살펴보면 누적적 인과 현상으로 인해 이 두 지역 간의 독특한 이주자 네트워크가 형성되었음을 알 수 있다. 뿐만 아니라 식민지 조선인은 여러 이유로 도일, 도항, 재도일, 재도항 등과 같은 '부단한 이동'을 지속하였고, 두 국가를 하나의 사회적 장으로 구성하는 초국가적 전략을 실천하는 주체가 되기도 하였다.

둘째, 이주와 귀환의 과정에서 문화적 규범에 따른 실천이 중요한 매개가 되었다. 특히 귀환의 배경에는 상장례와 관련된 의례적인 실천이 귀환을 추동하는 동력이 되었다. 또한 가계의 혈통을 계승하는 장남의 물리적 이동은 조선의 관습과 문화가 내면화된 신체의 이동으로 치환되었고, 따라서 위험을 최소화시키는 방향으로 귀환하였다. 셋째, 이들이 한국에 재정착하는 과정에서 일본에서 구축된 이주네트워크가 사회적 · 문화적 자본으로 전환되어 유용하게 작동하였다.

이상과 같이 식민지 조선인의 이주 · 귀환 · 재정착의 과정과 이 과정에서 개입하는 문화적 실천과 전략에 관한 논의를 해 보았으나, 연구의 한계가 분명하게 드러난다. 코로나19로 인해 대면 인터뷰를 통한 자료확보가 어려워 구술채록 자료집을 토대로 검토했기 때문에 연구 질문에 따른 적절한 자료를 배치하는 것이 까다로웠다. 식민지 조선인 이주 과정에 개입한 문화적 규범과 실천에 관한 밀도 있는 연구는 다음 과제로 남겨 두고자 한다.

참고문헌

김철,《韓國の人口と京制》, 岩波書店, 1965.

김형률 외,《나는 反核人權에 목숨을 걸었다》, 행복한 책읽기, 2016.

김혜선,《글로벌 이주와 초국가적 가족유대》, 한국학술정보, 2014.

마이클 새머스,《이주》, 이영민 외 옮김, 푸른길, 2017.

스티븐 카슬 · 마크 J. 밀러,《이주의 시대》, 한국이민학회 옮김, 일조각, 2013.

이치바 준코,《한국의 히로시마》, 이제수 옮김, 역사비평사, 2013.

정근식,《고통의 역사 : 원폭의 기억과 증언》, 선인, 2005.

창원대 경남학연구센터,《합천군 원자폭탄 피해자 구술증언 조사사업 결과보고서》,
    2017.

곽귀훈,〈한국인 원폭 피해자의 수난과 승리〉,《황해문화》50, 2006.

김원,〈밀항, 국경 그리고 국적 : 손진두 사건을 중심으로〉,《한국민족문화》62, 2017.

문경희,〈도일과 히로시마 원폭피해, 귀환: 일제강점기 합천 출신 이주 1.5, 2세대의
    경험〉,《호모 미그란스》19, 2018.

박경숙,〈식민지 시기(1910년-1945년) 조선의 인구 동태와 구조〉,《한국인구학》
    32(2), 2009.

박성실,〈한국원폭피해자의 사회적 고통, 그 구성과 대물림〉, 성공회대 석사학위논
    문, 2015.

오은정,〈관료제적 문서주의 속에서 기록과 기억: 한국 원폭피해자의 일본 피폭자건
    강수첩 취득 과정에 대한 민족지적 연구〉,《한국문화인류학》47(2), 2014.

유지영,〈20세기 전반기, 초국적 이동의 예외로서 식민지민의 이동〉,《'동아' 트라우
    마》, 그린비, 2014.

이연식,〈해방 직후 남한 귀환자의 해외 재이주 현상에 관한 연구〉,《한일민족문제연
    구》34, 2018.

이은정,〈식민지기 만주 경험 여성의 귀환과 정체성 전략〉,《민족문화논총》71, 2019.

_____,〈피폭된 신체와 고통: 한국인 원폭피해자를 중심으로〉,《민족연구》73, 2019.

이은정 · 이용승,〈이주민 사회자본에 관한 연구: 대구 · 경북 이주민과의 인터뷰를
    중심으로〉,《OUGHTOPIA》, 경희대 인류사회재건연구원, 2015.

차승기, 〈내지의 외지, 식민본국의 피식민지인, 또는 구명의 (비)존재론〉,《'동아' 트라우마》, 그린비, 2014.

_____, 〈지방주의의 역사-지정학: 식민지 시기 내지 이주 조선인들의 지방주의적 갈등〉,《'동아' 트라우마》, 그린비, 2014.

켄 카와시마, 〈상품화, 불확정성, 그리고 중간착취: 전간기 일본의 막노동시장에서의 조선인 노동자들의 투쟁〉,《근대성의 역설: 한국학과 일본학의 경계를 넘어》, 후마니타스, 2009.

한석정, 〈지역체계의 허실: 1930년대 조선과 만주의 관계〉,《한국사회학》 37(5), 2003.

허광무, 〈한국인 원폭피해자에 대한 제연구와 문제점〉,《한일민족문화연구》 6, 2004.

L Basch, NG Schiller, CS Blanc, *Nations unbound: Transnational projects, Postcolonial Predicaments and Deterritorialized Nation-States*, Basel: Gordon and Breach, 1994.

모더니티의 이동성과 난민이 된 청춘의 서사

: 김승옥 소설에 나타난 지방 출신 대학생의
도시 입사식入社式을 중심으로

김은하

이 글은 《한국학연구》 제60집(2017.3)에 게재된 원고를 수정 및 보완하여 재수록
한 것이다.

인간 실격의 불안과 지방민 의식

'4 · 19'는 한국 정치사에서 개인은 복종의 의무가 아닌 판단과 선택의 권리를 가졌으며, 권력의 정당성은 국민의 동의로부터 나온다는 정치적 자유의식을 보여 준 시민혁명이었다. 4 · 19가 단순히 의거가 아니라 근대혁명으로 간주되는 것은 민주적 공화국의 이상 실현을 위해 자기 이익을 포기하고 불의와 억압에 저항하는 '자기진정성 윤리'의 주체가 한국 사회에 등장했기 때문이다. 마산 앞바다에서 포탄에 뚫린 채 떠오른 김주열의 시체는 민주적 공화국의 핵심 요소로서 양심적 시민이 출현했음을 보여 주는 그로테스크한 숭고였다. 그러나 혁명 주체들이 보여 준 정치적 자유를 향한 의지는 4 · 19 정신의 계승을 내세워 집권한 군사정부의 공안통치로 억눌리고, 경제개발계획[1]이 진행되어 자본주의적 근대 도시가 출현함으로써 진정성을 추구하기보다는 부와 권력에 관심을 두는 속물화 경향이 대두되었다.

김승옥은 1960년대에 발표한 많은 소설에서 발전과 욕망의 도시 서울에서 성인식을 시작한 상경 대학생을 자신의 문학적 페르소나로 채택했다. 전남 순천 출신의 서울대생이라는 작가 자신의 자전적 경험을 토대로 "끊임없는 자기갱신과 변형, 이동성과 불확실성, 성장과 발전에 대한 욕구 등으로 특징지어지는 역동적인 모더니티 사회"[2]에서 한 시

---

[1] 4 · 19 이후 국가재건운동의 전개 과정과 그 성격에 대해서는 다음의 논문을 참조할 것. 신형기, 〈혁신담론과 대중의 위치〉, 《현대문학의 연구》 47, 한국문학연구학회, 2012, 261~293쪽.

[2] 프랑코 모레티는 '교양소설'을 모더니티 사회에서 이동성과 내면성으로 요약되는 상징적인 젊음의 형식으로 정의한다. 전통적 공동체주의 속에서 젊다는 것은 단지 아직 성인

골 출신 젊은이의 도시 입사식을 담았다. 1960년대 한국문학에서 '이동'은 거의 모든 이야기들의 시작점이었다. 1950년대에 외래자본(잉여농산물)이 유입되어 농업의 토대가 흔들리고, 1962년부터 2·3차 산업의 성장을 골자로 한 '제1차 경제개발 5개년 계획'이 가동되어 농촌의 붕괴가 가속화됨에 따라 많은 사람들이 고향을 떠날 수밖에 없었던 것이다. 급속한 성장과 팽창을 거듭함으로써 서울이 전쟁의 트라우마를 지우지 못한 멜랑콜리적 공간에서 역동적인 발전의 도시로 변모한 점도 이동을 부추겼다. 서울은 단순히 행정의 수도가 아니라 세속적 의미의 '좋은 삶'과 등가물처럼 받아들여졌다.[3]

그러나 가난한 지방 출신 이주자들의 서울 정착은 몹시도 힘겹고, 절반은 실패가 예정된 것이었다. 1960년대의 많은 작가들이 농촌 출신 도시 뜨내기, 여공 혹은 식모를 거쳐 섹스 시장으로 유입되는 '호스티스' 등 도시 정착에 실패한 서벌턴subaltern을 중심에 두고 근대화의 폭력성을 고발했다. 이렇듯 도시가 인간성을 짓밟는 비인간적인 곳으로 조명되자 시골은 상실감과 그리움을 불러 일으키는 노스탤지어nostalgia의 대상이 되었다. 그러나 김승옥은 여러 작품에서 시골 출신의 남성 상경 대학생을 서사의 중심에 세워 둠으로써 '이동'을 통해 확연히 불거진

이 아니라는 의미로, 젊음은 기실 '보이지 않는', '하찮은' 주제였다. 그러나 촌락공동체가 무너지고 자본주의적 개인화가 진행되면서 유동적이고 불확실하며 미결정적인 상태로 자기형성의 도정에 있는 젊은이의 성숙은 문학의 주제가 된다. 프랑코 모레티, 《세상의 이치》, 성은애 옮김, 문학동네, 2005, 25~31쪽.

3 개발은 지역 간 불균형을 야기함으로써 농촌 인구를 감소시킨 반면 도시 인구의 증가라는 결과를 야기했다. 특히 서울 인구는 1955년에 157만 명(전체 인구의 7퍼센트)이었지만 개발이 시작되면서 1960년에는 245만 명(9.8퍼센트), 1970년에는 543만 명(17.6퍼센트)을 기록할 만큼 늘어 과잉도시화 현상이 발생한다. 조희연, 《박정희와 개발독재시대》, 역사비평사, 2007, 118쪽.

계급, 지역, 젠더 등 사회 갈등을 다룰 수 있었다. 상경 대학생들의 대다수는 가난했지만 시골 출신 도시 하층민보다 신분 상승에 유리한 고지에 서 있었다. 해방 이후 싹튼 평등화·평준화 바람은 동등하게 부와 지위를 획득하고자 하는 열망을 불어넣었고,[4] 교육은 희소 재화 획득에 유리한 경쟁 수단으로 비춰지기 시작했기 때문이다.[5] 4·19혁명으로 민주주의와 평등의식이 싹트고 근대적 개발이 가속화되면서 경쟁주의, 자기계발과 성취지향적 사고가 확산되자 식민지기의 수양론이나 교양론[6]과 구별되는 '입신출세주의'가 만연했다. 〈무진기행〉의 인기와 함께 김승옥이 1960년대 독서-출판 시장에서 스타 작가가 될 수 있었던 것은, 자신이 속물임을 의식하고 있지만 계급 이동을 멈출 수 없는 새로운 주인공을 통해 선악 이분법에 기초한 멜로드라마로 포획할 수 없는

4　해방 후 학교에서 우리말을 자유롭게 쓸 수 있게 됨에 따라 교육기관의 수는 급증한다. 특히 초등이나 중등 교육기관보다 대학의 급증률이 더 높았다는 점은 학벌사회화의 징후를 보여 준다. 식민지 근대 이래 교육에 대한 관심이 꾸준히 급증했음을 보여 주는 자료는 다음의 글을 참고할 것. 서중석, 〈'한강 기적' 일군 한글세대 대량 탄생〉, 《이승만과 제1공화국 – 해방에서 4월 혁명까지》, 역사비평사, 2007, 142~143쪽.

5　지독한 가난과 높은 실업률에도 불구하고 대학생 인구는 1950년대 후반에서 1960년대 초반 사이에 늘어나 1966년에 이르면 19~24세 전체 인구의 10퍼센트 정도를 차지할 만큼 급증했다. 김승옥·서정인·이청준 등 4·19세대 작가들이 창작한 다수의 작품들은 새로운 지식 계급의 내면을 사로잡은 감정/정동으로서 우울과 무력감·고립감 등을 호소하는데, 이는 이들이 엘리트 계급으로서 출세 압력으로부터 자유롭지 못하다는 것을 암시한다. 4·19세대 작가들의 낙오자 서사에 대해서는 다음을 참고할 것. 김건우, 〈4·19세대 작가들의 초기 소설에 나타나는 '낙오자' 모티프의 의미〉, 《한국근대문학연구》 16, 한국근대문학회, 2007, 167~193쪽.

6　식민지기 사회의 재편성 과정에서 번역 소개된 새뮤얼 스마일스의 《자조론》은 '최선을 다해 노력을 한다면 누구에게나 입신출세의 길이 열려 있다'는 메시지를 던져 주었다. 그러나 자조론은 "학력을 갖추거나 그에 준하는 '노력'을 한 후에도 열악한 경제적 현실과 식민지 정치의 억압 상으로 엘리트들의 사회참여의 가능성이 닫히자 수양론이나 교양론과 뒤섞였다." 소영현, 〈근대 인쇄 매체와 수양론·교양론·입신출세주의 – 근대 주체 형성 과정에 대한 일고찰〉, 《상허학보》 18, 상허학회, 2006, 207~213쪽.

근대적 삶을 보여 주었기 때문이다.[7]

김승옥의 소설은 근대화의 중핵적 장소이자 경쟁에 유리한 자원들이 몰려 있는 서울을 무대로 하고 있고, 서울은 등장인물들에게 좌절감을 일깨우는 선망의 대상으로 그려진다. 〈서울 1964년 겨울〉(1965)에서 시골 출신으로 대학 입시에 실패하고 구청 병사계에서 일하는 화자 '김'에게 서울은 가슴 설레는 인공 낙원이다. "밤이 되면 빌딩들의 창에 켜지는 불빛 아니 그 불빛 속에서 이리저리 움직이고 있는 사람들이고 신기한 건 버스칸 속에서 일 센티미터도 안 되는 간격을 두고 자기 곁에 이쁜 아가씨가 서 있"는 일상의 풍경조차 "가장 부럽고 신기하게 비치는"[8] 것이다. 그러나 도시의 진짜 주인공은 같은 스물다섯 살이지만 서울 출신의 부잣집 장남이자 대학원에 다니는 '안' 같은 중산층 계급이고, '김'은 진짜 '서울'을 먼 데서 외롭게 지켜볼 수밖에 없다. '김'은 자신보다 우월한 위치에 있는 서울내기들을 보며 열패감을 느낀다. 그러나 고향은 자신감과 용기의 원천이 되기는커녕 낙오와 후진의 동의어이기 때문에 그리움의 대상이 되지 못한다. 도시는 어떻게 해서든지 살아 남아야 할 유일한 세상이 되는 것이다.

앞서 말했지만 시골 출신의 대학생은 고등교육이라는 고급 재화를 소유했기에 경쟁에서 도시 하층민보다 유리한 위치에 있었다. 그러나 대다수는 의식주가 열악할 뿐 아니라 일자리도 부족해 졸업 후 고등 백

7　김승옥의 문학에는 공적 담론 장에서 표출되지 못한, 혹은 추상적인 서술 뒤에 숨겨진 대중의 구체적이고 현실적인 삶의 결이 담겨 있다. 송은영, 〈김승옥과 60년대 청년들의 초상〉, 《르네상스인 김승옥》, 앨피, 2005, 222쪽.

8　김승옥, 〈서울 1964년 겨울〉, 《무진기행》, 1995, 261쪽. 이후 인용되는 김승옥 소설은 문학동네에서 출간된 전집을 출처로 한 것으로, 이후 본문에 인용 쪽수만 간단히 표기하겠다.

수가 될 확률이 높았기 때문에 스스로를 도시 난민처럼 느낄 수밖에 없었다.[9] 개발의 성과가 가시화되기 시작한 서울과, 새롭게 출현한 도시 중산층 계급은 시골 출신들에게 기분 나쁜 선망과 열패감을 안겨 줄 수밖에 없었다. 김승옥은 서울대 신입생 시절 자신을 사로잡았던 것이 "지방 출신의 외톨이 의식"[10]이었다고 회고한 바 있다. 청상과부의 장남으로 고학을 결심하고 상경했지만, 경기고·서울고 등 서울대 내에서도 일류고 출신이나 공대·상대·의대 등 인기가 있는 과도 아닌 불문과 학생에, 지방 출신이고 설상가상으로 '하와이(전라도)' 출신이어서 가정교사 자리 얻기도 쉽지 않았다는 것이다. 당시 서울대가 주최한 신입생환영회 에피소드는 그를 사로잡은 외톨이 의식이 상당히 강렬한 것이었음을 암시한다. 신입생환영회는 모두가 동등한 것 같지만 결코 동질적이지 않음을 감추면서 드러냈기 때문이다.

서울대가 외부에서 가수를 초청해 주최한 신입생환영회에서 김승옥은 스스로 노래라면 꽤 많이 알고 있다고 자부해 왔지만 처음 접하는 초청가수의 등장에 동급생들이 연호하고 팝과 재즈송을 어렵지 않게 따라 부르자 "기가 팍 죽지 않을 수 없"(184쪽)었다고 고백한다. 그를 의기소침하게 한 팝송이나 재즈는 부르주아계급의 남과 다른 우월한 취향을 보여 주는 구별짓기 재화라고 할 수 있다. 반半식민의 당대 한국

---

9   4·19세대를 대표하는 작가 박태순은 1960년대 한국의 도시문학을 난민촌 문학에 비유한다. 지방민들은 한국의 경제엘리트가 내세운 발전계획으로 고향을 떠나 도시 난민-저임금노동자라는 수취 구조에 편입되어 다시는 고향에 돌아갈 수 없다는 현실적 인식으로 근대인으로 탈바꿈해야만 했다. 당국의 단속이 소홀해진 틈을 타 벼락같이 조성되곤 했던 난민촌은 이들 삶의 처소였다. 박태순, 〈내가 보낸 서울의 60년대〉, 《문화과학》 5, 문화과학사, 1994, 134~144쪽.

10   김승옥, 〈散文時代 이야기〉, 《뜬 세상에 살기에》, 지식산업사, 1977, 203~243쪽.

사회에서 팝송이나 재즈는, 저가의 대중매체를 통해 쉽게 접할 수 있고 또 이렇다 할 학력자본이 없어도 향유 가능한 대중가요와 달리, 소비 주체의 계급적·문화적 우월성을 보여 주는 속물성 재화snob goods였다. 시골에서 공부 잘하는 우등생이었던 청년은 신입생환영회에서 지방 출신이라는 자신의 정체성을 실격의 증거로 아프게 '발견'했다고 볼 수 있다. 대강당 안이 노래를 따라 부를 수 있는 '서울·부산 출신'과 그럴 수 없는 '지방 출신' 두 부류로 나뉘어져 있다는 발견은 계급을 결정하는 것이 개인의 능력이 아니라 지역 같은 비능력적 요소라는 점을 암시한다. 전라도에 대한 차별이 구조적이고도 조직적으로 이루어졌다는 점을 고려해 볼 때, "지방 출신의 외톨이 의식"은 개인의 도시 부적응이나 열등감 정도로 폄훼될 수 없는 문제다.

지방민으로서의 자의식은 부조리한 현실에 대한 발견이자 평등하고 공정한 사회에 대한 급진적 상상력의 원천이 될 수 있을까? 김승옥은 신입생환영회 얼마 후에 일어난 "'4·19'에 의하여, 즉 동질의 의식에 의하여 동년배 사이의 감각의 차이를 무시하게 되었고 나아가서는 의식意識에 의하여 '지방 출신'의 감각도 어떤 자리를 차지할 수 있게 되었"다고 했다. "'4·19'가 없었더라면 난민難民 감각에 의하여 지방 출신의 의식은 앉을 자리를 못 찾았을 것"(215쪽)이라고 고백한 것이다. 그의 말대로 4·19혁명은 수난의 역사 속에서 짓밟히고 권력에 대한 맹종과 보신을 최우선으로 여겨 온 기성세대들이 아니라, 학교에서 처음 서구식 민주주의를 배우고 불의에 대한 비판의식을 가진 '젊은 사자'들이 주도한 정치혁명이었다. 청년들은 수평적 연대감과 동질성을 바탕으로, 자발적 거세를 통해 권력에 순응하고 권력을 이양받을 날을 고요히 기다리는 것이 아니라 권위에 항거하는 전위를 자처했다. 4·19를 통해 형성되고 굳건해진 세대의식은 김승옥, 김현, 최하림, 박태순, 이청준 등 대학생들이 주축이 된 동인지《산문시대》[11] 창간의 동력이 되었다. 구성원의 절대다수가 목포·순천·장흥 등 전라남도 출신이었다는 점에서《산문시대》창간을 신분·세대·지역을 중심으로 한 위계의 사회에서 지방적인 것, 즉 주변부의 반격으로 해석해 볼 수 있다.

《산문시대》동인들은 문학권력의 승인을 기대하기보다 등단제도를 거부하고 기성의 글쓰기를 모방하지 않음으로써 한국문학에 대한 오이디푸스적 반란을 일으켰다. 해방기 남북한 단독정부 수립 후 남한 문학장을 주도한 것은 김동리, 조연현 등 정치권력의 프로파간다를 자처했던 우익 문학인들이었다. 소수 원로 문학권력들은 '신인추천제'와 문예지《현대문학》등 문학제도를 사유화하며 문단의 살아 있는 우상을 자처했다. 이렇게 볼 때《산문시대》동인들은 평등, 독립의 원칙 속에서 스스로를 개별화하는 근대적 개인의식을 보여 주었다고 할 수 있다.[12]

---

11 《산문시대》는 서울대 불문과 동기인 김현과 김승옥이 1961년의 겨울 목포 오거리의 다방에서 니체, 발레리, 베케트에 대한 대화를 나눈 것을 계기로 친분이 형성되고, 이후 김현의 주도로 모임을 결성해 1962년 6월의 창간호로 시작해 총 5호까지 간행한 문예동인지이다.《산문시대》는 서울대 문리대생, 지방(전라도) 출신, 외국문학 전공자가 주축이 된 모임으로, 이후 문학과지성사의 실질적인 모태가 되었다.《산문시대》에 대한 연구로 다음의 글을 참고할 것. 임영봉,〈동인지《산문시대》연구〉,《우리문학연구》21, 우리문학회, 2007, 397쪽; 차미령,《《산문시대》연구》,《한국현대문학연구》13, 한국현대문학회, 2003, 427~459쪽; 김건우,〈4·19세대 작가들의 초기 소설에 나타나는 '낙오자' 모티프의 의미〉, 167~193쪽.

12 개인은 "분리할 수 없고 서로 환원되지 않으며 실제로 홀로 느끼고 행동하며 생각하는 인간"으로, 개인주의는 개인의 독립성과 자율성을 중시하는 삶의 태도와 가치관을 뜻한다. 개인주의는 근대 신분질서의 붕괴, 계몽주의의 등장, 인권의식의 확산, 시장경제의 대두라는 사회문화사적 흐름 속에서 '나'를 운명, 권리, 계약, 판단과 실천의 주체로 보는 인간에 대한 새로운 이해의 문을 열었다. 알랭 로랑,《개인주의의 역사》, 김용민 옮김, 한길사, 2001, 11쪽.

그러나 당돌하기조차 한 위반 행위는 이들이 서울대라는 학력자본을 소유하고 있었으며 근대적 교양 주체를 자처하는 유럽문학 전공자라는 우월한 위치에 있었기 때문에 가능했다. 이들은 세계인, 그것도 유럽문학, 즉 교양의 세례를 받은 엘리트 지식인으로 스스로를 정체화함으로써 저개발의 지역에서 온 지방민이자 여순반란사건 이후 전라도 사람에게 따라붙는 '빨갱이'라는 혐의로부터 스스로를 방어할 수 있었다고 볼 수 있다.[13]

전라도 출신 청년들은《산문시대》창간을 통해 죄 많은 아버지의 목을 치고 새로운 시대의 문학을 주도했다. 그러나 문학 바깥의 현실, 즉 계급 · 지역이 결코 동질적이지 않은 근대적 공간에서 지방 출신의 젊은이에게 성장은 결코 축복이 될 수 없었다. 뒤에서 살펴볼〈환상수첩〉에서 인문학을 전공하는 주인공은 최일류 대학에서조차 이렇다 할 교양의 비전을 찾지 못한다. 주인공은 비록 자폐적 위안의 형식으로서 '문학'을 발견하지만 현실에서의 삶을 이어 가지는 못한다. 김승옥 소설의 청년들은 강자들의 도시에서 벌어지는 서바이벌에 대한 자신 없음과 실격에 대한 불안의식에 시달린다. 난민과 다를 바 없는 지방 출신 젊은이들에게 가장 확실한 자산은 남성성이라는 젠더뿐이다. 하위계급 남성을 주인공으로 한 소설에서처럼 술집이나 성매매 시장이 이야기의 주된 공간이고 여성 인물은 창부화된다. 여성이 남자의 타자성을 비춰 주는 거울이기 때문에 여성을 비천한 섹스 대상으로 취급하고 박해하

---

13 김승옥의〈건〉(1962)은 여순반란사건을 배경으로 경찰이나 국군에 총살당한 "빨갱이" 아버지의 시체와 조우함으로써 성장의 트라우마를 겪는 소년의 이야기다. 아버지를 잃었지만 "빨갱이"의 죽음은 추모될 수 없기 때문에 소년은 상실을 애도하지 못한 채 성장을 시작하게 된다.

는 것으로 불안을 다스리려고 한다. 이러한 문제의식을 바탕으로 이 글
은 그간 김승옥의 문학연구에서 크게 주목받지 못한 지방 출신 남성 상
경 대학생들의 도시 입사식을 여성 인물과의 관계를 통해 읽어 보겠다.

교양 청년의 탄생과 애도가 거부된 타자

〈환상수첩〉(1962)은 김승옥이 《산문시대》 2집에 발표한 중편소설로
지방 출신의 상경 대학생 정우가 남긴 소설 형식의 수기를 그의 친구인
수영이 소개하는 구조를 취하고 있다. 수기의 주된 내용은 도시를 환
멸하지만 이렇다 할 대안적 세계를 발견하지 못하고 죽음 충동에 사로
잡힌 정우의 젊음과 여정에 관한 것이다. 한국 교양소설에서는 젊은이
가 주인공으로 등장함에도 불구하고 성장의 형식만 있을 뿐 성장 주체
의 사회적 성숙이 이루어지지 않는 경우가 대다수였다. 젊은 주인공들
은 재난 · 질병 · 죽음 · 범죄 같은 외부의 불가항력적인 사건에 압도되
어 체념과 비관에 사로잡히고, 의미 있는 가치 실현을 가로막는 부조리
한 세상에 맞서 자신의 탁월성을 증명하지 못한다. 〈환상수첩〉의 주인
공인 정우 역시 대안적 삶의 지평을 찾지 못한 채 자살하고 마는 비극
적 인물이다. 그러나 정우는 자살을 함으로써 자기를 실격 처리했지만
내면성의 형식으로서 문학, 즉 수기를 남김으로써 '교양' 주체가 되었다
고 할 수 있다.

〈환상수첩〉은 미적 청년의 탄생을 보여 주는 보기 드문 교양소설이
다. 그러나 정작 이 소설에 가득한 것은 아름다움의 이상이나 문학의
가치에 대한 탐구라기보다는, 근대적 공간이 열어 준 신분 이동의 사회

에서 뚜렷한 경쟁자본을 갖진 못해 주눅 든 지방 출신 대학생 혹은 문학청년들을 사로잡은 불안과 공포의 정동이자 그로 인해 촉발된 우울하고 병리적인 행위들이다. 정우의 이야기는 '젊음'이 더 이상 아버지의 일을 배우기 위한 예견된 과정이 아니라 사회적 공간에 대한 불안한 탐색이 된 근대사회에서 주변부 청년들의 사회 진입의 어려움을 보여 준다. 전라남도 순천 출신의 서울대학교 문리대생으로 꿈을 안고 상경하지만 정우의 처지는 도시 난민과 다를 바 없다. 월세가 가장 싼 숭인동 산기슭에 한 칸짜리 방을 구하지만 주거환경은 몹시도 열악하고, 추운 겨울 밤 잠이 퍼붓는 시간에도 오백 환짜리 야경 일을 해야 할 만큼 곤궁한 것이다. 그러나 가난 이상으로 그를 괴롭히는 것은, 자신이 뚜렷한 삶의 주관을 갖지 못한 채 분별 없이 타인의 삶을 모방하고 있다는 사실이다. 정우는 객기 가득한 시를 쓰고 악동의 유희처럼 여자들을 짓밟는 대학 동기 오영빈의 주변을 맴돌고 그의 퇴폐와 위악을 흉내 내 왔다. 그가 오영빈을 싫어하면서도 그를 흉내 내는 것은, 서울이 타인을 짓밟지 않으면 살아남을 수 없는 정글이기 때문이다. 정우는 도시를 비판하지만 올바른 삶의 가치를 찾지 못한 젊은이이다.

소설 속에서 서울은 전쟁 피난민과 무작정 상경민이 몰려들어 "생존만이 절대가치였고 생존하기 위해서는 어떠한 윤리적 가치도 양보해야 하는 사람들로 들끓"[14]는 곳으로 서사화된다. 일류 대학의 교수는 강의실에서 "상대편을 어떻게 하면 꽈악 눌러 버릴 수 있느냐 하는 공격 방

---

[14] 김승옥은 "가정과 학교와 교회에서 배워 온 가치는 적어도 서울 바닥에서는 바보의 꿈에 지나지 않아 보였습니다"라고 고백한다. 김승옥, 〈이제 나는 허무주의자가 아니다〉, 《싫을 때는 싫다고 하라》, 자유문학사, 1986, 12~13쪽. 송은영의 글에서 재인용(송은영, 〈김승옥과 60년대 청년들의 초상〉, 224쪽).

법"(27쪽)을 가르칠 만큼 젊은이를 인도할 교양의 정신이 부재하다. 따라서 서울내기보다 불리한 조건에서 서울에 뿌리를 내려야 하는 지방 출신들은 자신의 취약성을 극복하기 위해서라도 둔감해지지 않으면 안 되는 것처럼 여겨진다. 의미 있는 가치보다 경제동물처럼 이익을 추구하고, '정언명령'을 따르기보다 도구적 성찰성을 극대화해 서바이벌에서 승리해야 하는 것이다. 그러나 경제적 활동이 불가능한 대학생, 특히나 부나 권력과 거리가 먼 문리대생들은 경쟁에서도 배제될 수밖에 없는 처지이기 때문에 한층 강도 높은 실격의 공포에 쫓길 수밖에 없다. 이들은 서로를 대상으로 한 기괴하고 위악적인 경쟁에 몰두함으로써 비루한 자의식과 불안을 감춘다. 특히 시를 쓰는 오영빈은 술집과 사창가 등을 드나들며 퇴폐적 생활을 이어 가고, 도시 서벌턴인 술집과 성매매 여성들을 짓밟는 위악적인 행위를 통해 자신의 취약성을 은폐한다. 정우 역시 자신의 불안을 들키지 않기 위해 오영빈을 흉내 내는 자신을 환멸하면서도 그를 경쟁 대상으로 삼아 퇴폐와 위악으로 채워진 삶을 살아온 것이다.

그런 정우에게 시골 출신 여대생으로 고학을 하는 선애는 정우가 사로잡힌 기만을 볼 수 있게 해 주고 성장을 인도하는 스승과도 같은 존재다. 정우는 남자들도 하기 힘든 야경 아르바이트를 찾는 선애와의 첫 만남에서 충격을 받는다. "왜 그런 일자리를…"이라는 나의 질문에 "몸 파는 것보다 낫지 않아요?"(16쪽)라고 선애가 당찬 답변을 돌려주었기 때문이다. 정우는 선애를 "요염하도록 순진한 창녀"(17쪽)로 대상화하지만 만남이 반복되면서 차츰 그녀에게 "경원"의 마음을 품게 된다. "끈기를 시험하는 거죠. 얼마만큼 해낼 수 있나 하고요. 우리는 뭐랄까 용감해요"(19쪽)라는 말을 통해 암시되듯이, 선애는 온몸으로 부딪히며 자기

나름의 "시점", 즉 현실인식을 획득하고자 하는 성장 주체다. 고학생의 성공 서사 같은 미담을 믿을 만큼 순진해서가 아니라 독립을 실현하는 한편으로 도시, 즉 서울의 속내를 엿보고 싶어 여자에게는 금기의 대상 이기도 한 거친 노동에 뛰어들 만큼 진지하면서도 진취적인 것이다.

정우는 위악을 일삼으며 무의미한 방황을 해 온 자신과 달리 진지하고 성실했던 선애를 차츰 선망하고 또 한편으로 사랑하게 된다. 그러나 정우는 선애를 통해 자신이 객기나 부리는 "덜렁뱅이 가짜"(18쪽)임을 깨닫게 된 것에 대한 상처와 열등감을 견디기 힘겨워 결국 선애를 강간한다. 김승옥 소설 속 거의 모든 남성 인물이 그러하듯이 정우는 사랑할 수 있는 능력을 결여하고 있어 자신의 남성적 나르시시즘에 상처를 입히는 여성을 비천한 존재로 만들고 극도로 가학적인 태도를 취한다. 시간이 지남에 따라 선애는 "아무리 발버둥쳐도 별 수 없이 눈에 보이는 구멍"(21쪽), 즉 헤어 나올 수 없는 절망을 거듭 이야기하며 고학을 포기한다. 선애는 정우의 해석처럼 고학을 포기함으로써 "스스로 약해질 수 있는 용기"[15]를 보여 주었다고 할 수 있다. 고학생의 인생역전이 불가능한 사회적 현실에 눈떴기 때문에 억척스러운 고학생 노릇을 내려놓고자 한 것이다. 기성사회가 이야기하는 '자조론'의 환상에서 벗어나 사회에 대한 비판적 현실인식을 획득한 것이다. 그러나 정우는 더 이상 과거의 씩씩함을 찾을 수 없는 선애에게 더 큰 폭력을 준비한다. 서로의 여자를 바꾸자는 영빈의 제안을 수락해 영빈이 그녀를 성폭행할 수 있도록 도운 것이다. 선애가 본 '구멍'은 "내가 여태껏 차마 입 밖에 내어

---

15 곽상순, 〈김승옥의 〈환상수첩〉에 나타난 욕망의 분열양상 연구〉, 《현대소설연구》 60, 한국현대소설학회, 2015, 41쪽.

말할 수 없었던 것"(21쪽)이었다는 고백에서 짐작할 수 있듯이, 정우는 자신의 불안을 마주하기 두려워 선애를 처벌했다고 할 수 있다.

오영빈에게 강간을 당한 선애는 결국 자살하고 만다. 선애의 죽음이라는 모티프를 통해 김승옥은 개발의 주체로서 남성이 사회적 타자들에게 가하는 폭력을 이야기하며 경쟁 논리의 가학성과 폭력성을 비판적으로 가시화한다. 토끼장 에피소드는 근대화 이후 인간적인 가치나 '행복'을 외면하는 경쟁적이고 공격적인 삶의 태도가 상당히 조직적으로 남성 주체에게 주입되어 왔음을 보여 준다. 정우는 어린 시절에 "토끼들이 마른 풀에 몸을 부비는 바스락 소리밖엔 아무 소리도 들리지 않는 사육장"이 주는 행복감으로 학교 운동장을 떠나지 못하곤 했던 소년이었다. 그러나 남성/여성의 비경계 속에 있던 정우의 행복은 "사내애가 기껏 그림 그리기나 좋아하고 토끼 사육장에나 드나들고"라는 선생님의 우려에서 알 수 있듯이 '비정상'적인 것으로 취급된다. 이후 정우는 "푸른 하늘이나 바라보고 때때로 사랑이나 하고 살면 그만"(27쪽)인 초식동물의 여성적인 세계를 버리고, "주먹을 쥐고 싸움도 해야 하"(27쪽)는 공격적인 남성성의 세계로 떠밀려 간다.[16] 그리고 공부에 매진하고 명문대에 입학함으로써 경쟁에서 유리한 고지에 섰던 것이다.

그러나 정우는 고3인 동생에게 "너 이렇게 공부해 가지고는 서울대학은 안 된다"(48쪽)고 위세를 부리면서도 "서울대학교에 합격했다고 해서 무엇을 얻었던가"라고 회의한다. 개인의 능력에 따라 지위나 권력이

---

16 전쟁을 배경으로 한 〈건〉, 〈염소는 힘이 세다〉 등 여러 작품에서 나타나는 폭력적 남성성과 여성의 희생이라는 구도는 김승옥 문학에 폭력에 대한 공포와 취약한 자기에 대한 불안의식이 깔려 있음을 보여 준다.

주어지는 사회에 대한 약속으로서 '능력주의Meritocracy'[17]는 환상에 불과하기 때문이다. 더욱이 그는 대도시 서울에서 권력이나 부와 거리가 먼 전라도 출신의 문리대생이며 도시 난민에 불과하다. 난민이 된 청년은 실격의 불안에 떨지만 성공의 방략을 알지 못하고, 사회는 그의 가난하고 황폐한 영혼을 채워 주고 어루만져 줄 정신적 가치를 찾을 수 없을 만큼 척박하기만 하다. 앞서 말한 바처럼 대학에서조차 늙은 교수가 "되도록 무관심한 척하라. 할 수 있으면 쌀쌀하게 웃기까지 하여라. 그제야 적은 당황한다. 제군, 표정을 거두어라. 그리고 오직 하나 무관심한 표정만을 남겨라"(12쪽)라고 속악한 처세술을 교양으로 둔갑시켜 들려줄 만큼 서바이벌이 만연해 있다. "감색 교복에 은빛 배지를 빛내며 버스칸 같은 데서 가죽가방을 무릎에 세우고 영감님처럼 점잖게 앉아 있는 국립대학생"(48쪽)에 대한 묘사는 대학이 명문대 재화에 우쭐대는 조로한 젊은이로 넘쳐나는 죽은 지성의 공간임을 뜻한다.

선애의 죽음은 정우가 경쟁의 대열에서 이탈해 성장을 인도해 줄 대안적 가치를 찾아가는 동기가 된다. 정우는 도시에서의 삶을 버리고 주변부, 구체적으로는 남도로 되돌아가 삶을 인도해 줄 빛을 찾고자 한다. 그러나 "저 사조思潮라는 맘모스와 그리고 그것이 찍고 가는 발자국에 고이는 구정물의 시간"(42쪽)이라는 서술이 보여 주듯이, 고향은 앞이 보이지 않는 순천만의 염전처럼 음산한 죽음의 이미지로 표현된

---

17 부모의 계층 배경, 부의 세습, 특권의 대물림, 우수한 교육, 사회적 자본, 시대적 및 배경적 상황 등 비능력적 요인은 경쟁에 영향을 미쳐 직업과 소득의 격차로 이어진다. 결코 능력이 전부는 아니다. 스티븐 제이 맥나미 · 로버트 케이 밀러 주니어, 《능력주의는 허구다》, 김현정 옮김, 사이, 2015, 14쪽.

다.[18] 정우가 윤수와 함께 떠난 여행에서 목격한 지방은 서커스단의 해체와 줄 타는 남자의 자살이 암시하듯이 퇴락과 소멸의 장소이다. 고향과 고향에 남은 정우 친구들의 이야기는 시골이 경쟁적 사회체제의 외부로서 고결한 가치들이 살아 있고 인정이 넘치는 낙원이 아니라, 지독한 가난과 이름 붙이기도 어려운 절망에 휩싸여 죽어 가는 공간임을 암시한다. 시골 청년인 수영과 윤수는 어두운 골방에서 춘화를 찍어 돈을 벌고, 술에 취한 채 고향의 가난과 절망을 버텨 내고 있다. 김승옥은 시골 청년들의 절망을 근대화가 주변부에 가하는 무관심이나 폭력 같은 사회정치적인 문제로 조망하지 않는다. 지방민의 자의식은 부조리한 현실에 대한 발견이자 평등하고 공정한 사회에 대한 급진적 상상력의 원천이 되지는 못한다. 대신에 작가는 정우를 각기 다른 인생관, 혹은 삶의 방식을 가진 윤수와 수영을 사이에 세워 둠으로써 젊은이를 인도해 줄 성장의 가치들을 찾고자 한다.

작중인물인 윤수는 시인으로 취약한 타자에 대한 공감과 정의에 대한 감수성을 가진 윤리적 개인을 상징한다. 그는 처녀가 아닌 줄 알면서도 서커스단의 미아를 구원하기 위해 결혼을 결심하고, 수영의 동생 진영이 수영에게 춘화를 사 간 깡패들에게 윤간을 당하자 복수에 나선다. 반면 서울의 법대 휴학생이자 결핵환자인 수영은 약값을 번다는 명

---

18 문재원에 의하면 로컬은 단일하고 균질화된 공간 질서에 수렴되지 않는, 혼종과 미결정의 중첩적이고 복합적인 면모를 가지고 있다. 또한 이 공간에서 발생되는 분열적인 주체는 근대 동일성에 통합된 주체에서 비켜난, 그래서 로컬의 한 가능성으로 읽어 낼 수 있는 지점이 있다.(57쪽) 그러나 김승옥의 〈환상수첩〉은 서울의 질서가 공간적으로 점령하므로 탄생하는 로컬을 그리는 데 그치고, 이는 이동하는 주체가 유목적 주체성을 획득하는 계기가 되지 못한다. 문재원, 〈고향의 발견과 서울/지방의 (탈) 구축〉, 《선망과 질시의 로컬리티》, 소명출판, 2013, 57~71쪽.

분으로 춘화 제작에 나서며, 진영이 자기로 인해 성폭행을 당하지만 죄책감을 외면한다. 정우는 윤수와 수영의 사이에서 방황하지만 차츰 수영을 증오하며 취약한 것들의 보호자를 자처하는 윤수에게 이끌린다. 그러나 윤수가 진영의 복수를 하는 과정에서 죽자, 정우 역시 수기를 남긴 채 자살하고 만다. 정우의 자살은 패배의식, 좌절의 표현이 아니라 자기 규정의 윤리적 내부 공간을 가시화하는 윤리적 개인주의의 선언이라고 할 수 있다. 자살은 살고자 하는 자연의 법칙을 거스르는 심사숙고의 행위라는 점에서 인간만이 할 수 있는 선택이다. 정우가 자살 직전에 쓴 "지상에 죄가 있을 리 없다. 있는 것은 벌뿐이다. 벌은 무섭지 않다. 무서운 것은 죄다, 라고 떠들며 실상은 벌을 피하기 위해서 이리저리 도망다니던 어리석은 나여. 옛의 유물인 죄란 단어에 속아 온 아무리 생각해도 가련한 위선자여"(94쪽)라는 문장은 자살이 자신의 마음속 법정에 귀 기울이고 양심에 따라 행위할 수 있는 용기 혹은 윤리 능력을 보여 주는 차원에서 이루어졌음을 뜻한다. 죄와 벌을 구별함으로써 책임으로부터 면죄 받으려 하는 이성의 기만을 비판하고 있는 것이다. 이익 추구를 인간의 교환 본능으로 탈윤리화한 자본주의가 인간을 물질적으로 풍요롭게 해 준 경제혁명일지언정 윤리적으로는 몹시 나약하게 만든다는 점을 상기해 보자면, 그는 자살을 통해 윤리적 개인주의를 선취한 것이다.

이렇듯 〈환상수첩〉은 경쟁 윤리를 이상화하기보다 속악한 처세술이 철학을 자처하는 한국 사회를 비판하며 교양 주체 형성의 필요성을 강조한다. 김승옥은 '젊은 사자'들의 혁명을 기억하고 있었기 때문에 늙은 이처럼 체제 앞에 납작 엎드린 젊은이와 사회적 책임을 방기하고 있는 대학을 비판할 수 있었다고 할 수 있다. 그러나 이 소설에서 남성 주체들의 경쟁과 인정 게임 속에서 희생당한 선애는 단순히 정우가 저지른 과거의 오류로 취급되고 있을 뿐 애도의 대상이 되지 못하고 있다. 정우의 수기를 수영이 소개하는 액자구조는 이 소설의 주인공이 정우가 아니라 수영이라는 의혹을 불러일으킨다. 수영이 정우의 수기를 안고 있는 소설의 형식은 정우가 수영의 또 다른 자아이며, 이 소설은 수영이 살아남기 위해 정우라는 순진한 자기를 추방·살해할 수밖에 없음을 보여 준다. "산다는 것, 우선 살아 내야 한다는 것. 과연 그것이 미덕이라고까지는 얘기하지 않겠다. 그러나 그것은 이제야 출발하는 것이다. 죽음, 그 엄청난 허망 속으로 어떻게 하면 자기를 내던질 생각이 조금이라도 난단 말인가!"(96~97쪽)는 수영의 말은 살아남기 위해 윤리를 외면할 수밖에 없음을 강변한다. 그렇다면 이 소설은 수영으로 상징되는 속악한 개인주의자들에 맞선 정우의 투쟁에 대한 이야기가 아니라, 자기의 죄와 무책임을 숨기기보다 오히려 까발림으로써 자기진정성을 입증하는 기만적인 이야기라고도 볼 수 있다. 이러한 기만의 구조로 인해 문학은 주체의 성숙을 인도할 의미 있는 '타자'를 발견하는 데 실패한다. 선애는 정우가 오래도록 경쟁주의적인 근대사회에서 남성 젠더로 체화해 온 위악과 경쟁적·폭력적인 삶의 허위를 추궁하는 희생적 인물이지만, 정우는 마지막까지 선애의 죽음을 애도하지 않는다.

오, 전라도여, 전라도여!: 환대받지 못한 이방인과 수치

황병주에 의하면, 근대 이후 출세가 만인의 욕망이 된 것은 사회적 유동성의 급속한 증대와 관련이 있다. 수평적 공간 이동과 수직적 계층 이동이 중첩된 사회적 유동성의 증대는 동질화 현상과 인과율적으로 연결되어 강한 평등주의적 압력을 산출했다.[19] 그러나 근대화는 도시와 지방의 경계를 점차적으로 중심과 주변, 즉 계급문화로 전환하면서 지방의 몰락을 재촉하는 한편으로 도시를 가진 자들과 빈곤한 이들 간의 주체/타자 관계로 재구조화한다. 산업화가 촉발시킨 세속화는 공동체 내부의 주체들과 경계 밖의 타자들 모두에게 동등한 경쟁의 기회를 제공하고, 이에 따른 책임을 부여한다. 그러나 사회가 능력주의를 정의의 원칙으로 천명함에도 불구하고 기실 주변인들이 중산층으로 편입될 가능성은 쉽게 열리지 않는다. 그럼에도 불구하고 '실격'에는 게으름, 불성실, 자기 방기 등의 낙인마저 따라붙는다. 이렇듯 새롭게 경험하는 모순 속에서 김승옥은 근대화가 구축한 중심/주변의 위계나 선/악에 대한 윤리화한 이분법을 넘어 주변인들의 삶을 새롭게 포착하고 의미화하려는 시도를 보여 주었다.

〈역사力士〉(1963)는 '중심'의 권위를 해체하고 지방(지역)적인 것의 가치를 포착하려는 작가적 의욕을 보여 주는 작품이다. 지방 출신으로 희곡을 전공하는 대학생인 '나'는 더럽고 무질서한 창신동 빈민가를 떠나 "퍽 가풍이 좋은 집안"으로 수식되는 양옥집으로 하숙을 옮긴다. 자신의 "무궤도하고 부랑아 같은 생활태도"(88쪽)를 청산해 주변인의 위치에서 벗어나 도시 중산층의 '고결한' 삶에 끼어들고자 하는 것이다. 그러나 '나'는 하숙 생활을 통해 양옥집을 지배하는 "규칙적인 생활제일주의"(91쪽)가 "방향이 틀린 생활", "습관화된 생활", "빈껍데기"에 불과하다

---

19   황병주, 〈박정희와 근대적 출세 욕망〉, 《역사비평》 89, 역사비평사, 2009, 259쪽.

는 점을 깨닫는다. '양옥집'의 기상과 취침, 노동과 여가 등으로 세심하게 분절된 일과표에 따른 "정식正式의 생활"(92쪽) 속에서 독창적이고도 자율적인 개인을 발견할 수 없었던 것이다. 양옥집은 집주인 할아버지로 표상된 가부장적 통치자의 판옵티콘으로, 도시 중산층의 삶이 체제에 대한 복종의 테크놀로지로 채워진 것임을 암시한다. 양옥집은 물질적으로 서구 근대를, 정신적으로는 가부장적 유교주의라는 창안된 전통을 기축으로 삼고, 강력한 규율과 명령으로 근대화를 주도한 통치권력을 알레고리화한 공간이다.

서울 중산층 양옥집과 창신동 빈민가를 대비함으로써 김승옥은 도시/농촌, 부자/빈자를 문명/야만, 진보/후진, 우월/열등으로 위계화하는 사회적 프레임을 해체하고자 한다. 서울에서도 유명한 빈민가인 창신동 사람들이 저녁 식사를 준비하는 풍경은 "마귀할멈이 냄비 속에 알지 못할 재료를 넣고 마약을 끓여 내듯이 그네들도 가지가지의 마약을 끓이고 있다"(98쪽)는 서술에서 알 수 있듯이 그로테스크한 공간으로 묘사되기도 한다. 그러나 '나'는 양옥집의 허깨비 같은 삶을 꿰뚫어 본 후 자신이 그토록 경멸했던 창신동 사람들에게서 양옥집 사람들에게는 찾아볼 수 없는 인간미와 길들여지지 않은 야성을 발견한다. 딸에게 매질을 일삼는 절름발이 사내는 표준화된 육아법과 구별되는 뜨거운 부성애를, 창녀 영자는 순수/타락의 이분법으로 해명되지 않는 처녀의 순정을 담지한 인물로 재해석된다. 도시빈민에게서 중산층의 삶과 다른 인간적 삶의 알맹이를 찾아내고자 시도한 것이다.

특히 작가는 작중인물인 '서씨'를 단순히 도시빈민이 아니라 영웅적 개인으로 그림으로써 민중에게서 거세되지 않은 초인적 면모조차 찾아내려 한다. 서씨는 창신동 하숙집에서 '세'를 사는 도시빈민이지만 중국

의 이름 난 역사カ土 가문에서 태어나 상궤를 초과하는 힘을 지닌 신화적인 영웅으로 그려진다. 서씨가 깊은 밤 동대문 성곽에 올라 초인처럼 무거운 돌을 들어올리는 모습은 "신비한 나라에 와서 거대한 무대 위의 장엄한 연극을 보는 듯한 감동"(103쪽)을 '나'에게 안겨 준다. 그러나 서씨가 보여 주는 경이로운 드라마는 마술처럼 세상이 잠든 밤의 세계에서만 펼쳐질 뿐이다. '나'는 도시빈민 혹은 민중에게서 영웅의 잠재성을 찾지만 낮의 현실에서 서씨는 힘이 세기 때문에 남보다 임금을 더 많이 받는 일용노동자에 불과하다. 밤마다 성곽 위에서 펼쳐 보이는 위용은 구경꾼조차 불러 모으지 못하는 공허한 퍼포먼스인 것이다. 그래서 양옥집과 창신동 빈민가 중 "어느 쪽이 틀려 있을까요?"라는 질문을 미지의 독자에게 던지는 것으로 이야기는 끝이 난다. 양옥집과 창신동으로 대표되는 중심/주변의 이분법에 저항하며 규율 근대를 비판하지만, 가난한 이웃들이 사회의 진정한 주인공이라고 할 수 없는 것이 현실이기 때문이다.

'나'의 "이제는 돌아갈 고향도 없이 죽는 날까지 이 서울에서 내 힘으로 살아가야 한다는 절망감"(88쪽)에서 알 수 있듯이 김승옥 문학의 페르소나들은 서울을 환멸하지만 고향으로 돌아갈 수도 없고, 도시에서 이렇다 할 저항의 가능성을 찾지 못해 고뇌하는 심리적·정신적 디아스포라다. 이러한 절망의식은 이들이 도시빈민이자 사회적 혐오 대상인 전라도 사람이라는 것과 관련이 깊다. 앞서 본 《산문시대》에서 김승옥은 스스로를 난민으로 표현했다. 본래 '난민'은 국가, 국민, 영토의 삼위일체에 속하지 않는 무국적자, 망명자를 가리키는 말이다. 국민이 국가에 의해 인권이나 생존권을 보장받고 귀속성과 정체성을 인정받을 수 있는 데 반해, '난민'은 거주할 장소를 가지지 못했기에 인간적 존엄 혹은 체면을 가진 사람이 될 수 없는 '벌거벗은 생명'과 다를 바 없다. 환대받음에 의해 인간은 사회의 구성원이 되고, 권리들에 대한 권리를 갖게 되지만, 인종적 · 언어적 · 민족적 동질성을 갖지 못한 난민은 모든 인간에게는 보편적 권리가 있다는 선언이 무색할 만큼 혐오와 차별의 대상이 된다.[20] 그러나 국가, 국민, 영토의 삼위일체에 속해 있음에도 불균등한 지역개발 과정에서 전라도는 사회적 지배계급의 권력을 공고하게 만들어 주는 민족, 국토, 이데올로기의 구성적 외부로 존재해 왔다고 할 수 있다.

얼마 전 발굴된 〈더 많은 덫을〉(《주간한국》, 1966년 8월 21일)[21]은 전집에 실려 있지 않지만, 김승옥 문학의 바탕에 깔려 있는 난민의식의 함의를 풍부하게 보여 주는 문제작이다.[22] 이 소설은 순천 출신의 상경 대학생인 '나'의 "앞으로 부딪힐 일에 대한 아무 마음의 준비도 돼 있지 않은데 그것은 갑자기 들이닥치는 것 같았다"(484쪽)는 이유 모를 불안으로 시작된다. '나'의 불안은 의학적 진단을 필요로 하는 것이거나 근대 문명 속에서 인간이 주체성을 획득하기 위한 마음의 저항도 아니다. 불안은 자신

---

20 김현경, 《사람 장소 환대》, 문학과지성사, 2015, 207쪽.

21 김영찬, 〈열등의식의 문학적 탐구: 김승옥의 〈더 많은 덫을〉에 대하여〉, 《한국근대문학연구》21, 한국근대문학회, 2010, 455~502쪽.

22 60년대 이래 경제개발 과정에서 지역 간 불균형 발전이 나타난다. 60년대 이래 급속한 산업화 과정에서 전국적으로 나타난 이농의 과정에서 자기 지역 내 이동 인구를 흡수할 산업 기반이 취약한 경우 타 지역으로 인구 유출이 많아지고 그 지역은 점차 주변화되어 갔다. 전라도는 인구의 자연증가를 포함해도 60년대 이래 지속적으로 인구 유출의 수가 많은 지역으로, 이 중 상당수는 서울의 하위계층인 비공식 부문 노동자나 저임 노동자로 편입되었다. 영호남 지역갈등 구도가 등장하게 된 또 다른 이유로 엘리트 충원 과정에서 전라도 출신의 비율이 낮은 점을 들 수 있다. 김상태, 〈지역 · 연고 · 정실주의〉, 《역사비평》47, 역사비평사, 1999, 370~371쪽.

이 어느 누구에게도 선택받지 못함으로써 쓰레기, 즉 잉여가 될 지도 모른다는 실격의 공포에서 비롯된다. 불안은 경쟁적 자본주의사회, 특히 일자리 부족으로 실업자가 넘쳐나는 저개발 사회에서 젊은이를 사로잡는 미래-시간에 대한 감각이라고 할 수 있다. 그러나 그것은 신분 이동을 위한 자유경쟁의 문을 열어젖혔기 때문에 근대 문명을 살아가는 모든 젊은이들이 겪을 수밖에 없는 성장의 불안과도 거리가 멀다.

〈더 많은 덫을〉은 사회의 지배계급들이 청년들에게 금욕주의적인 자기계발을 권장하지만 실상은 경쟁 윤리가 지켜지지 않는 사회의 윤리적 거짓을 비판한다. '나'는 비록 삼류대학에 다니지만 언젠가 출세할 수 있으리라는 믿음으로 스스로를 위안해 왔다. 그러나 학기말 시험장에서 통계학 강사가 우리들의 시험지를 기웃거리며 뱉은 "쳇! 글씨들은 모두 잘 쓰는군"(489쪽)이라는 말에 상처 입을 만큼 취약한 삼류대 경제학과 학생이다. 대학 강사의 조소는 삼류대생은 인간 실격이 예정된 비천한 존재라는 사회적 진실에 대한 폭로라고 할 수 있다. '나'는 "글씨를 잘 쓰면 출세한다"(491쪽)는 선생님의 말씀대로 '성실'을 딱정벌레의 갑피甲皮처럼 지니며 살아왔지만, 강사는 성실이 출세에 아무런 도움이 되지 않는다는 두려운 진실을 일깨워 준다. 열심히 하면 누구나 성공할 수 있다는 말은 "절대자이신 아버지와 학교 담임선생님" 같은 지배계급이 "우리 열등생들"을 길들이는 방식이었던 것이다. '나'는 마음속으로 "무슨 핑계를 잡아서라도 평등해지고 싶다는 욕망 그것이야말로 우리 시대의 대표적인 욕망이 아니겠습니까?"라고 사회를 향해 항변한다. 사회가 내세우는 자유와 평등의 가치는 차별을 숨기는 이데올로기에 불과하다는 점을 꼬집은 것이다.

주인공인 '나'가 정신병적 불안에 사로잡히는 진짜 이유는 지방 출신,

특히 동족 사이에서 가장 경멸받는 전라도 출신이라는 기원에서 비롯된다고 할 수 있다. '나'는 강사가 일깨워 준 불쾌한 진실이 주는 우울을 털어 버릴 요량으로 변두리 극장과 용두동의 방둑 같은 "지저분한 곳"을 헤매며 "미용사도 좋고 여대생이라도 좋고 '미스코리아'라도 좋고 창녀라도 할 수 없다"(495쪽)는 마음으로 절박하게 여자를 찾는다. 그리고 식모처럼 보이는 '남순이'를 발견하고 영화라도 보자며 수작을 건다. 그러나 "그 억양이 틀림없는 전라도 투였고 '데'를 '디'로만 고쳐놓는다면 틀림없는 전라도식 의문어투"(495쪽)라는 것을 알아채자 그는 "뭔가 결국 얽혀 드는 것인가 하는 쓰디쓴 느낌"(496쪽)에 사로잡힌다. 어쩐지 껄끄럽게 얽혀 든다는 느낌은 동향의 여성을 성적 쾌락을 위한 먹잇감으로 삼을 수는 없다는 일말의 윤리의식을 의미한다고 볼 수 있다. 그러나 말투나 옹색한 외양으로 전라도 출신임을 온몸으로 드러내고 있는 남순이는 출신에 대한 열등의식에 짓눌린 그의 모습을 비추는 거울이다. 남순이는 '나'에게 '전라도'는 그것을 환기시키는 사소한 뉘앙스만으로도 헤어날 수 없는 절망과 두려움을 안겨주는 트라우마적 기원임을 환기시키는 존재인 것이다. '나' 역시 실추된 인간, 즉 전라도 사람인 것이다. 그래서 '나'는 도시 하위계급인 남순이를 스스로와 구별짓기 위해 끊임없이 비하하면서도 그녀에게서 정체를 알 수 없는 친숙감을 느낀다.

'나'를 사로잡은 절망감은 단순히 열등의식이 아니라 지역차별의 역사 속에서 전라도가 모욕을 수반하는 귀속의 문화가 만들어 낸 혐오/증오의 타깃이 되어 왔음을 보여 준다.[23] 일상생활에서 우리는 우리 자

---

23 장 폴 사르트르는 "유대인은 다른 사람이 그를 유대인으로 바라보기 때문에 유대인이다. … 유대인을 '만들어 내는' 것은 반유대주의자들이다"라고 함으로써 우리가 우리 자

신을 다양한 집단의 구성원으로 이해한다. 우리 각자가 소속되어 있는 각각의 집합체는 우리에게 특정한 정체성을 부여한다. 그리고 그것은 타자에 대한 연대감을 풍부하게 하고 자기중심적인 생활을 뛰어넘게도 한다.[24] 그러나 전라도 차별이 완고한 사회에서 지배집단이 부정적으로 낙인찍은 정체성을 가진 자들은 서로에게 동질성이나 연대감을 느끼기 어렵다.[25] 상처가 두려운 이들은 혐오의 표적이 되지 않도록 기원을 감추거나 지워 버리기 위해 노력하기도 한다. 언젠가 '나'는 식당에서 말투를 듣고 반갑게 전라도 사람이냐고 묻지만 상대는 사투리를 감추지 못하면서도 자신의 출신을 부정했다. '전라도'라는 기원이 상대에게 호감을 주기보다 무시와 배척의 빌미가 되기에, 그는 자신에게 익숙한 모어母語를 숨기고 서울 사람을 흉내 냈던 것이다.

김승옥은 전라도를 하위계급 여성 남순이로 표상화한다. 마치 한강의 기적과 서울 사람들의 풍요로운 삶의 바탕에 인간이기보다 발전의

신을 어떻게 바라보느냐와 무관하게, 다른 사람의 시선에 의해 우리의 정체성이 터무니없이 제한될 수 있음을 주장한다. 특히 어떤 귀속은 모욕을 수반하는 경우가 많으며, 이는 모욕당한 사람에 대한 폭력을 유발하는 데 사용된다. 아마르티아 센, 《정체성과 폭력: 운명이라는 환영》, 이상환 · 김지현 옮김, 바이북스, 2009, 44쪽.

24 아마르티아 센, 《정체성과 폭력: 운명이라는 환영》, 47쪽.

25 〈더 많은 덫을〉은 1995년 문학동네에서 발행한 김승옥 문학전집에 실리지 않았다. 어엿한 단편소설이 전집에서 배제된 이유는 무엇일까? 먼저 이 소설이 오래전 발표한 탓에 기억에서 지워졌을 가능성을 무시할 수 없다. 그러나 김영찬의 추론처럼 작가가 "지역차별과 편견에 대한 문제의식을 소설에서 눈에 띄게 노출한 데 대한 심리적 부담"(477쪽)을 느꼈을 가능성 역시 배제할 수 없다. 한국일보 기자의 인터뷰에서 김승옥은 "이 작품에서 이야기하려는 것은?"이라는 질문에 "어떤 경우에 있어서의 구원을 지향하는 태도를 쓰고 싶었는데 써놓고 보니까 내가 설정한 그 어떤 경우가 보편적인 것인지 하는 의문이 생겨 버렸다"(5쪽)고 답한다. 기실 차별은 인간의 기본적 권리를 침해하는 심각한 문제임에도 불구하고 마이너리티들은 타인들이 가하는 낙인의 폭력을 피하기 위해 자신에게서 타자성의 흔적을 지워야 하는 보이지 않는 압력에 시달리기도 한다.

연료가 된 무수히 많은 전라도 사람들이 존재하듯이 '남순이'는 도시의 도처에 존재한다. '나'는 얼마 전 삼류 극장의 계단 맞은편에 걸린 거울 속에서 본 "첫눈에도 어느 집의 식모"로 보이는 여성에게 남순이라는 이름을 붙여 주고, 용두동의 방둑에서 만난 남순이가 거울 속의 그 여자와 같은 여자라고 생각한다. 거울 속 여자가 방둑에서 만난 남순이인가 아닌가는 중요하지 않다. 식모로 추정되는 남순이는 전라도 사람의 사회적 취약성을 환기시키는 젠더화된 표상이기 때문이다. 전라도 순천 출신의 삼류대 대학생인 나 역시 "나 같은 놈 역시 변두리 극장의 훌륭한 식구들 중의 하나임에 틀림없다"(493쪽)는 서술은 '나' 역시 남순이들 중 하나임을 암시한다. 영화가 끝난 후 변두리 극장의 계단을 내려오다가 맞은편에 걸린 거울 속에서 본 '남순이'는 곧 나 자신인 것이다. 이는 내가 전라도라는 자신의 지역적 기원을 여자, 즉 거세당한 남성으로 받아들이고 있음을 뜻한다. '나'는 남순이들을 통해 삼류대학생이자 전라도 사람이라는 자신의 중첩된 타자성을 발견하고 고통을 느꼈던 것이다.

"남순이는 웃었다.

그것은 이미 나를 두려워하지 않는 웃음이었다. 남순이의 웃음소리가 나는 싫었다.

그 웃음소리는 해일처럼 나를 뒤덮어 버리려고 하는 웃음소리였다. 그 웃음소리의 강인한 힘을 나는 피부로 느꼈다. 전라도에 대한 얘기를 주고받는 동안 나는 우리가 전라도를 떠나고 있음을 느꼈다. 떠나서는 어디로? 나의 성욕을 향해서였다.

나는 어둠 속에서 땅거죽에 붙어 있는 잡초를 한손으로 움켜쥐었다.

나는 한 번 걸린 적이 있는 덫에는 결코 다시는 걸리지 않고 내닫고 있을 내 자신의 모습을 눈앞에 보는 듯했다. 그 모습은 얼마든지 가능할 것 같았다. 새로운 덫에 걸려들 때까지 어디론가 내닫고 있는 가련한 모습은 얼마든지 있을 것 같았다. 슬프리라. 그러나 자꾸자꾸 새 덫만 있어 준다면 … 나는 있는 힘을 다하여 잡초를 움켜쥐며 고개를 옆으로 돌려 남순이를 노려봤다.

"남순이, 앞으론 전라도 어떠구 하며 가까이 오는 놈은 믿지 말어."

나는 이젠 완전히 어둠의 밑바닥을 이루어 버린 냇바닥 쪽으로 고개를 돌렸다. 나는 나야말로 참으로 훌륭한 놈인 것 같은 생각이 평생 처음으로 들기 시작했다(502쪽).

위의 인용문을 통해 알 수 있듯이 '나'는 평범한 삶에 대한 동경을 짓누르는 무수한 덫들이 앞으로 계속 나타날 것임을 예감한다. "자꾸자꾸 새 덫만 있어 준다면…"이라는 서술은 덫에 걸려 쉽게 포기하지 않겠다는 청년의 기백을 보여 주는 듯 보인다. 그러나 '새로운 덫에 걸려들 때까지 어디론가 내닫고 있는 가련한 모습'의 자신에 대한 상상은 '나'의 희망이 무익한 것임을 암시한다. 인간 실격을 피할 수 없으리라고 예감하는 것이다. 차별의 덫을 넘어설 수 없다는 좌절감은 중심 담론을 위협하는 마이너리티의 대항적 정체성 구축을 불가능하게 만든다. '나'는 "땅은 좁은데 사람이 많으니까"라고 별 수 없다는 듯 자신이 받는 차별에 대해 체념하고 수락하는 듯한 태도를 취한다. '나'는 "남순이, 앞으론 전라도 어떠구 하며 가까이 오는 놈은 믿지 말어"라고 말함으로써 자신의 열등감을 위로하기 위해 여성-타자를 대상화하는 남성 주체의 폭력성을 비판적으로 성찰하기도 한다. 그러나 "전라도에 대한 얘기를 주고받는 동안 나는 우리가 전라도를 떠나고 있음을 느꼈다. 떠나서는 어디로? 나의 성욕을 향해서였다"라는 서술은, 남순이는 실격의 불안에 쫓기는 '나'가 자아를 안전하게 지키기 위해 정복되어야 할 타자임을 암시한다.

맺음말

김현은 〈구원의 문학과 개인주의〉(1966)에서 김승옥의 자의식이 풍부한 인물을 "자기 세계를 가진 사람"이라고 이름 붙이고, "어떠한 상황에 처해 있건 그것을 극복하려는 의지를 내보인다면 그 인물은 진짜이며 자기 세계를 가지고 있는 셈"이라고 긍정한다. 이는 김승옥의 문학에 이르러 "당위에만 얽매여 생활하는 당위인이나, 혹은 수동적인 상황 속에서 아무런 저항도 없이 짓눌려 사는 행동인"으로 상징되는 50년대 문학의 구태를 넘어설 개인이 등장했음을 뜻한다. 그러나 김현은 "자기 상황을 내적인 조작을 통해 수락하여 만든 자기 세계"가 "사르트르 유의 표현을 빌면 소위 '개 같은 놈'으로 사람이 변모해 가는 양태를 파악할 수 있게 해 준다"[26]고 쓴다. 이는 내면성의 글쓰기가 현실을 외면하고 부정하는 것이 아니라 자기조작의 허위를 폭로하는 데 의의가 있음을 강조하는 것이다. 즉, 자의식을 외부의 압력이나 통속적 이해관계와 외부의 압력에 맞서 내면의 진실성을 확보하는 진정성 주체가 탄생하

---

26 김현, 〈구원의 문학과 개인주의〉, 《다산성》, 한겨레, 1987, 374~394쪽.

는 공간으로 본 것이다.

분명 김승옥은 김현이 말한 바처럼 주어진 운명을 살아가는 수동적 존재였던 50년대 문학의 주체와 달리, 자기 운명에 맞서는 능동적인 주체를 보여 준다. 그의 문학 속 남성들은 비록 주변인이라고 할지라도 1950년대 소설 속 퀴어한 육체의 남성 주체들과 구별된다. 몰락하는 고향을 등지고 도시로 나온 지방 출신의 대학생은 서울/지방의 가파른 편차 속에서 서울의 속악한 세태 앞에 경악하면서도, 지방 출신이라는 자신의 약점을 일종의 극기의 원인으로 삼아 살아남기 위한 고투를 벌이기 때문이다. 그러나 이들의 지방의식, 즉 자신이 경쟁체제의 주변부에 존재하는 약자라는 인식은 기성사회가 강요하는 생존의 논리를 수락하는 것 외에 다른 선택의 여지가 없다는 체념을 알리바이화하는 자기기만적 요소로 작동한다. 김승옥 문학의 특징인 '자기 세계'는 자기의 기만을 용서하고 사면받게 만드는 기능을 수행하고 있어 문제적이다.[27] 특히, 자신이 지방 출신이라는 취약성에서 비롯된 수치심은 인간이 인간됨을 심문하는 감정, 즉 인간과 사회의 윤리적 가능성을 새롭게 하는 수오지심羞惡之心이 아니라 타자에 대한 인간의 윤리적 의무와 죄책감을 외면하는 기만의 알리바이로 기능하고 있는 것은 아쉬운 지점이 아닐 수 없다.

---

27 고백이란 반성이나 죄의식의 토로와도 관련이 있지만 고백하는 자의 내면적 진실성을 보장받기 위한 일종의 제도이자 메커니즘으로 작용한다. 장세진, 〈'아비 부정', 혹은 1960년대 미적 주체의 모험: 김승옥과 이제하의 텍스트에 나타난 주체 형성과 권력의 문제를 중심으로〉, 《상허학보》 12, 상허학회, 2004, 109~110쪽.

참고문헌

기본 자료

김승옥, 《김승옥 소설접집 1: 무진기행》, 문학동네, 1995.

김승옥, 《김승옥 소설접집 2: 환상수첩》, 문학동네, 1995.

김승옥, 《뜬 세상에 살기에》, 지식산업사, 1977.

김승옥, 〈더 많은 덫을〉, 《한국근대문학연구》21, 2010, 455~502쪽.

김현경, 《사람 장소 환대》, 문학과지성사, 2015.

르네 지라르, 《낭만적 거짓과 소설적 진실》, 김치수 옮김, 문학과지성사, 2001.

서중석, 《이승만과 제1공화국-해방에서 4월 혁명까지》, 역사비평사, 2007.

아마르티아 센, 《정체성과 폭력: 운명이라는 환영》, 이상환 · 김지현 옮김, 바이북스, 2009.

알랭 로랑, 《개인주의의 역사》, 김용민 옮김, 한길사, 2001.

임옥희, 《젠더 감정 정치》, 도서출판 여이연, 2016.

조희연, 《박정희와 개발독재시대》, 역사비평사, 2007.

프랑코 모레티, 《세상의 이치》, 성은애 옮김, 문학동네, 2005.

곽상순, 〈김승옥의 〈환상수첩〉에 나타난 욕망의 분열양상 연구〉, 《현대소설연구》60, 한국현대소설학회, 2015

김건우, 〈4.19세대 작가들의 초기 소설에 나타나는 '낙오자' 모티프의 의미〉, 《한국근대문학연구》16, 한국근대문학회, 2007.

김상태, 〈지역 · 연고 · 정실주의〉, 《역사비평》47, 역사비평사, 1999,

김영찬, 〈열등의식의 문학적 탐구: 김승옥의 〈더 많은 덫을〉에 대하여〉, 《한국근대문학연구》21, 한국근대문학회, 2010.

김현, 〈구원의 문학과 개인주의〉, 《다산성》, 한겨레, 1987.

문재원, 〈고향의 발견과 서울/지방의 (탈) 구축〉, 《선망과 질시의 로컬리티》, 소명출판, 2013.

박태순, 〈내가 보낸 서울의 60년대〉, 《문화과학》5, 문화과학사, 1994.

소영현, 〈근대 인쇄 매체와 수양론 · 교양론·입신출세주의 - 근대 주체 형성 과정에 대한 일고찰〉,《상허학보》18, 상허학회, 2006.

송은영, 〈김승옥과 60년대 청년들의 초상〉,《르네상스인 김승옥》, 앨피, 2005.

신형기, 〈혁신담론과 대중의 위치〉,《현대문학의 연구》47, 현대문학연구학회, 2012.

임영봉, 〈동인지《산문시대》연구〉,《우리문학연구》21, 우리문학회, 2007.

장세진, 〈'아비 부정', 혹은 1960년대 미적 주체의 모험: 김승옥과 이제하의 텍스트에
　　　나타난 주체 형성과 권력의 문제를 중심으로〉,《상허학보》12, 상허학회, 2004.

차미령, 《산문시대》연구〉,《한국현대문학연구》13, 한국현대문학회, 2003.

황병주, 〈박정희와 근대적 출세 욕망〉,《역사비평》89, 역사비평사, 2009.

게오르그 짐멜, 〈대도시와 정신적 삶〉,《짐멜의 모더니티 읽기》, 김덕영 · 윤미애 옮
　　　김, 새물결, 2005.

사회적 배제자로서 노인의 모빌리티가 머무는 공간

: 탑골공원과 락희거리를 사례로

정은혜

이 글은 《한국사진지리학회지》 제31권 제2호(2021.6)에 게재된 원고를 대폭 수정하고 가필하여 재수록한 것이다.

고령사회로 진입한 한국

21세기 이후 한국의 커다란 이슈 중 하나는 고령화 진입에 따른 노인문제이다. 인구학자 폴 월레스Paul Wallace(2001)도 한국의 급속한 노령화 문제를 언급한 바 있다. 그는 "2020년에는 경제활동인구 대비 고령인구가 많아지면서 세계경제는 인구지진Age-quake의 영향을 받아 뿌리째 흔들릴 것이고, 그 충격으로 세계경제가 큰 타격을 입을 것이며, 가장 먼저 피해를 볼 나라는 한국"이라고 하였다. 한국은 이미 2000년에 65세 노인인구의 비중이 7퍼센트를 넘어 '고령화사회'에 진입하였고, 2020년에는 그 비중이 15퍼센트를 넘어 '고령사회'가 되었으며, 2026년에는 20퍼센트를 상회하는 '초고령사회'가 될 것으로 전망된다.[1] 또한 통계청이 발표한 한국인의 기대수명은 2019년 현재 남성 80.3세, 여성 86.3세로 OECD 회원국 중 3위를 차지하고 있다.[2] 이 같은 노령인구의 증가는 단순히 노인계층 인구의 수적 증가만을 의미하는 것이 아니라, 이들 인구의 생존연령이 늘어나는 것을 의미한다. 따라서 노인들의 삶의 방식도 이전 세대 노인들의 삶의 방식과는 상당히 차별화될 수 있음을 시사한다. 그럼에도 불구하고 여전히 한국은 노인에 대한 차별과 사회적 배제의 관념이 강하다. 이와 관련된 조사 내용을 보면, 2019년 현재 19세 이상 성인 중 인권침해나 차별을 가장 많이 받는 집단이 '노인'이라고 생각하는 사람은 전체의 13.1퍼센트로, 이는 총 8개 집단(장

---

1 통계청, 《2020 고령자 통계》, 통계청 보고서, 2020, 2쪽; 정유선·최막중, 〈노인의 일상 여가장소로서 도심공원 방문 결정요인: 규모와 거리 효과를 중심으로〉, 《국토계획》 49(1), 2014, 51쪽.

2 통계청, 《2019 생명표》, 통계청 보고서, 2019, 1~2쪽.

애인, 여성, 이주민, 노인, 한부모가족, 난민, 어린이 · 청소년, 북한이탈주민) 중 4번째로 높은 순위이다.[3]

이처럼 한국은 세계 어느 나라보다 고령화 추세가 빠르게 진행되고 있지만 장수시대의 밝은 면보다는 고령사회의 어두운 면들이 더욱 부각되고 있다. 이러한 현실은 노인문제에 대해 좀 더 다각적이고 총체적인 대응이 필요함을 보여 준다. 세부적으로는 노인들이 증가된 시간을 어떻게 활용하고, 이들이 어떠한 모빌리티 과정을 거쳐 공간에 반영되고 있는지도 고려해야 함을 의미한다. 하지만 아직 한국은 정부 대책이나 계획이 이러한 위기에 총체적으로 대응하지 못하고 있고, 국민의 체감도 역시 낮은 편이다.[4] 그에 반해, 고령사회에 먼저 진입한 서구 사회는 노인의 모빌리티와 삶의 질에 관한 연구를 활발히 수행하고 있다.[5] 서구 사회가 노인의 모빌리티를 연구하는 이유는 교통 및 정보통신기술의 발달로 일상에서 모빌리티가 차지하는 중요성이 높아진 현대사회에서 노인은 '이동취약계층'으로 구분되기 때문이다.[6] 현대로 들어와 장소와 장소 간의 공간적 격리가 확대되고, 생산과 소비 장소들의 공간적

---

3 통계청, 《2020 고령자 통계》, 39쪽.

4 이민규 · 원영신 · 홍미화, 〈종로탑골공원과 종묘공원이용 남성노인의 여가문화의 의미 분석〉, 《한국사회체육학회지》 43(1), 2011, 647쪽.

5 H. Falcocchio, H. Kaufman & P. Kramer, "Travel Patterns and Mobility Needs of the Physically Handicapped," *Transportation Research Record* 618, 1976, pp. 13-15; M. Wachs, *Transportation for the Elderly: Changing Lifestyles, Changing Needs*, Berkeley: University of California Press, 1979; 노시학, 〈교통의 사회적 영향에 관한 이론적 고찰 - 형평성과 사회적 배제 개념을 중심으로 -〉, 《교통연구》 21(4), 2014, 67~86쪽.

6 노시학 · 양은정, 〈서울시 이동가능 고령인구의 주요 통행패턴과 노인 지하철 무임승차제도에 대한 인식〉, 《국토지리학회지》 45(4), 2011, 546쪽; W. Bell, "Mobility and Specialized Transportation for the Elderly and for Disabled Persons: A View from Selected Countries," *Transportation Research Record* 1179, 1988, pp. 60-68.

전문화가 점차 심화됨으로써 개인의 이동능력 차이는 그 사람의 삶의 질에 큰 영향을 미치게 되었다. 특히 인구의 노령화가 본격적으로 진행되면서 과거와 달리 노인들 간에도 사회·경제적, 그리고 신체적 특성이 점차 다양해졌고 이는 노인의 모빌리티에 대한 관심이 확대되는 계기로 작용하였다.

노인들은 그들의 모빌리티가 상대적으로 용이한 공원에서 많은 시간을 보낸다.[7] 공원은 물리적인 의미에서 공공공간public spaces[8]에 포함된다. 일반적으로 공공공간은 모두가 접근 가능한 대중적 공간으로 낯선 사람들을 만나는 공간이며, 언제나 열려 있는 공간으로서 확정되지 않은 민주적 공간의 의미를 담고 있다.[9] 하지만 공공공간은 누구에게나 열려 있되, 누구에게나 공평하게 열려 있지는 않다. 민주적이고 형평성 있는 접근이 이루어져야 하지만 누군가에게는 배제의 공간이 될 수도 있는 것이다. 이 글은 이러한 공원의 공간적 의미를 사회적 배제자로서 노인의 모빌리티가 머무는 공간으로 바라보았다. 지리학 분야에서는 2000년대 초반부터 노인의 타자화된 공간을 다루어 왔으나, 20여 년이 지난 지금도 노인의 모빌리티 공간에 대한 관심과 정책 수립 및 인식의 전환이 이루어지지 않았으며, 오히려 사회적 배제의 공간으로 적용되고 있음을 관찰하였다. 이에 필자는 노인의 모빌리티가 머무는 공간으로서

---

7 정유선·최막중, 〈노인의 일상 여가장소로서 도심공원 방문 결정요인: 규모와 거리효과를 중심으로〉, 《국토계획》 49(1), 2014, 53쪽.

8 공공공간은 번화가, 길거리, 시장, 쇼핑지구, 주민센터, 공원, 놀이터, 정자나 벤치와 같은 주거지 내 근린공간 등을 의미한다.

9 R. Sennett, *The Fall of Public Man*, New York: Norton, 1992; S. Zukin, *The Culture of Cities*, Cambridge: Blackwell, 1995.

가시화된 종로 탑골공원과 락희거리를 사례로 하여 참여연구를 통한 분석으로 이들 공간의 의미를 재해석해 보았다.

노인의 모빌리티가 머무는 종로 탑골공원과 락희거리

특정한 사람들의 정체성은 특정 공간과 특정 경계선 안에 위치하는 경향이 있다.[10] 자가용 승용차 중심으로 이루어진 서구의 교통 체계와 달리 대중교통 중심의 교통 체계를 유지하고 있는 한국의 노인들은 (도보를 제외한) 모빌리티 수단으로 주로 버스와 전철을 이용한다.[11] 특히 전철은 버스와 달리 노인복지 차원에서 65세 이상 노인무임승차제도가 적용되어 적극적인 모빌리티가 가능한 수단이기에 많은 노인이 이용하고 있다.[12] 종로3가는 그러한 측면에서 전철을 통한 노인의 모빌리티가 머물러 있는 공간이다. 그중에서도 이른바 '노인의 공간'으로 불리는 탑골공원 및 락희거리는 대표적이다. 이곳은 주로 미디어를 통해 '도심 속의 섬', '쪽방 노인', '쪽방촌' 등으로 묘사되어 왔으나 의외로 이곳은 보석상가들이 집적되어 활발한 경제활동이 이루어지는 장소이고,

---

10 L. Malkki, "National Geographic: The Rooting of Peoples and the Territorialization of National Identity among Scholars and Refugees," *Cultural Anthropology* 7(1), 1992, pp. 24-44; 이영아 · 김지연, 〈공공공간에서 노숙청소년의 대인관계와 일상생활에 관한 연구〉, 《한국도시지리학회지》 19(1), 2016, 17~29쪽.

11 노시학 · 양은정, 〈서울시 이동가능 고령인구의 주요 통행패턴과 노인 지하철 무임승차제도에 대한 인식〉, 551쪽.

12 노시학 · 정은혜, 〈이용자 중심의 노인 지하철 무임승차제도 개선을 위한 분석〉, 《한국도시지리학회지》 15(3), 2012, 46쪽.

노년층의 놀이공간으로서 실버 극장·콜라텍·기원·식당 등이 밀집해 있는 역동적인 장소이기도 하다.[13] 다만 이곳을 이루고 있는 각 주체들 간의 교집합이 없거나 교류가 크게 두드러지지 않아 상대적으로 활동성이 둔감하게 느껴졌을 뿐이다. 이 글은 노인의 공간으로 명

그림 1 탑골공원과 락희거리 위치도. 출처: 네이버 지도(https://map.naver.com/)를 재구성.

명되는 종로 '탑골공원'과 '락희거리'를 살펴본다(〈그림 1〉 참조).

먼저, '탑골공원'은 사적 제354호로 지정된 한국 최초의 도심 공원이다. 해당 공원 터에는 고려시대에 흥복사興福寺, 조선시대에 원각사圓覺寺가 건립되었으나 조선 연산군과 중종 때 절을 폐지해 폐허가 되었다. 그러다가 대한제국 광무 원년인 1897년(고종 34) 당시 탁지부 고문이었던 영국인 존 브라운John Brown의 건의로 국내 최초의 서구식 근대 공원을 조성하였고, 원각사탑의 이름을 따 파고다공원으로 명명했다. 이후 1992년 다시 이곳의 옛 지명을 따라 탑골공원으로 개칭하였다. 현재 공원 경내에는 독립운동 봉화에 불을 지폈던 팔각정을 중심으로 국보 제2호인 원각사지10층석탑, 보물 제3호인 원각사비 등의 문화재와 3·1운동기념탑, 3·1운동 벽화, 의암 손병희 선생의 동상, 한용운 선생 기념비 등이 있다. 이러한 탑골공원이 지니는 경관의 역사성은 노인세

---

13 오현주·옥은실, 〈종로3가, 우리가 몰랐던 서울의 '섬': 노인들의 아지트 만들기〉, 《문화과학》 86, 2016, 406쪽.

대의 기억과 결합되면서 노인의 공간이라는 새로운 의미의 장소로 재구성되었다.[14] 한편, 2001년에는 일제강점기 3·1운동의 발상지로서의 의미를 회복하기 위해 서울시가 '탑골공원 성역화 사업'을 시행하여 공원의 주 이용객인 노인을 배제해 공원 내·외부를 구분한 적도 있었으나,[15] 2012년 서울시와 보건복지부가 이 구역을 '어르신 거리'로 조성한다는 계획을 발표함으로써 노인들의 전유 공간으로 남을 수 있었다.[16]

두 번째로, '락희거리'는 탑골공원 북문과 낙원상가 주변에 접해 있다. '락희樂喜'는 'lucky'를 음차한 단어로, '노인들이 즐겁고 기쁜 거리'라는 의미를 담고 있다. '락희거리'는 탑골공원 북문에서 낙원상가[17]로

---

14 일반적으로 장소와 기억은 필연적으로 엮여 있다(T. Cresswell, *Place: A Short Introduction*, Oxford: Wiley-Blackwell, 2004.). 기억은 개인적인 것이지만 동시에 사회적인 것이기도 한데(전종한, 〈도시 뒷골목의 장소 기억: 종로 피맛골의 사례〉,《대한지리학회지》44(6), 2009; 박규택·하용삼·변광석, 〈이질적 인식과 실천의 장으로서의 로컬, 부산 차이나타운-상해거리, 축제, 화교학교를 중심으로-〉,《한국사진지리학회지》2(3), 2010.), 특히 기억이 재생되고 구성되는 과정에서 장소의 생산을 통한 것은 바로 경관이 기억 속에 각인되어 공적 기억으로 남기 때문이다. 그러한 점에서 종로3가 탑골공원은 장소의 역사적 기억이 수반되면서 노인의 공간이라는 새로운 의미의 장소로 재구성된 장소이다.

15 공원 내부의 문화재를 중심으로 기념공간을 부각시켜 상징성을 더욱 드러내면서 노인에게 쉼터가 되어 주었던 그늘과 벤치가 이동되었고, 공원 이용 시간과 행위를 제한하여 한때 정적인 공간으로 변화한 적도 있었다.

16 〈종묘·탑골공원 어르신문화거리 조성〉,《뉴스 서울: 서울특별시-복지》2016년 10월 21일자 ; 이강원, 〈공공 공간의 전유와 배제 논리: 1990년대 후반부터 2000년대 초반까지 탑골공원의 사례〉,《대한지리학회지》48(6), 2013, 945쪽. 2021년 3월 4일자로 업데이트된 서울시 자료에 따르면, 현재 '어르신 밀집지역인 종묘·탑골공원 주변을 어르신 맞춤형 문화특화거리로 조성하고 실버경제 상권의 중심지로 육성, 어르신의 추억과 문화의 공유 및 세대 간 소통과 교류의 공간으로 탈바꿈하였습니다'라는 문구가 등장한다.

17 서울시 종로구 삼일대로 낙원동 일대에 있는 악기 전문상가로 '음악인의 성지'와도 같은 곳이다. 2007년에는 철거 및 재개발의 대상이었으나 다시금 가치를 인정받아, 2013년 서울시 미래유산으로 등재되었으며, 2015년 초에는 도시재생 선도지역으로 지정되었다. 이 안에 위치해 있던 옛 허리우드극장은 노인의 공간으로 변화하면서 '실버영화

이어지는 약 100미터 구간으로, 이곳을 '어르신들을 위한 홍대'로 조성하겠다는 취지로 조성되었다(〈그림 1〉 참조).[18] 예전부터 탑골공원 주변에 노인들이 선호하는 식당과 상점이 들어서며 자연스럽게 노인특화구역으로 발전했는데 서울시가 이런 특성을 감안해 2015년 3월부터 2016년 연말까지 2억 6천만 원의 예산을 들여 락희거리를 만든 것이다.[19] 서울시는 일본 도쿄의 시니어 구역인 '스가모巢鴨거리[20]'를 모델로 삼았다고 설명했으며, 지속적으로 사업비를 투입해 환경을 정비해 나가겠다고 밝힌 바 있다.[21]

이 글은 노인을 대상으로 2017년부터 2020년까지 탑골공원 및 락희거리를 현장 답사하여 경관 조사와 인터뷰를 병행한 참여연구를 바탕으로 작성한 것이다. 현장 답사는 2017년 2월 11일, 2017년 8월 10일, 2018년 11월 16일, 2019년 2월 27일, 2020년 8월 7일, 총 5차에 걸쳐 진행되었다.

관'으로 재단장되었다.

18 〈실버가 즐겁다 … 탑골공원 일대에 '락희거리'〉, 《중앙일보》 2016년 12월 1일자.

19 〈어르신들의 홍대 만든다더니, 노숙인·쓰레기더미가 점령한 락희거리〉, 《헤럴드경제》 2017년 7월 25일자.

20 도쿄에 있는 스가모거리는 10대들의 쇼핑 천국인 하라주쿠에 빗대 '노인들의 하라주쿠'라고 불리는 노인층 맞춤형 거리로 길이가 800미터에 달한다. 연간 900만 명이 방문하는 관광 명소다. 약국, 의료품점, 안경점, 제과점, 카페 등 다양한 노인 관련 상점과 식당들이 200여 곳이나 있으며 거동이 불편한 노인들을 위해 보도의 턱을 모두 없애고 길을 평탄하게 만들고 거리는 벤치와 쉼터 중심으로 동선을 구성하였다. 상점들의 색과 디자인·마감재 등도 노인들이 선호하는 빨간색으로 디자인하였고, 상점에도 문턱이 없으며 영어 간판 대신 큰 글씨의 일본어 간판을 달아 편의를 돕고 있다. 또한 주변 지하철역 에스컬레이터 운행 속도를 늦추어 노인들의 모빌리티를 높였다.

21 정은혜·손유찬, 《지리학자의 국토읽기》, 푸른길, 2018, 302쪽.

사회적 배제의 개념 검토

사회적 차별과 배제를 극복하고 도시의 포용성[22]을 증진해야 한다는 주장이 국내외적으로 공감을 얻고 있다.[23] 특히 '모두를 위한 도시cities for all'라는 슬로건이 2016년 해비타트Habitat Ⅲ 회의[24]를 계기로 동력을 얻으며 도시의 포용성에 대한 관심이 높아지고 있는데, 이는 빈곤층·청년·여성·노인·외국인·장애인 등 사회적 약자들에 대한 사회적 배제가 지속·심화되는 현실과 관련이 있다. 도시화의 진전과 경제성장, 민주주의의 확대에도 불구하고 여전히 사회적 관계에서 배제되거나 차별받는 사람들이 존재하고 그 수가 증가하며 관련 문제가 일반화되고 있는 것이다.[25] 특히 일정한 지리적 영역을 갖는 실체로서 도시는

---

22 여기서 포용성이란 모든 사람이 정치, 경제, 사회, 문화 등 모든 삶의 영역에서 실제적인 배제뿐만 아니라 배제받고 있다는 느낌을 갖지 않고 참여할 권능power과 실질적 능력capabilities을 가지고 있는 것으로 정의할 수 있다.

23 박인권, 〈포용도시: 개념과 한국의 경험〉, 《공간과사회》 25(1), 2015, 93~137쪽; J. Gerometta, H. Haussermann & G. Longo, "Social Innovation and Civil Society in Urban Governance Strategies for Inclusive City," *Urban Studies* 42-11, 2005, pp. 2007-2021; K. K. Shrestha, *Inclusive Urbanization: Rethinking Policy, Practice, and Research in the Age of Climate Change*, New York: Routledge, 2015; A. A. Lequian, V. Tewari & L. M. Hanley, *The Inclusive City: Infrastructure and Public Services for the Urban Poor in Asia*, Washington D.C: Woodrow Wilson Center Press, 2007; N. Espino, *Building the Inclusive City: Theory abd Practice for Confronting Urban Segregation*, New York: Routledge, 2015.

24 Habitat Ⅲ 회의는 유엔 해비타트가 20년 단위로 개최하는 주거 및 도시 부문의 국제회의로서, 2016년 회의에서는 지속가능한 인간 정주와 도시발전에 대한 비전 및 정책 방향을 담은 신도시 의제New Urban Agenda를 채택하였다. 유엔 회원국 대표 외에 국제기구·학계·시민단체·지자체·전문가 등 각계의 도시 부문 오피니언 리더들이 참석하는 회의로, 여기에서 채택된 의제는 향후 20년간 세계 도시정책 방향을 제시하며 유엔 등 국제기구의 도시 부문 활동의 규범이 된다.

25 박인권·이민주, 〈도시 포용성 구성개념과 지표체계의 개발: 한국의 포용도시 의제 설

항상 구체적인 장소를 점유하므로 공간적 차원에서 발생하는 여러 사회적 관계 중에서 사회적 약자의 공간적 배제, 행위자들의 공간적 상호작용, 사회계층의 공간적 분리 등은 중요한 이슈이다.

1960년대 유럽에서는 장기 실업자, 취업과 실업의 경계에 놓인 근로빈곤층, 노숙자 등과 같이 고도 경제성장에도 성장의 혜택을 누리지 못하는 집단이 증가하였다. 이러한 이질적인 빈곤 양상은 빈곤에 대한 새로운 접근을 요구하였고,[26] 1970년대 프랑스에서 '사회적 배제social exclusion' 개념이 처음 등장하였다.[27] 당시 후기산업사회로 전환하는 과정에서 나타난 신빈곤new poverty과 한계집단의 등장, 그리고 이에 따른 사회의 해체를 설명하고 대응하기 위한 것으로, 프랑스에서 사회적 배제 담론은 빈곤문제와 함께 장기 실업, 장애인, 에이즈, 인종차별, 외국인노동자 · 불법이민자 등에 대한 다양한 형태의 차별과 불평등을 포괄하였다.[28] 즉, 사회에서 배제되는 사람들은 일부 극빈층뿐만 아니라 두터운 중산층을 형성하던 계층의 일부와 주류사회와는 다른 문화적 정체성을 가진 사람을 포함하는 것으로 간주되었다. 이러한 상황에서 사회적 배제는 경제적 빈곤보다 훨씬 광범위하게 존재하는 한계집단이나

정을 위하여〉,《공간과사회》26(4), 2016, 109~158쪽; 정은혜, 〈관광객 시선으로 본 다문화 공간의 경관 해석 – 안산시 원곡동을 사례로 – 〉,《한국사진지리학회지》29(2), 2019, 69~87쪽.

26 홍인옥 · 남원석,《공공임대주택 입주민 사회통합 방안 모색》, 보건복지부 · 한국도시연구소, 2003; 공윤경, 〈사회적 배제 극복을 위한 소셜믹스정책과 대안 주거운동〉,《한국도시지리학회지》19(1), 2016, 31~42쪽.

27 박인권 · 이민주, 〈도시 포용성 구성개념과 지표체계의 개발: 한국의 포용도시 의제 설정을 위하여〉, 115쪽; 공윤경, 〈사회적 배제 극복을 위한 소셜믹스정책과 대안 주거운동〉, 32쪽.

28 신명호, 〈한국사회의 새로운 빈곤 혹은 사회적 배제〉,《도시와 빈곤》67, 2004, 164쪽.

문화적으로 비주류인 사람들의 문제를 인식하는 계기가 되었다.[29]

사회적 배제는 단순한 물질적 · 경제적 빈곤의 차원을 넘어서는 사회적 · 문화적 의미를 가진 개념으로, 빈곤이 물질적 결핍과 문제에 초점을 둔다면 사회적 배제는 사회 참여, 사회 보호, 사회 통합, 권한 등 인간과 인간의 관계에서 발생하는 문제에 초점을 둔다.[30] 다시 말해, 사회적 배제란 심리적이고 사회적인 영역에서 일정한 기본적 권리를 부인당하는 것으로, 개인이 사회로부터 보호받지 못하거나 참여의 기회를 빼앗기거나 무력한 존재로 소외되는 현상을 포괄한다. 그런 의미에서 사회적 배제는 빈곤과 달리 경제 이외의 여러 차원에서 특정 개인이나 집단이 주류사회의 자원 · 서비스 · 기회를 박탈당해 당연히 누려야 할 권리를 누리지 못하는 것을 의미하고, 어떠한 상태보다는 그러한 상태에 이르는(혹은 확대되고 강화되는) '과정'이며, 또한 그러한 과정이 나타나게 된 사회적 '관계'에 천착하는 관계적 개념이다.[31] 특히 모빌리티적 관점에서 사회적 배제는 높은 수준의 이동성을 전제로 형성된 사회에서 이동의 제약에 의해 사람들이 다양한 기회, 서비스, 사회적 네트워크 등으

29 R. Atkinson, "Combating Social Exclusion in Europe: The New Urban Policy Challenge," *Urban Studies* 37(5-6), 2000, pp.1037-1055.

30 김주진, 〈사회적 혼합이 거주자의 사회적 배제와 주변 주택가격에 미치는 영향－서울시 50년 공공임대주택을 중심으로〉, 서울대학교 박사학위논문, 2007.

31 정원오, 〈빈곤의 담론〉, 《통합과 배제의 사회정책과 담론》 7, 2003, 333~366쪽; 하성규 · 서종녀, 〈공공임대주택과 사회적 배제에 관한 연구〉, 《주택연구》 14(3), 2006, 159~181쪽; 김안나 · 노대명 · 김미숙 · 신호성 · 김태완 · 강민희 · 이소정 · 홍인옥 · 원일 · 윤필경 · 유정예, 《사회통합을 위한 사회적 배제계층 지원방안 연구－사회적 배제의 역동성 및 다차원성 분석을 중심으로》, 한국보건사회연구원, 2008; J. Gerometta, H. Haussermann & G. Longo, "Social Innovation and Civil Society in Urban Governance Strategies for Inclusive City," pp. 2007-2021.

로의 접근이 제한되고, 이로 인하여 이들이 지역사회의 경제 · 정치 · 사회적 생활에 참여하는 것이 제한되는 과정으로 볼 수 있다.[32]

기존의 연구는 사회적 배제에 대한 검토 연구, 외국의 사례를 바탕으로 한 사회적 배제 연구, 그리고 사회적 배제 극복을 위한 정책 연구 등이 주를 이루고 있다. 하지만 사회적 배제 계층에 대한 실증적인 공간적 연구는 상대적으로 미흡한 실정에 있다.

사회적 배제자로서 노인의 모빌리티

21세기 이후 한국 사회의 커다란 이슈 중 하나는 고령사회 진입에 따른 노인문제이다.[33] 한국은 2000년에 이미 고령화사회에 진입했고, 이후 10년간 OECD 국가 중 고령인구 증가율이 가장 높은 국가가 되었으며, 그 결과 2020년 고령사회로 접어들었다(〈그림 2〉 참조).[34] 이처럼 인류의 오랜 염원이었던 장수의 꿈이 현실로 다가왔지만 그것이 과연 축복인지에 대한 진지한 성찰이 요구된다. 특히 OECD 국가 중 노인빈곤율 1위, 노인자살율 1위의 기록을 보유하고 있는 한국은 고령시

---

32 S. Kenyon, G. Lyos & J. Rafferty, "Transportation and social exclusion: investigating the possibility of promoting inclusion through virtual mobility," *Journal of Transport Geography* 10, 2002, pp. 207-219.

33 이민규 · 원영신 · 홍미화, 〈종로탑골공원과 종묘공원이용 남성노인의 여가문화의 의미 분석〉, 647쪽.

34 조현연 · 김정석, 〈고령화 사회, '노인빈곤' 문제와 한국 정치〉, 《민주사회와 정책연구》 30, 2014, 12쪽; 한국경제연구원(http://www.keri.org/web/www/home)

그림 2 OECD 주요국 고령인구 연평균 증가율

자료: 한국경제연구원

대의 어두운 면들로 부각되고 있다.[35]

　수면 위로 부상한 한국의 노인문제는 평균수명은 늘었지만 정년은 짧아짐으로 인해 노후 기간이 길어진 것에 그 이유가 있다. 또한 저출산과 핵가족화로 인해 노인들은 가족의 보살핌도 받기 어려워졌다. 최근에는 노인에 대한 혐오가 극단화되고, 그것이 다시 청년세대에 대한 거부감이라는 상승작용의 악순환도 일어나고 있다.[36] 이른바 '어버이연합'이나 '엄마부대'가 노년 삶의 표상이 될 수 없는데도, 인터넷에서는 무척 노골적인 세대 간 공방전이 벌어지고 있다. 하지만 한국이 '한강의 기적'으로 상징되는 경제성장을 이루는 데 노인세대의 노력과 헌신이 있었음을 부인할 수 없다. 즉, 지금의 노인들은 자신의 노후를 철저히 대비할 수 없었고 부모 봉양과 자녀교육 등에 지출을 많이 한 세대

35　〈노인 빈곤율 OECD 1위 … 8%만 노후 대비〉, 《KBS》 2021년 5월 10일자.
36　조현연·김정석, 〈고령화 사회, '노인빈곤' 문제와 한국 정치〉, 30쪽.

이다.[37] 이러한 점을 감안한다면 한국의 노인문제를 세대 간 갈등으로 표면화하고 매스컴화하는 것은 정부 대책이나 계획이 이러한 위기에 총체적으로 대응하지 못한 결과이며, 국민의 체감 역시 낮은 편이라고 봐야 할 것이다.

특히 증가된 노인의 수만큼이나 노인의 모빌리티와 여가 활동에 대한 중요성이 부각되고 있는데도, 이를 지원하기 위한 대책이나 후원이 장기적으로 이루어지지 못하고 있다.[38] 노인에게 여가란 노동력 재생산 과정이라기보다는 노동을 전제로 하지 않은 '여가를 위한 여가'라는 점에서 젊은 세대의 여가와 본질적으로 차이가 있다.[39] 또한 노인들의 모빌리티 역시 여가를 위해 이루어지고 있다는 점도 간과할 수 없다. 즉, 노인의 여가는 여유 있는 시간을 누린다는 개념이 아니라, 자신에게 부과된 일정한 역할 없이 막연하게 보내야 하는 시간을 의미하는 것으로서, 노인의 여가 소비와 모빌리티는 인간의 존엄성 유지 측면에서도 살펴봐야 할 문제이다. 노인들은 노화로 인한 신체적 제약, 은퇴로 인한 경제적 제약 등으로 여가 시간을 소극적으로 보낸다.[40] 이것은 노인들의 주요 행동 반경과 모빌리티가 근린지역이나 공원에서 이루어진다는

---

37 이민규 · 원영신 · 홍미화, 〈종로탑골공원과 종묘공원이용 남성노인의 여가문화의 의미 분석〉, 652쪽.

38 손미란, 〈일본의 고령자복지와 고용촉진에 관한 연구〉, 배재대학교 석사학위논문, 2005; 조현성 · 김영범 · 이주연, 《노인문화복지활성화를 위한 정책방안연구》, 한국문화관광정책연구원, 2004; 노시학, 〈교통의 사회적 영향에 관한 이론적 고찰 – 형평성과 사회적 배제 개념을 중심으로 –〉, 68쪽.

39 정유선 · 최막중, 〈노인의 일상 여가장소로서 도심공원 방문 결정요인: 규모와 거리 효과를 중심으로〉, 52쪽.

40 김익기 · 김동배 · 모선희 · 박경숙 · 원영희 · 이연숙 · 조성남 외, 《한국 노인의 삶: 진단과 전망》, 생각의나무, 1999.

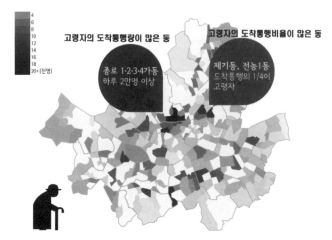

그림 3 서울시에서 65세 이상 고령자가 많이 찾는 지역

고령자의 도착통행량이 많은 동

종로 1·2·3·4가동
하루 2만명 이상

고령자의 도착통행비율이 많은 동

제기동, 전농1동
도착통행의 1/4이
고령자

출처: 서울연구원 도시정보센터, 《서울인포그래픽스 제3호》

점과도 맥락이 이어진다. 실제로 근린지역의 경로당과 공원은 노인들의 주요 외출 장소이다.[41] 이는 남성 노인의 경우 한 지역에 오래 살더라도 이웃보다는 과거 사회생활을 함께했던 친구나 취향이 비슷한 사람들을 더 가깝게 느끼는 대인관계적 성향 때문으로 파악된다.

한편, 서울의 경우 65세 이상 노인인구가 가장 많이 방문하는 곳은 종로인데, 그 이유는 지하철 종로3가역과 종로5가역이 동묘·제기동·청량리와 더불어 경로우대 무임승차권 소지자의 비율이 높은 노인의 지하철 이용이 집중 반영되기 때문이다(〈그림 3〉 참조).[42] 이는 노인이

---

[41] 조남건, 《고령화에 따른 통행특성 조사연구》, 국토연구원, 2011.

[42] 〈서울시에서 65세 이상 고령자가 많이 찾는 지역은?〉, 《서울인포그래픽스 제3호》 2012

젊은이에 비해 여가 목적의 일상적 모빌리티가 높다는 특성을 보여 주는 것으로,[43] 특히 종로가 이를 반영한다.

이 글의 기본적인 문제의식은 사회적 배제자이자 사회적 약자이기도 한 노인의 공간에 대한 사유가 부족했다는 성찰에서 시작한다. 즉, 고령사회의 노인문제는 노인만의 문제가 아닌 우리 사회 전체의 당면 현안으로 마주해야 함을 인식하고, 노인의 모빌리티가 머무는 '노인의 공간'을 좀 더 면밀히 들여다보기 위해 수행되었다. 특히 이 글은 노인의 모빌리티가 반영되는 공간으로 인식되고 가시화된 종로3가의 탑골공원과 락희거리를 중심으로 현장조사를 수행함으로써 노인의 공간이 지니는 경관 및 현황과 문제점을 살펴보고, 이를 통해 향후 노인의 공간을 포용의 시선으로 바라보는 변화를 이끌고자 한다.

노인의 모빌리티가 머무는 공간에 대한 분석

노인의 모빌리티가 반영된 탑골공원

종로는 오랜 시간 동안 서울의 중심부를 형성해 온 장소이다. 여전한 상업 중심지이자 종묘를 비롯한 고궁이 보존되어 있고, 인사동과 혜화동 같은 특별한 관광·문화거리가 조성된 곳이며, 낙원상가 및 세운상가 재생을 비롯한 서울시의 정책적 관심이 수행되는 곳이다. 그러나 빠

년 10월 15일자; 이도희·김억, 〈지하철역을 중심으로 한 도시노인의 접근유발요소 분석〉, 《국토계획》 43(5), 2008, 165~178쪽.

43 노시학·조창현, 〈수도권 고령인구와 청장년인구 간의 통행패턴 차이 분석〉, 《대한지리학회 학술대회논문집》, 2008, 264쪽.

른 속도로 변화를 겪고 있는 종로의 일반적인 모습과 달리 여전히 일반 시민들의 관심에서 배제되어 느리게 걸어온 노인의 공간이 있다. 바로 '탑골공원'이다. 많은 이들은 한국의 대표적인 노인 공간으로 탑골공원을 꼽는다.[44] 이곳에 모여드는 노인인구의 높은 집중도와 모빌리티는 우리 사회 속 노인의 삶을 대변한다. 이곳의 노인들은 나름대로 변화하는 사회에 대응하면서 그들만의 다양한 삶의 영역을 구축하며 자율적인 개인으로 생활하고 있다.

탑골공원을 이용하는 노인은 하루 평균 3천여 명에 달한다.[45] 노인의 모빌리티가 반영된 공간인 만큼 탑골공원의 이용 행태는 다양하게 나타난다. 일반적으로 노인들은 사시사철 공원에 홀로 앉아 시간을 보내거나 삼삼오오 모여 담소를 나눈다. 혹은 서예와 붓글씨 캘리그라피, 바둑과 장기 등 여러 가지 활동을 한다(〈그림 4〉). 동네에서 바둑 둘 사람이 없던 노인도 이곳에 오면 여러 상대를 바꿔 가면서 둘 수 있고, 서예를 하거나 구경하는 사람도 항상 존재하기 때문에 규모의 경제 효과도 나타난다. 또한 작은 집회에 관심을 보이는 모습은 탑골공원의 노인에게서 흔히 볼 수 있는 일상적 경관이다.

탑골공원 주변에는 무료급식소, 저가 음식점, 선술집, 이발소, 모자와 안경 등 노인 대상 소품을 판매하는 상점과 잡화를 판매하는 노점상, 소규모 벼룩시장 등 노인들을 위한 서비스 기능이 집적되어 있다(〈그림

---

44 탑골공원과 더불어 종묘공원도 노인의 공간으로 지칭되지만 종묘공원은 2007년부터 성역화사업이 추진되면서 이곳은 현재 여러 사람이 모이기 힘든 숲과 산책로 위주의 공원으로 재조성되었다. 그런 이유로 노인들은 최근 종묘공원 대신 탑골공원에 모이고 있다.

45 정유선·최막중, 〈노인의 일상 여가장소로서 도심공원 방문 결정요인: 규모와 거리 효과를 중심으로〉, 54쪽.

그림 4 탑골공원과 그 주변에서 시간을 때우는 노인들의 일상. 출처: 2017년 2월 11일, 저자 촬영

그림 5 노인을 대상으로 하는 탑골공원 주변의 편의시설. 출처: 2017년 2월 11일, 저자 촬영

5〉). 탑골공원 근처 패스트푸드점에서는 여타의 분점과는 달리 노인 혼자 햄버거와 콜라를 먹는 광경이 쉽게 목격되며, 1~2백 원짜리 길거리 자판기 커피를 이용하는 모습도 심심찮게 볼 수 있다(〈그림 6〉). 또한 '실버영화관', '인생이모작50플러스센터', 오래된 음반과 영상 판매점 등 노인을 위한 문화시설도 있다(〈그림 7〉). 노인 J씨(76세)는 "노인들이 즐기기에 적당한 물가다 보니 큰 부담 없이 자주 찾는다"고 말했다(2019

그림 6 탑골공원 주변의 패스트푸드점과 자판기 커피를 이용하는 노인들의 모습. 출처: 2019년 2월 27일, 저자 촬영

그림 7 탑골공원 주변에 위치한 실버영화관, 오래된 영상 및 음반 판매점. 출처: 2018년 11월 16일, 저자 촬영

년 2월 27일 인터뷰). 이러한 특성은 지하철 접근성이 좋아 많은 노인들의 모빌리티가 가능하고, 그래서 좀 더 다양한 활동이 이루어질 수 있어 또 다시 노인들이 더 많이 모이게 되기 때문으로 해석된다.[46] 따라서 이곳

---

46 이소영 · 김혜정, 〈노인의 공원 시설 이용 특성연구 – 탑골공원을 중심으로〉, 《대한건축학회 학술발표논문집 계획계》 23(1), 2003, 143~146쪽; 이강원, 〈공공 공간의 전유와 배제 논리: 1990년대 후반부터 2000년대 초반까지 탑골공원의 사례〉, 944~966쪽.

노인의 공간은 폭넓은 모빌리티의 범위만큼, 처지가 비슷하면서도 다양한 사람들이 모여 있다. 그런 의미에서 마음에 맞는 사람을 만날 확률이 높은 한편, 마음이 맞지 않으면 어울리지 않아도 되는 익명성의 자유도 동시에 존재한다.

노인의 모빌리티로 조작된 락희거리

탑골공원 북문에서 낙원상가로 이어지는 100미터 구간에 만들어진 '락희거리'는 노인들의 모빌리티를 연계하여 조성되었다. 벤치마킹한 일본 스가모거리처럼 몇몇 상점들의 간판은 복고적이면서도 큰 활자체로 깔끔하게 만들어져 있다. 이곳 간판은 일반적인 간판보다 글자가 1.5배 정도 크며, 메뉴판의 글자 크기도 크다(〈그림 8〉). 또한 노인들에게 생수와 화장실을 무료로 제공하는 '상냥한 가게'들을 지정했을 뿐만 아니라 거리 곳곳에 심장 응급소와 지팡이 거치대 등을 설치하여 나름 구색을 갖추고 있다(〈그림 9〉). 이곳에서는 3~5천 원 안팎의 저렴한 가

그림 8 락희거리 표지판, 상점 메뉴판과 간판의 큰 글씨. 출처: 2017년 8월 10일(왼쪽 · 가운데), 2020년 8월 7일(오른쪽), 저자 촬영

그림 9 "상냥한 가게"와 심장 응급소. 출처: 2017년 8월 10일, 저자 촬영

그림 10 락희거리의 옛날 영화 포스터와 송해가 그려진 거리 공연장(무대). 출처: 2018년 11월 16일, 저자 촬영

그림 11 락희거리의 노숙자와 쓰레기더미. 출처: 2018년 11월 16일(왼쪽), 2018년 7월 22일(가운데·오른쪽), 저자 촬영

격에 한 끼를 해결할 수 있으며, 그 비슷한 가격에 이발과 염색을 할 수 있는 이발소도 있다. 군데군데 보이는 건물 벽면에는 1960~70년대 유명 영화 장면과 포스터가 만들어져 있어 그 시절에 대한 향수를 불러일으킨다. 또한 TV프로그램 〈전국노래자랑〉의 MC 송해의 이미지가 그려진 작은 공연 무대도 만들어져 있다(〈그림 10〉). 이처럼 락희거리는 노인들이 즐겨 찾는 지역이라는 특성을 감안해 이에 맞는 콘텐츠와 경관이 형성되어 있다.

하지만 오래된 거리를 지붕 없는 복지관으로 조성하겠다는 발표가 무색할 만큼 하나의 사업으로서만 접근한 락희거리는 탑골공원 주변의 고질적인 문제인 노숙인과 무단투기 쓰레기 문제를 여전히 해결하지 못했다(〈그림 11〉). 그리고 현재 '상냥한 가게'들은 예산 부족으로 더 이상 생수와 화장실을 제공하지 못하고 있다. 또한 락희거리 조성에 모든 상점이 참여하지 못한 까닭에 기존 간판과 새로운 간판이 뒤섞여 있어 혼란스럽다. 락희거리를 방문한 K씨(74세)는 "탑골공원 근처고 걷다 보니 음식 값이 저렴해서 여기에 자주 오긴 하는데 실제로 뭐가 얼마나 바뀌었는지는 잘 모르겠다"고 응답했으며(2017년 8월 10일자 인터뷰), L씨(60세)는 심지어 "락희거리라는 말 자체를 처음 듣는다"고 말했다(2018년 7월 22일자 인터뷰). 이 거리의 상인 P씨(55세) 역시 "별반 달라진 것이 없어요, 매상에 큰 변화는 없습니다"라고 했다(2018년 7월 22일자 인터뷰).

락희거리를 스가모거리 못지않은 노인 친화 공간으로 만들겠다는 것이 서울시의 목표지만 아직은 그 목표가 달성되지 않은 것으로 보인다. 노인들의 모빌리티가 상대적으로 자연스럽게 반영된 탑골공원과 달리 락희거리는 노인들의 모빌리티를 인위적으로 조작하여 만들어진 형태로 사료된다. 겉으로 보이는 간판 몇 개를 바꾼 것이 노인들의 편의성과 정체성을 반영하는 것은 아니기 때문이다. 그럼에도 불구하고, 락희거리가 전국 최초로 조성된 노인의 거리인 만큼 이곳이 노인들의 향유 공간으로서 더욱 내실 있게 가꾸어지면 좋을 것이다.

노인의 모빌리티가 머무는 공간이 주는 의미: 포용의 시선에서

탑골공원과 락희거리의 노인들은 자신들만의 하루를 보내고 날이 저물면 각자의 집으로 돌아간다. 미디어는 이곳에서 보여지는 노인들의 부정적인 단면(극단적 정치 성향에 따른 정치 파벌화, 불법집회, 노점상 문제, 성매매, 유기 행위 등)을 부각시키고, 관련 기관에서는 그 실제를 제대로 살피지 않은 채 노인들에 대한 잘못된 편견과 부정적 인식을 확대시키며, 그들에 대한 감시와 통제의 시선으로 경관을 변화시키려 하고 있다. 이러한 사회적 배제의 시선에도 불구하고, 이 글은 좀 더 포용의 시선을 견지하려 하였다. 즉, 탑골공원과 락희거리가 나름대로 노인들의 능동적인 모빌리티를 담아낸 공간이며, 노인들이 젊은 층 못지않게 삶의 의미를 찾아내고자 하는 공간으로서 이곳을 바라보고자 한다.

그런 의미에서 이들 노인의 공간은 첫째, '공유의 공간'으로 볼 수 있다. 현재의 노인들은 전쟁과 빈곤의 유년기와 산업화로 인한 노동의 중년기를 보내며 공동의 역사적 시대를 거쳐 왔다. 그러한 시대적 공감이 노년기에 다시금 외로움과 고독감이라는 공통된 분모로 이어지면서, 그들에겐 제법 익숙한 종로라는 공간에 집약하도록 만들었다. 또한 상대적으로 편리한 교통과 접근성은 '종로'로의 모빌리티를 가능하게 한 현실적인 원인이기도 하다. 거기에 마땅한 여가 공간이 없는 대한민국의 노인에게 '탑골공원'과 '락희거리'는 하루의 시간을 그냥 보낼 수 있는 공간으로 적합했다. 말 그대로 노인들의 모빌리티가 머무는 공간인 것이다. "여기에 오면 마음이 편해져. 나처럼 아무것도 안 하고 시간을 보내는 사람이 많구나 싶은 생각에 그런 거겠지"라는 J씨(73세)의 답변(2019년 2월 27일자 인터뷰)은 탑골공원과 락희거리에 대한 시·공간적 공유성을 반영한다. 즉, 그들이 함께 보낸 역사적 시간에 대한 공유와 현재 이곳에 함께 모여 있음으로 인해 나타나는 공간적 공유와 모빌리티가 심리적 안정감으로 이어진다고 사료된다.

둘째, 이들 노인의 공간은 '외로움 해소의 공간'으로 해석된다. 대체적으로 노인들은 이곳에서 담소를 나누거나 장기를 두면서 친구를 형성한다. 이곳에서 친구라는 개념은 연락처를 주고받고 통화를 하고 함께 식사를 하는 사이가 아닌, 그냥 아는 사람 혹은 자주 보는 사람을 의미한다. 이름을 밝히지 않은 한 노인(70대 추정)은 "이름은 몰라도 여기 오는 사람들 얼굴은 대충 알지. 그러다가 오랫동안 얼굴이 안 보이면 그 사람 아픈가 싶고, 죽었나 싶고, 그런 거지"라고 말한다(2019년 2월 27일자 인터뷰). 이들 노인의 공간은 그냥 자주 보는 사람이 친구이고, 어느 날 옆에서 함께 장기를 구경하는 사람이 친구이며, 자판기 커피를 나눠 먹는 사람이 친구가 되는 공간인 것이다. 홀로 시간을 보내는 노인들 역시, 단지 자신과 같은 사람들이 모여 있다는 것만으로도 위로를 받고 심리적 안정감을 느끼는 공간인 것이다. '박카스아줌마'(박카스할머니)[47]

---

47 '박카스아줌마'란, 탑골공원과 종묘공원 사이에서 박카스 등 자양강장제나 발기부전 치료제를 노인에게 판매하며 성매매를 하는 여성을 일컫는 말이다. 윤여정 주연의 영화 〈죽여주는 여자〉(2016)는 박카스할머니가 종로의 공원에서 만난 한 노인을, 그의 요청으로 살해한다는 충격적인 내용을 담고 있는데, 극단적이긴 하지만 노인의 슬픔과 외로움을 잘

그림 12 노인의 공간 속 '박카스 아줌마'. 출처: 2017년 2월 11일, 저자 촬영

를 통한 노인들의 불법성매매가 사회적 이슈가 되기도 하지만, 한편으로 그녀들의 등장이 노인들의 극단적인 외로움을 대변하고 있다는 점은 아이러니하다(〈그림 12〉).

　셋째, 탑골공원과 락희거리는 노인들의 질서와 규칙이 내재된 '구별 짓기'의 문화가 반영된 공간이다. 무엇보다 이들 공간은 남성의 모빌리티로 젠더화되어 있다. 극히 일부인 박카스아줌마를 제외하곤 남성 노인이 절대다수를 이룬다. 따라서 탑골공원의 문은 활짝 열려 있지만 여성 노인들이 남성 노인들과 함께 중심 쉼터인 팔각정까지 들어가서 쉬는 모습은 거의 볼 수 없다. 또한 노인들은 가급적 탑골공원과 락희거리가 있는 노인의 공간에서 시간을 보내고, 맞은편에 위치한 젊은이의 공간(행정명상으로 관철동)으로는 이동하지 않으려는 경향을 나타낸다.

　　표현한 작품으로 평가된다(〈'죽여주는 여자' 그 여자의 항변〉, 《이동진의 어바웃 시네마》, 2016년 10월 6일자.).

이러한 성향 역시 구별짓기의 의미가 적용될 수 있는 부분이다. 이외에도 이들 노인의 공간에는 다음과 같은 규칙이 존재한다. 장기를 구경하는 자리에도 돈 내는 곳과 안 내는 곳이 있다는 것, 바둑판 앞에 일렬로 놓인 줄은 대국신청자라는 것, 자신의 차례가 돌아와야만 바둑을 둘 수 있다는 것, 지면 곧바로 자리에서 일어나야 한다는 것 등이다. 이처럼 노인의 공간에는 그들의 경험을 통해 정해진 암묵적인 규칙이 있다.

이처럼 탑골공원 및 락희거리는 노인 모빌리티 공유의 공간이자 외로움 해소의 공간이며, 노인들의 놀이문화에 대한 질서와 규칙이 내재된 구별짓기가 이루어지는 '삶의 능동적 의미가 나타나는 공간'으로 재해석될 수 있다. 하지만 여전히 '비밀의 공간'으로 감춰져 있음을 부인할 수 없다. 노인들은 탑골공원과 락희거리가 외부로부터 차가운 시선을 받는 장소라는 걸 알고 있다. 그런 이유로 노인들은 "늘 오는 장소임에도 오늘 처음 와 본 것"이라고 이야기한다(K씨, 70세, 2020년 8월 7일자 인터뷰). 그들은 여전히 노인이고, 외로운 아버지이며, 사회적 배제자로 남아 있다. 그래서일까? 그들의 모빌리티가 머무는 종로의 탑골공원과 락희거리는 익숙한 곳이지만 왠지 부끄러운 속내가 스며 있다.

결론 및 제언

대한민국 헌법 제34조에는 "국가는 노인과 청소년의 복지행상을 위한 정책을 실시할 의무를 진다"는 말이 있다. 그리고 헌법 제34조의 인간다운 생활권에 근거하여 국가의 노인복지 실시 의무를 구체화하여 입법으로써 「노인복지법」을 제정하였다.[48] 「노인복지법」은 노인의 심신의 건강 유지 및 생활 안정을 위하여 필요한 조치를 강구함으로써 노인복지 증진에 기여하는 것을 그 목적으로 한다. 이처럼 한국의 노인문제는 정책적으로도 주목받는 대상이 되었지만, 아직까지 노인들의 모빌리티는 비생산적이며 비능률적이라는 편견에 놓여 있다. 종로의 탑골공원과 락희거리는 그러한 사회적 편견과 배제를 집약해 놓은 곳으로 종로의 외딴섬으로 불리며 빈곤과 낙후성이 존재하는 장소, 사회에서 더 이상 환영받는 존재가 아닌 노인들의 모빌리티가 머무는 공간으로 고정화되었다.

이에 필자는 종로의 탑골공원과 락희거리를 중심으로 노인의 모빌리티가 머무는 공간을 좀 더 포용적 시각에서 이해하고자 현장답사와 인터뷰를 진행함으로써 그들의 일상적 행위와 활동을 관찰하고 연구하였다. 그 결과, 이들 노인의 공간은 노인들이 소통을 통해 공유하는 공간이자 외로움 해소의 공간이며, 그들 문화의 암묵적 질서와 규칙 등이 존재하는 공간으로서 구별짓기가 이루어지는 모빌리티의 공간임을 확인하였다. 즉, 노인들 삶의 능동성과 모빌리티의 의미가 주어지는 공간으로 재해석하였다. 무엇보다 탑골공원은 노인들의 시간과 경험, 기억이 축적된 나름의 문화공간으로 형성되고 있었다. 반면 아쉽게도 락희거리는 노인문화공간으로 새롭게 조성되었지만 (자연스럽고 편안하게 나이 들어 가는 탑골공원에 비해) 아직 충분한 문화적 포용은 부족해 보였다. 락희거리는 간판을 통해 표면의 시각적 변화는 나타났지만 시간

---

48 국가법령정보센터(www.law.go.kr)

과 기억의 축적이 갖는 장소성과 역사, 그리고 그곳의 주 이용자인 노인들의 편의와 이해를 담아내지는 못한 것으로 파악되었다.

모빌리티 사회에서 노인들의 사회적 배제가 더 이상 진행되지 않도록 이 공간에 대해 다음과 같은 정책적 개선 방향을 제언하고자 한다. 첫째, 노인 친화적인 물리적 시설이 더욱 요구된다. 탑골공원과 락희거리를 찾는 노인들은 퇴직 이후에도 지속적으로 사회적 접점과 교류를 찾고자 노력하는 사람들이지만, 현실적으로 이들 공간이 그만큼의 효과를 나타내고 있지 못하다. 탑골공원은 무료한 공간으로 남아 있고, 락희거리는 간판만 정비된 채 그 진정성을 담지 못하고 있다. 좀 더 노인 친화적인 물리적 시설을 재정비함으로써 자연스런 모빌리티를 통해 사회와 소통할 수 있는 공간으로 변화되어야 한다. 둘째, 진정성 있는 문화 콘텐츠가 필요하다. 식당과 상점 주변을 정비하는 것도 좋지만, 그보다는 문화시설과 문화공간을 늘려 노인들의 심리적 고독감을 해소하고 그들의 문화적 욕구를 반영한 프로그램을 개발해야 한다. 그럼으로써 노인들의 모빌리티가 자연스럽게 이 문화 향유의 공간으로 들어올 수 있게 해야 한다. 마지막으로, 노인의 신체적 · 경제적 제약을 고려하여 공간의 편의성을 높여야 한다. 그런 의미에서 지하철 교통의 중심지라는 종로의 특성을 유지시킬 필요가 있다. 특히 한국의 노인들은 대부분 도보를 제외한 모빌리티 수단으로 지하철과 버스 외에 다른 대안을 선택할 여지가 없는 집단captive rider이다. 이러한 노인들의 지하철 이용에 제약이 가해진다면 다른 인구집단에 비해 모빌리티 과정에서 더 큰 영향을 받을 수밖에 없다. 게다가 전반적인 복지 수준이 서구에 크게 못 미친다는 점을 감안한다면, 현재 시행되고 있는 노인 지하철 무임승차제도를 폐지할 경우 노인복지 현황을 더욱 악화시킬 수 있다. (물론 화폐가치화된 경제적 효율성 측면에서 보면 노인 지하철 무임승차제도가 비효율적일 수 있으나, 이 제도의 폐지로 많은 노인들이 모빌리티를 포기함으로써 발생할 사회적 비용과 사회 전반적인 형평성이 무너질 수 있다는 점을 고려해야 한다.) 따라서 노인 지하철 무임승차제도를 '유지'하는 정책적 접근이 요구된다.

이 글은 현재의 모빌리티 사회에서 우리 사회가 마주하고 있는 노인 문제의 현실을 공간적 접근으로 재발견했다는 점, 노인들이 모여 있는 공간에 대한 관심을 재조명했다는 점, 그리고 이들 공간에 대하여 현실적인 제언을 했다는 점에서 그 의의를 찾아볼 수 있다. 아울러 이 공간에 대한 필자의 작은 제언이 '노인문화란 사회에서 규정지어 교육함으로써 이루어지는 것이 아니라 노인들 스스로 문화를 만들어 낼 수 있고 자생력을 가지고 있다'고 보는 관점에 기반한다는 점을 밝힌다. 이 글이 모빌리티 사회에서 노인들의 사회적 배제가 더 이상 진행되지 않도록 하는 데 기여하기를 바란다. 노년은 지상에서 긴 삶을 견디고 산 사람들만이 누릴 수 있는 특별한 선물이기 때문이다.

참고문헌

김안나 · 노대명 · 김미숙 · 신호성 · 김태완 · 강민희 · 이소정 · 홍인옥 · 원일 · 윤필
　경 · 유정예,《사회통합을 위한 사회적 배제계층 지원방안 연구 – 사회적 배제의
　역동성 및 다차원성 분석을 중심으로》, 한국보건사회연구원, 2008.

김익기 · 김동배 · 모선희 · 박경숙 · 원영희 · 이연숙 · 조성남 외,《한국 노인의 삶:
　진단과 전망》, 생각의나무, 1999.

정은혜 · 손유찬,《지리학자의 국토읽기》, 푸른길, 2018.

조남건,《고령화에 따른 통행특성 조사연구》, 국토연구원, 2011.

조현성 · 김영범 · 이주연,《노인문화복지활성화를 위한 정책방안연구》, 한국문화관
　광정책연구원, 2004.

통계청,《2019 생명표》, 통계청 보고서, 2019.

통계청,《2020 고령자 통계》, 통계청 보고서, 2020.

홍인옥 · 남원석,《공공임대주택 입주민 사회통합 방안 모색》, 보건복지부 · 한국도시
　연구소, 2003.

공윤경,〈사회적 배제 극복을 위한 소셜믹스정책과 대안 주거운동〉,《한국도시지리
　학회지》19(1), 2016.

김주진,〈사회적 혼합이 거주자의 사회적 배제와 주변 주택가격에 미치는 영향 – 서
　울시 50년 공공임대주택을 중심으로〉, 서울대학교 박사학위논문, 2007.

노시학,〈교통의 사회적 영향에 관한 이론적 고찰 – 형평성과 사회적 배제 개념을 중
　심으로 –〉,《교통연구》21(4), 2014.

노시학 · 양은정,〈서울시 이동가능 고령인구의 주요 통행패턴과 노인 지하철 무임승
　차제도에 대한 인식〉,《국토지리학회지》45(4), 2011.

노시학 · 정은혜,〈이용자 중심의 노인 지하철 무임승차제도 개선을 위한 분석〉,《한
　국도시지리학회지》15(3), 2012.

노시학 · 조창현,〈수도권 고령인구와 청장년인구 간의 통행패턴 차이 분석〉,《대한
　지리학회 학술대회논문집》, 2008.

박규택 · 하용삼 · 변광석,〈이질적 인식과 실천의 장으로서의 로컬, 부산 차이나
　타운 – 상해거리, 축제, 화교학교를 중심으로 –〉,《한국사진지리학회지》2(3),

2010.

박인권, 〈포용도시: 개념과 한국의 경험〉, 《공간과사회》 25(1), 2015.

박인권 · 이민주, 〈도시 포용성 구성개념과 지표체계의 개발: 한국의 포용도시 의제 설정을 위하여〉, 《공간과사회》 26(4), 2016.

손미란, 〈일본의 고령자복지와 고용촉진에 관한 연구〉, 배재대학교 석사학위논문, 2005.

신명호, 〈한국사회의 새로운 빈곤 혹은 사회적 배제〉, 《도시와 빈곤》 67, 2004.

오현주 · 옥은실, 〈종로3가, 우리가 몰랐던 서울의 '섬': 노인들의 아지트 만들기〉, 《문화과학》 86, 2016.

이강원, 〈공공 공간의 전유와 배제 논리: 1990년대 후반부터 2000년대 초반까지 탑골공원의 사례〉, 《대한지리학회지》 48(6), 2013.

이도희 · 김억, 〈지하철역을 중심으로 한 도시노인의 접근유발요소 분석〉, 《국토계획》 43(5), 2008.

이민규 · 원영신 · 홍미화, 〈종로탑골공원과 종묘공원이용 남성노인의 여가문화의 의미 분석〉, 《한국사회체육학회지》 43(1), 2011.

이소영 · 김혜정, 〈노인의 공원 시설 이용 특성연구 – 탑골공원을 중심으로〉, 《대한건축학회 학술발표논문집 계획계》 23(1), 2003.

이영아 · 김지연, 〈공공공간에서 노숙청소년의 대인관계와 일상생활에 관한 연구〉, 《한국도시지리학회지》 19(1), 2016.

전종한, 〈도시 뒷골목의 장소 기억: 종로 피맛골의 사례〉, 《대한지리학회지》 44(6), 2009.

정원오, 〈빈곤의 담론〉, 《통합과 배제의 사회정책과 담론》 7, 2003.

정유선 · 최막중, 〈노인의 일상 여가장소로서 도심공원 방문 결정요인: 규모와 거리 효과를 중심으로〉, 《국토계획》 49(1), 2014.

정은혜, 〈관광객 시선으로 본 다문화 공간의 경관 해석 – 안산시 원곡동을 사례로 –〉, 《한국사진지리학회지》 29(2), 2019.

조현연 · 김정석, 〈고령화 사회, '노인빈곤' 문제와 한국 정치〉, 《민주사회와 정책연구》 30, 2014.

하성규 · 서종녀, 〈공공임대주택과 사회적 배제에 관한 연구〉, 《주택연구》 14(3), 2006.

〈노인 빈곤율 OECD 1위 … 8%만 노후 대비〉, 《KBS》 2021년 5월 10일자.

〈서울시에서 65세 이상 고령자가 많이 찾는 지역은?〉, 《서울인포그래픽스 제3호》 2012년 10월 15일자.

〈실버가 즐겁다 … 탑골공원 일대에 '락희거리'〉, 《중앙일보》 2016년 12월 1일자.

〈어르신들의 홍대 만든다더니, 노숙인 · 쓰레기더미가 점령한 락희거리〉, 《헤럴드경제》 2017년 7월 25일자.

〈종묘 · 탑골공원 어르신문화거리 조성〉, 《뉴스 서울: 서울특별시 – 복지》 2016년 10월 21일자.

〈'죽여주는 여자' 그 여자의 항변〉, 《이동진의 어바웃 시네마》 2016년 10월 6일자.

A. A. Lequian, V. Tewari & L. M. Hanley, *The Inclusive City: Infrastructure and Public Services for the Urban Poor in Asia*, Washington D.C: Woodrow Wilson Center Press, 2007.

K. K. Shrestha, *Inclusive Urbanization: Rethinking Policy, Practice, and Research in the Age of Climate Change*, New York: Routledge, 2015.

M. Wachs, *Transportation for the Elderly: Changing Lifestyles, Changing Needs*, Berkeley: University of California Press, 1979.

N. Espino, *Building the Inclusive City: Theory abd Practice for Confronting Urban Segregation*, New York: Routledge, 2015.

P. Wallace, *Age-quake: Riding the Demographic Rollercoaster Shaking Business, Finance and our World*, London: Nicholas Brealey Publishing, 2001.

R. Sennett, *The Fall of Public Man*, New York: Norton, 1992.

S. Zukin, *The Culture of Cities*, Cambridge: Blackwell, 1995.

T. Cresswell, *Place: A Short Introduction*, Oxford: Wiley–Blackwell, 2004.

H. Falcocchio, H. Kaufman & P. Kramer, "Travel Patterns and Mobility Needs of the Physically Handicapped," *Transportation Research Record* 618, 1976.

J. Gerometta, H. Haussermann & G. Longo, "Social Innovation and Civil Society in Urban Governance Strategies for Inclusive City," *Urban Studies* 42(11), 2005.

L. Malkki, "National Geographic: The Rooting of Peoples and the Territorialization of National Identity among Scholars and Refugees," *Cultural Anthropology* 7(1), 1992.

R. Atkinson, "Combating Social Exclusion in Europe: The New Urban Policy Challenge," *Urban Studies* 37(5-6), 2000.

S. Kenyon, G. Lyos & J. Rafferty, "Transportation and social exclusion: investigating the possibility of promoting inclusion through virtual mobility," *Journal of Transport Geography* 10, 2002.

W. Bell, "Mobility and Specialized Transportation for the Elderly and for Disabled Persons: A View from Selected Countries," *Transportation Research Record* 1179, 1988.

국가법령정보센터(www.law.go.kr)

네이버 지도(https://map.naver.com)

한국경제연구원(http://www.keri.org/web/www/home)

3부

모바일 공동체의 윤리

이주여성의 공동체 미디어 참여가
문화적 시민권 구축에 미치는 영향
: 부산 지역 〈베트남 목소리〉 팟캐스트 사례를 중심으로

정의철 · 정미영

이 글은 《韓國言論學報》 제62권 제5호(2018)에 게재된 원고를 수정 및 보완하여
재수록한 것이다.

들어가는 말: 이주의 시대, 이주민의 '목소리 내기'

 '이주의 여성화feminization of migration'가 가속화되면서 이주여성과 이들이 구성한 다문화가정이 소수집단으로 부상하고 있는 가운데, 국제결혼 여성이나 이주노동자의 자녀, 중도입국 청소년의 교육과 적응 문제, 복지와 인권문제 등이 양산되고 있다.[1] 이주여성은 해체된 가족을 봉합하는 역할이나 가사/돌봄노동을 맡는 경향이 있다.[2] 이들의 다수는 권리의 주체가 아니라 다른 권리 보유자와 연결된 '의존자'로서 입국하며, 이들의 권리는 남성의 권리로부터 파생되는 의존성을 갖는다.[3] 한편, 미디어는 이주민에 대한 편협하고 왜곡된 이미지를 재생산하고 확산하는 통로가 되고 있다. 이른바 '다문화 방송 프로그램'은 물론 오락 프로그램 · 영화 등에서는 이주여성을 '문제화', '신비화'하고 이들의 삶을 탈맥락화하고 타자화한다.[4] 즉, 이주여성들은 가난한 나라에서 가난한 시댁으로 시집온 '온순하고 운명 순응적인 여인'이라는 '동질화'된 집단으로 그려지며, 이러한 재현 방식은 2005년 KBS TV에서 〈러브 인 아시아〉가 시작된 이래 다문화프로그램들에서 지속되고 있다.[5] 결국 이주여성은 한국 사회가 보고 싶어 하는 이미지로 재현되고, 스스로 말할

---

1 전경옥, 〈여성 이주노동자 권리 관련 국제규범과 한국의 여성 이주노동자 인권정책〉, 《다문화사회연구》9(1), 2016.

2 소영현, 〈징후로서의 여성/혐오와 디아스포라 젠더의 기하학〉, 《대중서사연구》23(2), 2017.

3 황정미, 〈초국적 이주와 여성의 시민권에 관한 새로운 쟁점들〉, 《한국여성학》27(4), 2011.

4 안정임 · 전경란 · 김양은, 《다문화와 미디어교육》, 방송통신위원회, 2009.

5 안진 · 채영길, 〈공동체 미디어 실천과 다문화 정체성의 재구성: 결혼이주여성의 공동체 라디오 참여 활동과 권능화〉, 《한국방송학보》29(6), 2015.

수 있는 채널이 부재한 가운데 자신의 문화를 주장하는 것은 적응 의지가 없는 것으로 간주되는 사회적 압력에 직면해 있다.[6] 이처럼 이주민들의 다양성을 무시하고 이들을 주변화된 존재로 고정화하는 상황은 상호 소통을 방해하며, 이주민 스스로의 미디어 참여와 목소리 내기의 중요성을 부각시킨다.

교통과 통신기술의 발달, 국가 및 문화 간 인적·물적 교류의 증가는 다양한 문화 간 접촉을 증가시키고 있다. 이주가 국가-계급-젠더-인종 차원의 위계 구조와 상호작용하며 늘어나는 가운데 한국 사회는 '다문화'로 호명되는 이방인에게 여전히 배타적이며,[7] 이주노동자에 대한 부당한 대우와 인권침해, 이주여성이 겪는 의사소통과 가족관계의 문제, 다수 이주민이 겪는 경제적 어려움은 심각한 상황이다.[8] 김비환에 따르면, 단일민족주의와 이질성에 대한 관용 정도, 민주화와 인권의식, 시민사회 활성화, 국적/시민권에 관한 법률, 공교육이 다문화적 감수성과 포용성을 장려하는 정도, 이주민의 권리의식과 조직화 정도 등이 '다문화주의' 논쟁에 영향을 준다.[9] 이 점에서 한국 사회의 자원과 능력에 대한 평가에 근거하여 서구와는 다른 다문화주의 정책을 수립하고, 한국의 상황에 맞는 다문화주의 담론을 도출해야 한다. 이주민을 임시 거주자로 볼 것이 아니라 사회통합 차원에서 포용해야 한다는 요구가 커지

6 김현미, 〈이주자와 다문화주의〉, 《사회와 문화》 26, 2008.

7 소영현, 〈징후로서의 여성/혐오와 디아스포라 젠더의 기하학〉, 2017.

8 윤인진·이진복, 〈소수자의 사회적 배제와 사회통합의 과제: 북한 이주민의 경험을 중심으로〉, 《한국사회》 7(41), 2006.

9 김비환, 〈한국사회의 문화적 다양화와 사회 통합: 다문화주의의 한국적 변용과 시민권 문제〉, 《법철학연구》 45(4), 2007.

는 가운데,[10] 이들에게 어떤 권리를 부여할지를 중심으로 다문화사회에 부합하는 '시민권citizenship' 논의가 전개되고 있다. 전통적인 '시민권'은 국민국가 안에 속한 시민의 자격을 의미하는 개념으로, 이에 따르면 시민은 국경 내에서 보편적 권리를 누릴 수 있는 자격을 부여받는다.[11] 반면, 이주민 증가의 현실과 이들의 권리 주장은 국가를 전제로 하는 국적과는 다른 시민권을 요구하고 있다.[12] 즉, 국적과 시민권을 동일시하면 국적 없는 이주민은 시민권이 없게 되지만, 국적 없이도 시민적 권리를 누리는 장기체류 외국인이 늘어나고 있고, 국민이면서 동시에 유럽공동체의 시민권을 갖는 유럽연합처럼 국적과 시민권이 동일하지 않은 상황들이 늘어나고 있다.

다문화 맥락에서의 시민권은 구성원들이 그들의 이슈와 문화를 제약 없이 표현하고, 그들의 정체성과 문화를 인정받을 수 있는 권리인 '소통권the right to communicate'에 토대를 둔다. 소통권은 정보의 습득, 공유, 생산에 있어서 다양한 지역과 공동체의 참여에 근거한 상호 교류와 소통에 기반해 구성된다.[13] 새로운 시민권의 핵심은 소통권을 바탕으로 한 구성원들의 목소리 내기와 상호 소통이며, 다양한 목소리가 표현되고 경청되는 조건과 함께 이들의 일상에 영향을 주는 담론의 공정함을 요구한다. 특히, 이주민들은 출신국과 거주국 모두와 연결되는 정보

---

10   전경옥, 〈여성 이주노동자 권리 관련 국제규범과 한국의 여성 이주노동자 인권정책〉, 2016.

11   조희원, 〈새로운 시민의 등장과 한국의 다문화현상: 결혼이주여성을 중심으로〉, 《세계지역연구논총》 33, 2015.

12   조동기, 〈이주자에 대한 사회적 거리와 시민권에 대한 태도〉, 《한국인구학》 33(3), 2010.

13   채영길, 〈다문화사회와 상호주관적 소통권: 미디어 중심에서 커뮤니티 중심의 커뮤니케이션을 위하여〉, 《커뮤니케이션이론》 9(4), 2013.

· 문화 욕구를 갖고 있고, 이주민 관련 채널과 주류 미디어 모두를 이용하며,[14] 가부장주의에 저항하고 다양성 인정을 위한 운동에 나서기도 한다.[15] 이들은 다양한 채널을 통해 초국적 소통을 함으로써 그들의 복합적인 정체성을 재구성하고 그들의 다른 권리들을 주장하는데,[16] 이 과정에서 '소통권'이 매개 역할을 한다. 이주민 등 소수자들이 소통권을 매개로 이슈와 정체성·담론을 주장할 수 있고 다른 기본권도 실현할 수 있다는 점에서,[17] 소통권은 다문화 맥락에서 필요한 시민권의 토대가 된다.

킴리카와 노먼Kymlicka & Norman은 확장된 시민권 개념을 제시했는데,[18] 이는 현재 진행되는 지구화와 다문화 맥락에서 시사점이 크다. 이들이 주장한 '법적 지위로서의 시민권citizenship as legal status'은 정치공동체 내에서의 완전한 '성원권'을, '바람직한 행동으로서의 시민권citizenship as desirable activity'은 시민권의 질적 차원으로서 공동체에서의 참여와 책임감을 뜻한다. 법/제도적 권리나 차이에 대한 인정을 넘어 생활세계에서의 소통과 교류를 통해 시민권의 두 번째 속성인 '시민으로서의 행동과 참여'가 이루어지며, 이는 생활 속에서 실질적 시민성이자 시민성의

---

14 M. Georgiou, "Diasporic media across Europe: Multicultural societies and the universalism-particularism continuum," *Journal of Ethnic and Migration Studies* 31(3), 2005.

15 이소영, 〈여성결혼이민자의 네트워크가 다문화 시민권리에 미치는 영향: 광주·전남지역을 중심으로〉, 《다문화 교육연구》 7(1), 2014.

16 R. S. Hedge, *Mediating Migration*, Cambridge: Polity Press, 2016.

17 채영길, 〈다문화사회와 상호주관적 소통권: 미디어 중심에서 커뮤니티 중심의 커뮤니케이션을 위하여〉, 2013.

18 W. Kymlicka & W. Norman, "Return of the Citizen: A Survey of Recent Work on Citizenship Theory," *Ethics* 104(Jan), 1994.

인정과 행사의 근간이 된다. 실제로 미국의 소수인종, 재일조선인, 유럽에서의 이민자 집단 등은 몇 세대에 걸쳐 그 나라에 살아왔고 국적이 있지만, 문화적으로 주변화되어 있거나 차별 대상이 되며, 주류 집단과 동등한 시민권을 행사하기 어려운 경우가 많다.

본 연구는 소통권을 정보 공유, 문화적 생존, 공동체 구성과 연대, 정체성과 신념의 표현 등을 위한 권리를 뜻하는 '문화권'[19]을 포괄하는 시민권의 핵심으로 보면서 베트남 이주여성들이 모국어로 제작한 팟캐스트 방송 〈베트남 목소리Tieng Noi Viet〉에 주목했다. 일상이 전개되는 마을에서 주민들의 미디어 실천과 문화적 실천을 분석한 선행 연구들을[20] 바탕으로, 가정이라는 사적 공간에서 제약받았던 이주여성들의 목소리 내기와 그에 따른 문화적 실천과 일상의 변화에 초점을 두었다. 공동체 미디어는 여성 · 지역 · 소수자 · 인종 · 환경 · 노동 · 문화 등의 공동체활동과 연결되고, 라디오 · 신문 · 텔레비전 · 인터넷 등을 통한 사회적 · 정치적 운동을 포괄하며, '지역'을 기반으로 공동체의 요구에 따라 다양한 방식으로 작동한다.[21] 이 점에서 〈베트남 목소리〉는 부산 지역에서 이주여성이 주체가 되어 인터넷을 수단으로 이주민이 겪는 이슈와 그들의 문화를 다루었다는 점에서 공동체 미디어 활동으로 볼 수

---

19 장미경, 〈한국사회 소수자의 시민권의 정치〉,《한국사회학》32(6), 2005.

20 김영찬 · 반명진, 〈지역공동체 구성원들의 공동체 미디어 실천에 대한 고찰: '창신동라디오 〈덤〉' 현장에 대한 참여관찰을 중심으로〉,《한국언론학보》62(3), 2018; 이혜진, 〈일본의 다문화공생 개념과 커뮤니티 라디오방송국 FMYY〉,《경제와 사회》, 2012; 장지은, 〈여성주의 실천 전략으로 바라본 공동체 미디어: 대구, 경산 공동체 미디어 실천 활동을 중심으로〉,《한국여성학》34(1), 2018.

21 장지은, 〈여성주의 실천 전략으로 바라본 공동체 미디어: 대구, 경산 공동체 미디어 실천 활동을 중심으로〉, 2018.

있다. 한편, 소통권에 토대를 두는 '문화적 시민권cultural citizenship'은 법적 지위를 넘어 일정한 의무를 실천하는 외국인에게 부여되는 '성원권membership' 성격을 가지며, 집단과 시민들 간 상호인정을 지지하는 권리이다.[22] 문화적 시민권은 시민적 · 정치적 · 사회적 시민권의 확장이며, 전통적 시민권 영역인 권리나 자유뿐 아니라 정체성 · 소속감 · 참여 · 책임 같은 문화적 권리와 의무를 실천하는 노력과 구성원 간 상호인정을 강조한다.[23] 이 점에서 미디어를 통한 목소리 내기는 '문화적 시민권'을 위한 상호소통과 인정의 토대가 될 수 있다. 이 연구는 〈베트남 목소리〉 방송에 참여했거나 방송을 청취한 이주여성과 이 방송을 정책적으로 지원한 관계자 인터뷰를 통해 〈베트남 목소리〉의 배경과 과정 · 성과를 논의하고, 다문화 맥락에서 요구되는 시민권에 어떻게 기여했는지를 탐색하고자 한다.

미디어에 나타나는 이주민과 이주민의 미디어 참여

이주민은 '이주'라는 부분적 정체성으로 전체 정체성을 규정당하고, '다문화' 또는 '이주민'으로 호명되면서 소수자의 위치를 갖는다. 이주민은 미디어를 통해 목소리를 냄으로써 적응의 어려움으로 위축된 자존감을 회복하고, 자신의 삶을 통제할 수 있는 능력을 갖추게 되며, 자

---

22 양한순, 〈다문화주의 시대 귀환 중국동포의 문화적 시민권: 대림동 사례를 중심으로〉, 《동북아문화연구》 45, 2015.
23 조동기, 〈사이버공간의 불평등 담론과 문화적 시민권〉, 《사회과학연구》 24(1), 2017.

신의 가치와 정체성을 회복하는 '권능화empowerment'를 경험하게 된다.[24] 이주민의 미디어 참여는 그들의 '소통권'을 실천함으로써 이주민의 문화와 주장이 사회에서 존중받을 수 있는 기반이 되며 '문화적 시민권' 구축에도 기여할 수 있다. 즉, 이주민은 소통권을 매개로 그들의 문화와 이슈를 표현하고 주장함으로써 다문화사회에서 발언과 표현의 주체가 될 수 있다. 한편, 시민사회는 일상적인 민주적 커뮤니케이션 관행을 제도화해야 하는데, 이 과정에서 국가로부터 독립적인 시민단체의 참여가 필요하다.[25] 이를 위해 시민사회에서 이루어지는 이주민과 선주민의 상호작용을 정책을 통해 제도화하고, 이주민 주체 미디어나 이주민 자조단체들이 적극적으로 참여하도록 기회와 역량을 부여해야 한다. 이주민은 초기 적응 단계에는 '다문화가족지원센터'를 통해 정보적·사회적·감성적 지지를 제공받고, 적응기에 들어서면 이주민 공동체·이웃·시청자미디어센터·시민단체 등을 통해 지지를 받는다.[26] 이 점에서 이주민의 미디어 참여는 지역에서 이주민 공동체의 정보 교류와 연대를 강화하고, 그 공동체를 '권능화'하는 데 기여할 수 있다.

주류 미디어와 국가 담론이 이주민을 위험의 대상으로 고정관념화해 이들에 대한 불안과 불만을 증폭시키는 가운데,[27] 이주민은 자신의 이미지나 이슈를 표현할 수 있는 권리조차 부재한 가운데 소통권을 실천

---

24 안진·채영길, 〈공동체 미디어 실천과 다문화 정체성의 재구성: 결혼이주여성의 공동체 라디오 참여 활동과 권능화〉, 2015.

25 N. Stevenson, "Cultural citizenship in the 'cultural' society: a cosmopolitan approach," *Citizenship Studies* 7(3), 2003.

26 원숙경, 〈다문화가정 소통권 확보를 위한 미디어교육정책에 관한 연구〉, 《언론학연구》 21(4).

27 R. S. Hedge, *Mediating Migration*, 2016.

하기 어려운 상황에 있다. 이주민과 다문화에 대한 미디어의 '불공정한' 재현에 대한 비판도 커지고 있다. 공익광고는 신자유주의적 통치술에 따라 다문화가정만을 대상으로, 국가경쟁력을 강화할 인적자원의 관점에서만 이주민과 그 자녀들을 묘사하고, 이로써 '글로벌 인재'로 호명받지 못한 이주민들은 주변화 또는 비가시적 존재로 전락하며, 이들의 권리는 공론장에서 배제된다.[28] 뉴스에서도 백인은 영어로, 이주노동자/결혼이주여성은 한국어로 인터뷰해 인종에 따른 언어 권력의 작동을 보여 준다.[29] 〈비정상회담〉에서는 한국인 진행자들이 외국인 출연자의 발음을 희화화하고, 그들의 발언을 한국인 입장에서 정리하면서 타자를 '나'로 환원하기도 하며, 이런 현상은 외국인 · 노인 · 어린이 · 장애인 · 이주민 등이 등장하는 프로그램들에서 자주 나타난다.[30] 2015년 7월 기준 〈비정상회담〉의 출연자 12명 중 백인이 9명, 유색인이 3명이며, 유색인들도 연예인급이고 이들의 정체성, 직업, 학벌, 서구화된 외모나 예능적 요소를 고려하면 평범한 유색인을 대변하지 못한다.[31] 〈다문화 고부열전〉은 결혼이주 문제를 한국식 가족제도로 단순화시키고, 내레이션이나 자막을 통해 다른 나라/문화를 단정적으로 규정하거나 복잡한 타자의 상황을 정형화한다.[32] 아시아인이 주로 나온 〈러브 인 아

---

28 한선, 〈공익광고가 재현하는 한국식 '다문화주의'에 대한 비판적 독해〉, 《디아스포라연구》 9(2), 2015.

29 주재원, 〈다문화 뉴스 제작 관행과 게이트키핑의 문화정치학〉, 《한국콘텐츠학회논문지》 14(10), 2014.

30 이희은, 〈무례한 미디어 매개된 경험과 타자의 삶〉, 《한국방송학보》 31(3), 2017.

31 안진, 〈나는 왜 백인 출연자를 선호하는가: 어느 TV제작자의 자기민속지학적 연구〉, 《미디어, 젠더 & 문화》 30(3), 2015.

32 이희은, 〈무례한 미디어 매개된 경험과 타자의 삶〉, 2017.

시아〉에서는 한국에 잘 적응했다는 해피엔딩이 주류인 반면 백인이 많았던 〈미녀들의 수다〉에서는 오히려 한국문화 희화화가 중심이 되었는데, 이는 인종에 따른 상이한 담론 구성을 뜻한다.[33] 이러한 주류 미디어의 고정관념적 재현에 대한 이주민들의 집단적 실망이 이들의 미디어 참여의 배경이 되었다는 연구 결과도 제시되었다.[34]

소수자는 성, 연령, 신체/정신장애, 인종/민족, 종교, 사상, 경제력, 성적 취향 등의 이유로 지배적으로 간주되는 기준이나 가치와 상이한 처지에 있는 사람들을 의미한다.[35] 한편, 소수자는 약자가 아닌 새로운 것을 창조하는 주체이자 자기를 긍정하면서 표준화된 것을 거부하는 집단이기도 하다.[36] 이주민은 소수자의 특성을 갖지만, 정착지와 본국과 연결되면서 초국적인 사회관계와 정체성을 구성하고, 다수자 중심의 권력과 담론 지형에 맞서 목소리 내기를 통해 주체가 될 수 있다. 그러나 이주민들은 공식 채널을 통한 소통에서 제약이 크기 때문에 대안 채널을 통해 그들의 정치 · 경제 · 문화적 권리들을 주장하게 된다. '팟캐스트' 등의 미디어 참여를 통해 '소통권'을 실천하고 다양한 권리들을 주장함으로써 '권능화'를 모색하는 것이다. 한편, 다문화주의 실현을 위해서는 노동권 등 물질적 권리 확보와 관련한 '분배의 정치politics of redistribution'와 정체성과 문화적 인정에 초점을 두는 '인정의 정치

---

33 안정임 외,《다문화와 미디어교육》, 2009.

34 H. Y. Lee, "At the cross roads of migrant workers, class, and media: a case study of migrant workers' television project," *Media, Culture & Society* 34-3, 2012.

35 윤인진 · 이진복, 〈소수자의 사회적 배제와 사회통합의 과제: 북한 이주민의 경험을 중심으로〉, 2006.

36 윤수종, 〈소수자와 교육〉,《진보평론》38, 2008.

politics of recognition' 간 상호보완이 요구된다.[37] 또한 '대화적인 시민사회 a communicative civil society'는 공중이 서로의 관점으로부터 배울 수 있는 문화적 시민권 영역을 만들어 내며, 이를 통해 다양한 이들이 자신의 권리를 주장할 수 있다.[38] '문화적 시민권'은 모든 구성원이 공적 영역에서 목소리를 낼 수 있음을 전제로 국가 규제가 아니라 시민의 이성적 사유 능력과 표현에 의해서 획득되며, 미디어와 문화는 문화적 시민권 실현의 장이 된다.[39] 특히, 다문화 맥락에서는 문화적 시민권의 토대가 되는 미디어 참여를 통한 목소리 내기, 이를 통한 상호 소통과 인정의 중요성이 더욱 커진다.

지역에 근거한 미디어 참여는 일상에 초점을 두며 목소리를 내지 못했던 사람들에게 가해진 차별과 불평등을 조명하고, 권력과 획일적 시선에 의해 주변화된 이슈들을 새롭게 해석하게 한다는 점에서 대안운동이 된다. 또한, 개인적이거나 사적인 것으로 여겨져 온 것을 공통의 관심사로 다루고, 다수에 의해 무시된 것을 의제로 삼으며, 담론 자원이 빈약한 유색인종 · 여성 · 성적소수자 등이 '대항적 공공영역'에서 자신들만의 담론 공간을 만들고 외부에서 부여된 해석을 문제시하고, 자신의 존재를 긍정적으로 재정의하는 실천을 추진할 수 있게 한다.[40]

---

37 채영길, 〈다문화사회와 상호주관적 소통권: 미디어 중심에서 커뮤니티 중심의 커뮤니케이션을 위하여〉, 2013.

38 문화적 시민권은 소수자가 그들의 사회적 투쟁을 가시적이게 만들고, '정상성 normalization'의 가정들을 해체하며, 대화적 관여의 가능성을 열어 두면서 참여를 강조함으로써 실현된다(N. Stevenson, "Cultural citizenship in the 'cultural' society: a cosmopolitan approach.")

39 이희은, 〈문화적 시민권과 문화연구의 만남에 대한 모색〉, 《언론과 사회》 18(2), 2010.

40 장지은, 〈여성주의 실천 전략으로 바라본 공동체 미디어: 대구, 경산 공동체 미디어 실

이주민은 대등한 이웃이기보다는 이주민의 범주 속에서 결혼이주민 · 이주노동자 · 유학생으로 취급되는 가운데 지역사회에 참여하는 경우가 드물며, 지역 공론장에서 발언권을 행사하기도 어렵다.[41] 이 점에서 지역에서 이주민의 미디어 참여는 그들의 소통권 강화와 '권능화', 나아가 문화적 시민권 획득 측면에서 의미가 크다. 이주민 등 소수자가 미디어를 적극 활용한다면 일방적 재현의 대상에서 표현과 재현의 주체로 변모할 수 있다.[42] 이주민의 목소리 내기를 위해서는 팟캐스트 등 이주민의 참여가 용이한 미디어 채널을 조직하고, 활용하는 것이 중요하다. 이들이 쉽게 참여할 수 있는 유연한 구조 속에서 목소리를 내며 자신들의 권리를 실천할 수 있어야 한다.[43] 이주민 등 지역민들의 미디어 참여는 지역공동체와 구성원 간 접점을 만들고, 미디어 제작을 넘어 지역에서 주체로서 서로 간의 실질적인 만남과 상호작용을 강화시킨다.[44] 공동체 미디어를 통해 지역민은 지역공동체의 정체성과 문제의식을 공유하고, 개인적인 소통은 물론 지역 현안을 공론화하고 함께 목소리를 내며 운동을 전개함으로써 지역의 변화를 일구어 갈 수 있다.[45]

천 활동을 중심으로〉, 2018.

[41] 이혜진, 〈일본의 다문화공생 개념과 커뮤니티 라디오방송국 FMYY〉, 2012.

[42] 윤재희 · 유향선,《다문화의 이해: 주체와 타자의 존재방식과 재현양상》, 도서출판 경진, 2009.

[43] R. Silverstone & R. Georgiou, "Editorial Introduction: Media and minorities in multicultural Europe," *Journal of Ethnic and migration studies* 31, 2005.

[44] 김영찬 · 반명진, 〈지역공동체 구성원들의 공동체 미디어 실천에 대한 고찰: '창신동라디오 〈팀〉' 현장에 대한 참여관찰을 중심으로〉, 2018.

[45] 장지은, 〈여성주의 실천 전략으로 바라본 공동체 미디어: 대구, 경산 공동체 미디어 실천 활동을 중심으로〉, 2018.

2021년 신규 선정된 20개 방송사를 포함하여 현재 활동 중인 27개 공동체라디오와 2019년 기준 전국에서 활동하고 있는 317개의 마을미디어, 그리고 이주민 등 소수자들이 목소리를 내는 다양한 미디어들도 공동체 미디어에 포함된다. 김영찬·반명진에 의하면,[46] 구성원들은 마을 미디어를 통해 미디어 제작은 물론 공개방송·음악회·축제 등을 체험하고, 공동체에서 상호작용과 관계 맺음을 통해 변화를 경험한다. 그런 점에서 공동체 미디어는 지역이라는 공간의 상황, 지역공동체와의 관계 맺음 방식, 구성원의 미디어 실천 양상에 따라 역동적으로 변화하는 매체이다. **일본 고베**의 공동체라디오를 연구한 바에 따르면, 이주민들은 라디오를 통해 정보를 공유하고, 공론장에서 자신의 언어로 소통함으로써 문화권을 향유하며, 소수자로서 재현 공간을 확보하고 지역사회와 소통했다. 이 점에서 이주민은 미디어를 매개로 지역의 문제를 제기하고 대안을 모색하며, 정체성을 공유하고 지역민들과의 접점을 강화하면서 문화적 실천과 공론장의 주체가 될 수 있다. 공동체라디오인 '관악 FM'의 미디어 교육 사례에서도 이주민과 선주민은 교육 참여뿐 아니라 양육과 주거환경 등의 생활정보를 공유하고 사적 대화를 나누며 소통했다.[47] 아톤C. Atton은 미디어 생산에서 배제된 사람들 사이에서 민주적 커뮤니케이션이 이루어지려면 미디어가 탈전문화·탈자본주의화·탈산업화되어야 한다고 주장했는데,[48] 이 점에서 소수

46   김영찬·반명진, 〈지역공동체 구성원들의 공동체 미디어 실천에 대한 고찰: '창신동라디오 〈덤〉' 현장에 대한 참여관찰을 중심으로〉, 2018.

47   이창원·정의철·최서리·최영미, 《이주민 미디어 활용을 통한 사회통합 제고 방안연구》, IOM이민정책연구원, 2014.

48   C. Atton, *Critical making and social media*, MIT Press, 2014.

자의 미디어 참여가 지역과 마을 단위에서 참여와 민주주의, 그리고 자성적 네트워크 실천에 기여할 수 있다.[49] 열린 대화 공간이자 진입장벽이 낮은 팟캐스트 같은 미디어를 통해 이주민의 다문화성이 소통된다면, 이주민들이 사회 구성원으로서 정체성을 형성하고, 차별없이 소통하며, 나아가 문화적 시민권을 확보하는 토대가 형성될 수 있다.

이주의 시대, 시민권의 변화와 문화적 시민권의 부상

마셜T. H. Marshall에 따르면, 18세기의 시민권은 표현의 자유, 재산소유권, 법 앞의 평등과 같은 개인 권리를 강조했으며, 19세기에는 투표권 등 정치권력 행사의 기회를, 20세기에는 시민문화에 참여하기 위해 필요한 건강·교육·복지 등 사회적 측면을 강조했다.[50] 마셜은 시민권이 완전한 구성원에게 부여된 권리이며, 이를 소유한 사람들은 그 지위로부터 동등한 권리와 의무를 부여받는다고 보았다.[51] 그러나 몇 세기에 걸쳐 전개된 근대의 역사는 중복되거나 차별적 역사성을 가진 시민권 영역들을 낳았다. 정치적 시민권(거주와 투표할 권리), 경제적 권리(일하고 번성할 권리), 문화적 권리(알고 말할 권리)가 그것이며, 이는 정치적

49   D. McGillivray, G. McPherson, J. Jones, & A, McCandlish, "Young people, digital media making and critical digital citizenship," *Leisure Studies* 35(6), 2016.

50   J. A. Banks, "Diversity, Group Identity, and Citizenship Education in a Global Age," *Educational Researcher* 37(3), 2008.

51   A. Y. Paterson, R. T. Norgaard, & C. Koppe, "Patterns of Inclusion: Fostering Digital Citizenship through Hybrid Education," *Educational Technology & Society* 21(1), 2018.

권리, 물질적 이해와 문화적 재현에 관한 권리를 포함한다.[52] 시민권은 자유롭게 법적 행위를 하고 법적 보호를 요구할 수 있는 권리, 정치제도에 참여할 권리와 정치공동체의 '성원권'을 포괄한다.[53] 마셜의 시민권 개념은 국가를 국내외적 관계의 복잡한 연결망 속에서 보지 못했고, 정치가 안정된 국가 안에서만 작동한다고 가정했으며,[54] 제2차 세계대전 이후 이주로 인한 문화의 '혼종성'과 인종주의 대두 및 이주민의 요구를 고려하지 못했다.[55] 즉, 정치학적 관점에서 시민권은 공동체에 속할 수 있는 '완전한 멤버십full membership'이며, 시민권에 속한다는 공통된 느낌이 직접적 의미의 공동체 멤버십이 되고, 근대 국가의식 형성과 함께 대부분 국가에서 시민권과 국가는 자연스럽게 동일시되었다.[56] 하지만 이희은에 의하면,[57] 지구화와 다문화 현상 속에서 국가의 경계는 자연스럽지 않게 되었고, 생득적 공동체 외에도 다수의 공동체들이 경합하기 때문에 기존의 엄격한 법적 정의만으로 탈식민적·다문화적 환경에서의 문제들을 설명할 수 없게 되었다. 즉, '위에서부터'의 자격 부여에 초점을 두는 시민권은 시민의 목소리와 참여를 간과하기 때문에 수동적 시민권이라고 할 수 있다. 그에 비해 예컨대 개방적 플랫폼으로서

52 T. Miller, "Cultural citizenship," *MATRIZes* 4-2, 2011.

53 이용재에 따르면, 시민권은 정치적 공동체로서의 조건 없는 '성원권'을 뜻하며 이에 근거해 정치적 행위와 법적 보호를 요구할 수 있는 사회구성원의 권리로 확장된다(이용재, 〈결혼이주여성의 시민적 권리에 대한 고찰〉,《다문화와 인간》1(2), 2012, 241쪽).

54 N. Stevenson, "Cultural citizenship in the 'cultural' society: a cosmopolitan approach," *Citizenship Studies* 7(3), 2003.

55 J. A. Banks, "Diversity, Group Identity, and Citizenship Education in a Global Age," 2008.

56 이희은, 〈문화적 시민권과 문화연구의 만남에 대한 모색〉, 2010.

57 이희은, 〈문화적 시민권과 문화연구의 만남에 대한 모색〉, 2010.

이용자들이 콘텐츠를 제작/공유하고 직접 말할 수 있는 웹2.0은, 디지털 제작이 생산적 · 창의적 · 정치적 행동이고 인터넷을 통해 사회적 · 창의적 활동이 일상적으로 이루어진다는 점에서 '창의적 시민권creative citizenship'과 연결된다.[58] 즉, 이용자들은 '생비자prosumer'로서 사회적 · 정치적 · 시민적 요소를 가진 창의적 활동을 통해 목소리를 내며, 이를 통해 상호인정과 소통이 근간이 되는 문화적 시민권을 구축할 수 있다.

국적이 국민이 되는 형식적 자격이라면, 시민권은 정부에 등록됨으로써 발생하는 법적 지위이며 정치공동체 성원의 권리와 책임을 포괄한다.[59] 시민권은 법적 · 경제적 · 문화적 시민권 등의 하위 차원을 갖고 있고 무엇을 강조하느냐에 따라 그 의미가 달라지며, '우리는 누구인가', '누가 우리에 속하는가'라는 개념이 중요하다.[60] 서구의 시민권은 초기에는 사회계약을 할 수 있는 인간을 상정하고, 경제적 불평등은 고려하지 않았으며 여성이나 비백인을 배제했다.[61] 김비환에 따르면,[62] 17~18세기 자유주의/다원주의적 시민권 담론이 부상하면서 공적 시민으로서의 행동보다는 개인 정체성이 강조되고, 시민적 · 정치적 · 사회적(복지적) 권리 중에서 소유권과 종교/양심의 자유 등 시민적 권리 보호가 중요시되었다. 소수집단은 이러한 개인주의적 근대 시민권 제

58 D. McGillivray, G. McPherson, J. Jones, & A, McCandlish, "Young people, digital media making and critical digital citizenship," 2016.
59 조동기, 〈이주자에 대한 사회적 거리와 시민권에 대한 태도〉, 2010.
60 황정미, 〈초국적 이주와 여성의 시민권에 관한 새로운 쟁점들〉, 2011.
61 박관형 · 전희진, 〈긴장의 원천인 시민권: 시민권 담론의 다층성에 대한 이론적 검토〉, 《문화와 정치》 4(2), 2017.
62 김비환, 〈한국사회의 문화적 다양화와 사회 통합: 다문화주의의 한국적 변용과 시민권 문제〉, 2007.

도를 억압적이라고 보고 남성, 정상인, 주류문화 중심인 시민권의 불공정성을 비판했다.[63] 최근에는 이민자 2, 3세에게 시민권을 부여하는 등, 국민의 문화 통일성에 의존하던 시민권이 변화하고 있다.[64] '귀화된 시민권naturalized citizenship'이라는 전통적 관점 역시 20세기 후반 이민과 다문화주의 부상에 의해 흔들리게 되었고, 이는 문화적 소속감 문제와 물질적 불평등과도 연결된다.[65] 시민권이 등장했던 근대사회 형성기에도 시민은 국경 내에서 재산과 교양을 가진 계층에 제한되었고, 특히 공화정 관점에서 시민은 자유와 평등에 기초한 보편적 개념이어야 하지만 도시/국가 안에 거주하는 모두를 포괄하지는 않았다.[66]

최근 우리 사회에서는 이주와 관련해 가부장적 구조와 일방향적 정책이 계급, 젠더, 민족 요인들과 중첩되면서 불평등 문제가 심화되고 있다.[67] 결혼이주여성은 출산, 육아, 남편/시부모 봉양, 농사일과 파트타임 일까지 떠맡고 있고 가부장주의 문화를 강요당하며,[68] 가정과 직장·사회에서 차별적 관행에 노출되어 있다. 사적 영역으로 분류되어 온 결혼/가족관계를 위한 이주는 개방되어 있는 것 같지만 사실은 입국/국적에 전제된 의존성으로 인해 이주여성이 주체가 되는 것을 막고 있으며, 남성의 경제력이나 이민법상 지위에 변동이 발생하거나 가족관

---

63 이용승, 〈다문화시대의 시민권 아포리아: 누가 시민이며 시민권 향유의 주체는 누구인가〉, 《한국정치학회보》 48(5), 2014.

64 최현, 〈탈근대적 시민권 제도와 초국민적 정치공동체의 모색〉, 《경제와사회》 79, 2008.

65 T. Miller, "Cultural citizenship," 2011.

66 이희은, 〈문화적 시민권과 문화연구의 만남에 대한 모색〉, 2010.

67 전경옥, 〈여성 이주노동자 권리 관련 국제규범과 한국의 여성 이주노동자 인권정책〉, 2016.

68 엄한진, 《다문화 사회론》, 소화, 2011.

계가 해소되면 이주여성들의 시민권은 위협을 받는다.[69] 이러한 상황에서 시민으로서의 역량 강화, 참정권 행사 등의 정책을 통해 이주민들에게 자긍심을 부여하고,[70] 그들의 교육받을 권리, 문화적 표현의 권리, 미디어 참여 권리를 보장하는 것이 매우 중요하다. 소수자들은 연대와 운동을 통해 그들의 인권과 정체성에 대한 사회적 승인을 획득하고, 현시적·잠재적 차별에 저항한다.[71] 특히, 미디어를 통해 '연결된 이주민'들은 그들의 정체성을 표현하고 삶의 개선을 주장하는 주체로 변모할 수 있다.[72] 한편, 이주민들이 미디어를 통해 공동체를 구성하고 공동체에 대해 교육받으며 정치와 문화의 이분법을 극복하면서 시민의 권리와 의무를 행사하는 가운데, 미디어는 표현의 자유라는 인권 보장 통로이자 시민권이 주장되고 구성되는 장의 역할을 한다.[73]

'플랫폼 정치platform politics' 시대에 소셜네트워크 플랫폼의 소유주는 모두 대기업이다. 무엇을 보여 주고 어떻게 조직하고 무슨 기술을 허용할지를 기업들이 결정하면서 이용자들의 소통의 권리를 침해할 수 있다.[74] 그럼에도 불구하고 이용자는 팟캐스트나 웹진 제작, 사이버네트워킹 등을 통해 목소리를 내고 연대하며 사회운동과 정치에 참여할 수 있다. 특히, 주류 미디어가 외면하는 소수집단들이 공동체 미디어 등에

---

69 황정미, 〈초국적 이주와 여성의 시민권에 관한 새로운 쟁점들〉, 2011.

70 조희원, 〈새로운 시민의 등장과 한국의 다문화현상: 결혼이주여성을 중심으로〉, 2015.

71 전영평, 〈다문화시대의 소수자운동과 소수자 행정: 담론과 과제〉, 《한국행정학보》 42(3), 2008.

72 R. S. Hedge, *Mediating Migration*, 2016.

73 이희은, 〈문화적 시민권과 문화연구의 만남에 대한 모색〉, 2010.

74 D. McGillivray, G. McPherson, J. Jones, & A, McCandlish, "Young people, digital media making and critical digital citizenship," 2016.

참여해 목소리를 냄으로써, 문화적이고 참여적인 시민권이 인정되는 토대를 형성할 수 있다. 공동체 미디어는 직접적인 미디어 제작 참여 외에 실질적인 만남과 상호작용, 관계 맺기를 통해서도 개인과 공동체의 일상에 변화를 준다.[75] 이 점에서 미디어 제작뿐 아니라 이와 관련한 문화활동과 사회 참여, 상호작용과 관계 확대에도 주목해야 한다. 공동체 단위의 대안적 미디어 활동은 인정과 권리 형성의 토대이며, 소수자의 공론장 참여라는 점에서 다문화 맥락에서 필요한 시민권의 필수 조건이 된다. 다문화 상황에서는 시민과 비시민, 국적자와 비국적자의 경계가 초월되며,[76] 다양한 집단들이 정체성을 드러내고 소통하고 상호인정될 때 시민권이 구축된다. 특히, 이주민에게 구성원으로서 목소리를 낼 기회를 주는 것은 다문화 상황에서 시민권의 기초가 된다.[77] 이주민이 문화 표현과 사회적 인정, 공동체활동을 통해 시민권을 획득한다는 점에서, 평등하고 적극적인 발언의 기회인 소통권에 근거한 문화적 시민권의 역할이 중요하다.[78]

킴리카Kymlicka에 따르면,[79] 시민권은 국가가 시민을 보호하고 시민의 정체성 형성을 위해 발전시킨 제도이지만, 다문화 맥락에서는 새로운

75 김영찬 · 반명진, 〈지역공동체 구성원들의 공동체 미디어 실천에 대한 고찰: '창신동라디오 〈덤〉' 현장에 대한 참여관찰을 중심으로〉, 2018.

76 이용승, 〈다문화시대의 시민권 아포리아: 누가 시민이며 시민권 향유의 주체는 누구인가〉, 2014.

77 황정미, 〈초국적 이주와 여성의 시민권에 관한 새로운 쟁점들〉, 2011.

78 문화적 시민권의 핵심은 공간-시간의 압축과 권리-의무의 교차라는 두 축이며, 공간-시간의 압축은 전 지구화라는 배경을, 권리-의무의 교차는 일상생활의 정치화를 뜻한다(이희은, 〈문화적 시민권과 문화연구의 만남에 대한 모색〉, 2010.).

79 W. Kymlicka, *Multicutural citizenship*, Clarendon Press, 1995. (윌 킴리카, 《다문화주의 시민권》, 장동진 · 황민혁 · 송호 · 변영환 옮김, 동명사, 2010.)

시민권이 요구된다. 즉, 다양성을 존중하는 사회를 지향한다면 그에 적합한 시민권이 필요하며, 시민권은 '권능화'된 시민들의 목소리 내기와 사회 참여 등 자발적 행동을 통해 구축된다.[80] 킴리카의 주장처럼 여성 · 흑인 · 토착민 · 성적소수자 등은 사회경제적 신분보다는 정체성, 즉 그들이 가진 '차이' 때문에 더 큰 소외감을 느낀다. 킴리카에 따르면,[81] 자유주의에 기반한 좁은 개념의 시민권은 시민을 인종 · 종교 · 문화에 대한 고려 없이 동일하게 취급하는 보편적 속성을 갖지만, 다문화주의에 입각한 시민권은 문화 차이에 따른 '집단차별적 권리group-differentiated rights'를 지지한다. 즉, 문화 차이에서 비롯된 차별을 법 제도 중심의 시민권이 완화하지 못하기 때문에 '문화적 시민권'이 필요하다.[82] 이는 국가가 '위로부터' 부여하는 형식적 시민권이 아니라 차별 없는 일상이 이루어지는 상호 소통과 존중의 맥락에 바탕을 두며, 생활세계에서의 차별 없는 상호작용과 소통이 그 핵심이다. 따라서 '위로부터 부여되는' 법적 시민권의 수동적 수용과 제도에 대한 과도한 관심에서 벗어나 시민의 경제적 자립, 정치 참여, 바람직한 행동 등을 시민권 실천의 중요한 요소로 다루어야 한다.[83]

다문화 맥락에서 법이나 제도를 통한 권리 보장 못지않게, 이주민이 사회에서 차별 없이 행동하고 참여할 수 있는 조건이 중요하다. 이주민

80 D. McGillivray, G. McPherson, J. Jones, & A, McCandlish, "Young people, digital media making and critical digital citizenship," 2016.

81 W. Kymlicka, *Multicutural citizenship* 1995.

82 김현미, 〈이주자와 다문화주의〉, 2008.

83 W. Kymlicka & W. Norman, "Return of the Citizen: A Survey of Recent Work on Citizenship Theory," 1994.

은 국적이나 귀화 여부와 상관없이 주류사회로부터 차별받고 정치·경제·문화적 삶에서 불이익을 겪는 경우가 많다. 이는 제도의 문제이기도 하지만 비제도적인 인정의 문제 또는 사회적 담론과 연결되며, 이 점에서 문화적 시민권이 중요하다. 문제는 문화적 시민권이 어떻게 부여되고 상호인정될 수 있느냐이다. 스티븐슨N. Stevenson에 따르면,[84] 문화적 시민권에서 어떤 집단이 사회에서의 활동을 인정받고 포함되느냐, 또는 불인정되고 배제되느냐가 중요하며, 이는 다양한 공동체활동에 참여할 수 있는 조건이 된다. 기존의 시민권 논의가 구조에 집중해왔다면 지구화와 다문화 상황에서는 공동체에서의 참여와 행동, 정체성의 발현과 이와 연관한 차별의 여부로 시민권 논의를 전환해야 한다. 즉, 시민권을 법/제도적 권리와 의무 차원을 넘어 구성원 상호 간에 필요한 행동의 관점에서 논의해야 하며, 이 점에서 문화적 시민권이 중요하다. 문화적 시민권의 발현은 대중문화와 미디어를 통해 이루어진다. 즉, 미디어 재현을 통한 의미 생산과 문화적 행위의 실천이 시민권의 변화와 확장으로 가시화되는지,[85] 그리고 제도를 초월해 생활 경험에서 발생하는 소통의 맥락과 개인 생애사가 외부의 문화적 담론과 어떤 방식으로 연결되는지가 중요하다.[86]

---

84 N. Stevenson, "Cultural citizenship in the 'cultural' society: a cosmopolitan approach," 2003.

85 이희은, 〈문화적 시민권과 문화연구의 만남에 대한 모색〉, 2010.

86 조동기, 〈사이버공간의 불평등 담론과 문화적 시민권〉, 2017.

공동체 미디어와 〈베트남 목소리〉의 전개

안진과 채영길은 공동체라디오인 '관악FM'에서 이루어진 이주민의 제작 참여와 이를 통한 권능화 과정을 연구했다.[87] 모국어 방송인 〈굿모닝 세상의 아줌마들〉에 참여한 이주여성들에게 공동체라디오는 그들의 언어와 삶을 드러내고, 자신의 목소리가 구현되는 생동적인 공간이었고, 주류 미디어가 배제한 이주여성의 '목소리'를 들려준다는 점에서 상호주관적 소통을 매개하는 촉매제가 되었다. 또한, 이주민은 미디어를 통해 적응의 어려움으로 위축된 자신의 정체성/자존감과 삶의 의지를 높이고, '자신의 삶을 통제하고 지배할 수 있는 능력을 보유함으로써 자신의 가치와 정체성을 유지하고 회복하는 과정'인 '권능화'를 경험하였다. '이주민방송MWTV'이 주최한 라디오 제작 교육에 참여한 이주민들은 다양한 이주민들을 만나고, 제작을 통해 자신을 표현하고 공감의 폭을 넓히는 데 보람을 느꼈으며, 이를 통해 소통과 문화적 표현의 주체로 자리매김하면서 '권능화'를 경험했다.[88] 또한 '창신동라디오' 사례를 분석한 김영찬과 반명진에 따르면, 공동체 미디어 참여와 실천은 생생한 삶의 공간과 긴밀히 연결되며, 마을에서 미디어는 그 자체

---

87 안진·채영길, 〈공동체 미디어 실천과 다문화 정체성의 재구성: 결혼이주여성의 공동체 라디오 참여 활동과 권능화〉, 2015.

88 MWTV는 이주노동자의 목소리 내기를 통해 그들의 권리를 지키는 것을 목표로 2004년 12월 출범했으며, 보수정권 시기 침체기를 거쳐 최근엔 인터넷 라디오/영상방송과 웹진 제작, 이주민 미디어교육 등의 사업들을 강화하고 있다. (정의철, 〈이주민의 커뮤니케이션 권리와 역량강화: 이주민 미디어와 이주민 미디어교육을 중심으로〉, 《한국언론학보》, 2015)

로 사람과 사람의 관계라고 해석할 수 있다.[89] 한국 최초의 공동체라디
오인 '성서공동체FM'의 활동을 여성주의 실천 전략과 연결해 분석한
장지은의 연구에서는,[90] 공동체 미디어 활동이 참여의 권리와 직결되
고 친밀한 관계를 만들며, 비인격화된 관계가 지배적인 상황에서 인격
화된 관계 맺기를 통해 소통의 밀도를 높이고, 배제되어 있던 사람들이
그들의 이슈에 대해 목소리를 내고 담론을 형성하고 공론화할 수 있게
한다는 것을 보여 준다.

〈베트남 목소리〉는 '부산문화재단'의 문화다양성사업[91] 지원의 한 부
분으로 2012년 5월부터 2015년 12월까지 3년 8개월간 계속된 팟캐스
트 프로그램이다. 부산문화재단은 2012년부터 2017년까지 5년 동안
전국에서 최장기간 공모를 통해 문화다양성사업을 수행했다. 2012년
부터 2015년까지는 이주민과 선주민 교류 사업으로 〈다섯 손가락〉이
라는 프로그램을 진행하고, 2016년부터는 인종·민족·세대·여성·
성별 등 다양한 형태의 자기표현 중심으로 사업을 확대했다. 베트남 모
국어 팟캐스트 방송은 2015년 12월까지 진행하고 종료했다. 부산문화
재단의 문화다양성사업은 한국화 중심의 다문화 정책이나 교육과 달리

---

89 김영찬·반명진, 〈지역공동체 구성원들의 공동체 미디어 실천에 대한 고찰: '창신동라
    디오 〈덤〉' 현장에 대한 참여관찰을 중심으로〉, 2018.

90 장지은, 〈여성주의 실천 전략으로 바라본 공동체 미디어: 대구, 경산 공동체 미디어 실
    천 활동을 중심으로〉, 2018.

91 부산문화재단의 문화다양성 사업은 문화다양성에 대한 가치를 학습하고 공유하는 것
    을 주된 목표로 하였다. 따라서 기존의 다문화 사업과 달리 문화예술의 공감 기능 활용,
    존중과 보호, 이해와 배려의 실질적인 방법을 실험하고 실천하는 계기로 삼고자 했다.
    이에 함께 고민할 수 있는 진정성 있는 사람을 찾고, 스터디그룹을 구성하는 것이 중요
    하다고 판단하여 이주민 개개인을 만나 그들이 갖고 있는 문화적 욕구와 자부심을 파
    악하고, 다양한 네트워크와 연결하는 시도를 했다.

문화다양성 차원에서 모국 문화와 모국어 활용에 집중했으며, 상호 문화 교류 차원에서 다양한 문화를 이해하는 것을 목적으로 하였다. 부산 문화재단은 2012년 이주민과 선주민 대상의 공공사업을 위해 '다문화 가족지원센터' 등 관련 기관을 대상으로 조사했는데, 이들 기관들이 이주민에 대해 갖고 있는 인식이 부정적임을 알게 되었다고 한다.[92] 이에 부산문화재단에서는 이주여성 '리더'들을 직접 발굴하고자 이주민들을 최대한 많이 만나려고 노력하며, 1년간 327명을 인터뷰하였다. 인터뷰 시 나이·소득 등에 대한 질문보다는 자신의 강점과 재능, 모국에서 어떤 일을 했는지, 어디서 정보를 얻는지, 한국에서 자신의 모국 문화에 대해 소통할 때 어려운 점이나 교류하고 싶은 내용은 무엇인지를 질문했다. 질문이 답변을 유도한다는 점에서 인구통계학적인 상투적 질문보다는 이주여성이 가진 장점과 재능, 문화/정보 욕구, 사회적 지지와 정보를 얻는 경로, 이 과정에서의 장애 요인에 초점을 두면서 이주여성을 주체로 보고 이들을 이해하기 위해 노력했다고 한다. 이 인터뷰를 바탕으로 문화 교류를 위해서는 모국어로 말하는 것이 좋겠다는 판단을 내리고, 부산에서 처음으로 이주민이 모국어로 말하는 팟캐스트 방송을 기획하였다.[93] 인터뷰한 327명 중 87명이 베트남 출신으로 비중

---

[92] 부산문화재단에서는 2012년 문화다양성 사업을 시작하면서 '다문화 가족지원센터' 및 관련 기관들을 대상으로 먼저 조사를 실시했다. 그 결과 이주민에 대해 '한국문화에 대해 관심이 없다', '한국어를 모르면 안 할 것이다', '무료로는 참여할 것이다' 등 부정적 시각이 드러났고, 이에 따라 재단에서는 이주민 리더 발굴을 위해 연령·국적별로 다양한 이주민들을 직접 만나는 방식으로 인터뷰를 진행하면서 사업을 준비했다고 한다.

[93] 모국어 팟캐스트 방송 기획 과정에서 참여자를 모집했는데, 일부 기관들의 '이주여성들이 참여를 잘 안 할거다'라는 부정적 전망과 달리 경쟁률이 3:1이 될 정도로 많아 오디션을 통해 선정했다고 한다.

이 가장 높았고, 이들이 모국 문화를 이야기하고 싶은 욕구가 큰 것으로 판단되어 베트남 이주여성에 초점을 두었다고 한다.

〈베트남 목소리〉를 지원할 조직으로는 영상 미디어 교육과 다큐멘터리·라디오 제작, 출판 미디어 교육, 공동체 상영, 팟캐스트 미디어 교육 등의 일을 하는 부산의 사회적기업 '미디토리'가 선정되었다.[94] 미디토리가 참여자를 공모하고 선발한 후 방송 제작을 위한 미디어 교육과 송출 과정을 도와주었다. 1차 연도에는 미디토리와 '다문화가족지원센터'를 통해 참가자를 모집했고, 베트남 이주민 공동체가 잘 형성되어 있어서 2차 연도부터는 이 공동체 조직을 통해 참가자를 모집했다. 처음 2년 동안은 부산문화재단에서 직접 함께했고, 3차 연도부터는 미디토리에서 전반적인 진행을 맡았다. 방송 초반에는 다양한 국적의 이주민 20명 정도가 참여해 일주일에 1회 60분씩 방송했으며, 리포터 형식으로 각자 맡은 코너를 자료 조사/취재하고, 원고를 작성하고, 방송을 제작했다. 2차 연도부터는 베트남인으로 모집을 제한했고, 마지막에는 베트남인 7명(여성 6명, 남성 1명)이 참여했다. 이는 이주민 공동체가 참가자 모집 단계에서부터 적극 참여하면서 미디어 활동의 주체가 되었음을 알 수 있게 한다.[95] 또한, 모국어 팟캐스트 방송의 특성상 한국과 베트남 등 각지에 있는 베트남인들이 〈베트남 목소리〉를 편하게 듣고

---

94 '미디토리meditory'는 미디어media와 스토리story를 합친 말로 '미디어로 이야기를 디자인한다'는 모토로 2011년에 구성된 부산의 사회적 기업이다. 다큐멘터리, 라디오 제작, 출판, 영상과 사진, 글쓰기 등의 미디어 교육, 공동체 상영, 연구, 팟캐스트까지 미디어 관련 전반적인 일을 하고 있다.

95 팟빵Podbbang에서 〈베트남 목소리〉 다운로드는 월 2,500건이었다. 모국어 방송 중 인기 방송으로 인식되었고 나라별 방송 송출 횟수로 베트남이 1위였다고 한다.

사연을 전하는 등 다양한 형태로 참여할 수 있었으며, 이를 통해 초국적인 네트워킹과 정체성이 형성되는 계기가 되었다고 해석된다.

〈베트남 목소리〉 사례

2016년 부산 지역의 결혼이주민은 6,672명이며 그중 여성은 5,688명(85.3퍼센트)이다.[96] 이들 중 베트남 출신이 많았고, 이들이 적극적으로 문화활동이나 자원봉사에 참여한다는 점에 주목해 베트남 이주여성들의 미디어 참여 사례를 연구 대상으로 선택했다. 이 연구는 이주민을 연구의 참여자이자 사회 변화의 동반자로 보는 '질적연구기법'에 근거했다. 연구참여자들을 연구의 대상이 아니라 연구를 함께 진행하는 참여자로 간주하고 상호작용했으며, 이들의 경험과 의견을 바탕으로 연구의 방향을 조율했다. 〈베트남 목소리〉에 참여했거나 청취한 경험이 있는 이주여성 5명과 베트남 공동체에 참여하고 있는 이주여성 3명, 〈베트남 목소리〉를 기획하고 준비한 부산문화재단과 미디토리 관계자, 그리고 방송을 녹음하고 송출하는 시설로 이용된 '부산시청자미디어센터'의 관계자, 지역에서 베트남어 방송을 하고 있는 '부산영어방송'의 편성책임자와 심층인터뷰를 실시했다. 이를 통해 〈베트남 목소리〉의 배경과 맥락, 그리고 문화적 시민권 실천과의 관계에 대해 알아보았다. 연구문제는 구체적으로 ① 〈베트남 목소리〉를 통한 이주여성의 미디어 참여

---

96 행정안전부, 〈지방자치단체외국인현황: 시도별 외국인 주민현황〉, 2017년 7월.

는 어떻게 진행되었는가, ② 〈베트남 목소리〉 참여가 문화적 시민권 구축에 어떠한 영향을 주는가로 설정하였다..

1차 심층인터뷰는 2017년 3월부터 5월까지 진행하였고, 2차 인터뷰는 2017년 7월부터 8월까지 실시했다. 베트남 이주여성들과 비공식적인 대화를 계속 진행하면서[97] 라포rapport를 형성하고자 노력했으며, 이후 2018년 7월부터 8월 사이에 베트남 이주여성 공동체를 방문해 관찰하고 인터뷰를 추가로 실시했다. 먼저, 인터뷰 참가자들에게 전화로 연구의 취지를 설명한 후 참여에 대한 동의를 구했으며, 인터뷰 질문에 대한 내용을 사전에 충분히 설명했다. 참여자들이 관련 이야기들을 인터뷰 맥락으로 자연스럽게 가져올 수 있도록 비구조적 방식으로 인터뷰를 진행했다. 인터뷰는 연구자가 직접 진행했으며, 부족하다고 생각되는 부분에 대해서는 즉석에서 추가 질문을 하거나 이메일이나 전화로 확인하는 방식을 취했다.[98] 원활한 진행을 위해 연구자는 이들이 일하는 장소에 방문하여 함께 차를 마시면서 대화를 하는 등 편안한 분위기 속에서 인터뷰를 진행하였다. 구체적으로 〈베트남 목소리〉에 참여하게 된 동기와 이주민의 미디어 참여에 대해 갖고 있는 의견이 어떠한지를 파악하

---

97 1차 인터뷰 후 베트남 이주여성들과 관계를 유지했고, 〈베트남 목소리〉의 리더인 A가 주도한 베트남 공동체의 형성과 지역 활동에 대해 조사했으며, 이를 위해 추가 인터뷰 (J, K, L)도 실시했다.

98 〈베트남 목소리〉에 참여했거나 이 방송을 청취했던 이주여성과 이들을 지원하며 방송 과정에 함께한 미디토리와 부산문화재단 관계자와 만나 인터뷰했고, 이들을 통해서 다른 인터뷰 참여자들을 확보하면서 인터뷰 내용을 교차검증할 수 있었다. 또한, 이주여성들이 일하는 공간(베트남 공동체 문화공간과 식당 등)들을 방문해 이들의 일상을 관찰하고 대화를 나누면서 인터뷰 내용을 보완했고, 이 과정을 통해 주관적 해석을 넘어 이주민들의 생생한 경험이 바탕이 되는 연구가 되기 위해 노력했다. 연구자는 이러한 형식의 연구 방법을 '아래로부터'의 접근법으로 규정했다.

표 1 인터뷰 참여자 명단

참여자 ID	소속	국적	거주 기간	비고
A	베트남 목소리 참여자	베트남	6년	베트남 공동체와 베트남 목소리 참여
B	베트남 목소리 참여자	베트남	7년	초기부터 참여 / 베트남 식당에서 일함
C	베트남 목소리 참여자/청취자	베트남	5년 반	방송 6개월 참여
D	베트남 목소리 참여자/청취자	베트남	4년 반	방송 2회 참여
E	베트남 목소리 청취자	베트남	7년	베트남 식당에서 일함
F	부산문화재단	한국		베트남 목소리 정책지원 기관 관계자
G	미디토리			미디어 관련 사회적 기업 관계자
H	부산시청자미디어센터			이주민 등 소수계층을 위한 미디어 정책집행 관계자
I	부산영어방송			부산영어방송 제작자 /진행자
J	베트남 공동체 참여자	베트남	10년	베트남어 강좌 등 공동체활동 참여
K	베트남 공동체 참여자	베트남	9년	베트남어 강좌 등 공동체활동 참여
L	베트남 공동체 참여자	베트남	7년	베트남어 강좌 등 공동체활동 참여

였다. 인터뷰를 통해 수집된 자료는 주제, 범주, 연구 문제 등에 따라 정리했으며, 인터뷰 자료를 반복적으로 읽고 분석하면서 연구 문제와 관련이 크다고 판단되는 내용을 중심으로 연구 결과를 해석했다. 두 명의 연구자가 연구 결과에 대해 교차확인을 함으로써 연구 결과 해석을 보완하는 작업도 병행하였다. 인터뷰 참여자 명단은 〈표 1〉과 같다.

〈베트남 목소리〉와 이주여성의 미디어 참여

이 연구는 한국적 상황에 맞는 적실성 있는 다문화주의와 그에 적합한 시민권 논의가 필요하다[99]는 요구에 따라 이주민의 미디어 참여 사례를 통해 그 과정과 성과를 조사하였다. 특히 부산에서 진행된 〈베트남 목소리〉를 중심으로 주민의 소통권을 강화하고 문화적 시민권 형성의 토대가 되는 과정을 분석하였다. 그럼으로써 다문화 맥락에서 필요한 시민권 논의까지 확장하고자 하였다.

첫 번째 연구 문제는, 〈베트남 목소리〉와 이주여성의 미디어 참여 과정에 대해 알아보는 것이다. 베트남 출신 이주여성 A는 결혼으로 이주한 지 1년쯤 지난 시점인 2012년에 팟캐스트를 시작했다. A에 따르면, 프로그램 기획 회의는 베트남인들이 주도했고 최종 주제 결정과 한국어 자료를 베트남어로 옮기는 작업은 본인이 직접 했다. 이후 한국어로 번역하여 방송 과정을 도와주는 미디토리 관계자들이 무슨 내용의 방송을 하는지를 알도록 했다. 노동법이나 생활정보를 찾을 때는 베트남 공동체나 관련 단체의 페이스북과 웹사이트들을 활용했다고 한다. 아래는 A의 방송 참여 경험에 대한 이야기이다.

팟캐스트하기 전에는 부산문화재단에서 각 나라 대표들이 모여서 여러 가지 이야기를 했다. 어떤 프로그램을 외국인을 위해 하면 좋을지 이야기 했다. 그러다가 라디오 팟캐스트를 하게 됐다. 처음에는 힘들었고, 미디어 제작 같은 것도 아무것도 모르고 … 그래서 힘들었다. 미디토리 쪽 선생님들이 도와주고, 그런데 선생님들이 베트남어를 모르니까, 그냥 방송 프로그램만 정해 주고 … 전부 다 우리가 준비하고, 간단하게 한국어로 번역하

---

99 김비환, 〈한국사회의 문화적 다양화와 사회 통합: 다문화주의의 한국적 변용과 시민권 문제〉, 2007.

고 그 선생님들에게 보여 준다. 하다가 힘들고 어려워서 포기한 친구들이 많다. 방송하는 것도 어렵고, 자료를 수집하는 것도 어려웠다(A, 〈베트남 목소리〉 참여자).

B는 남편(한국인)이 베트남에 일하러 왔다가 만나게 되었으며, 7년 전에 같이 한국에 와서 결혼하였다고 한다. 현재 베트남식당에서 일하고 있었다. A의 권유로 2년여간 〈베트남 목소리〉에 참여했는데, 다음과 같이 경험을 설명했다.

프로그램 주제를 정하거나 자료를 찾고, 녹음을 하는 등 이 모든 작업들을 우리 모두가 직접 했다. 노동, 법 등을 상담하기 위해서는 인터넷을 찾기도 했다. 우리들이 서로 정보를 제공하려고 많이 도와주었다. 직접 방송을 녹음까지 하고 나면 미디토리에서 편집을 하고, 이것을 페이스북에 올렸다(B, 〈베트남 목소리〉 참여자).

연구자가 부산시청자미디어센터에서 〈베트남 목소리〉가 방송되는 장면을 관찰한 바 있는데, 이주여성들이 한국인 지원자들과 함께 협의하고 스튜디오에서 직접 방송을 내보내고 있었다. 부산시청자미디어센터에는 다양한 방송 촬영 장비와 편집 장비가 있었고, 대여도 가능했기 때문에 이러한 시설과 장비를 활용해 교육과 실제 방송이 이루어졌다. B는 미디어 교육 경험에 대해 다음과 같이 이야기했다.

처음 1주일 정도는 카메라, 편집 기술, 촬영 기술을 다 가르쳐 주었다. 시청자미디어센터에서 미디토리 선생님에게 다 배웠다(B, 〈베트남 목소리〉 참여자).

B에 따르면 방송을 위해 미디어 제작 교육을 받았다고 한다. 즉, 〈베트남 목소리〉는 이주민의 목소리 내기의 장이자 미디어 관련 기술과 지식을 습득하는 미디어 교육 현장의 성격도 갖고 있었다. 다음은 〈베트남 목소리〉의 진행 과정에 대한 A와 미디토리 관계자인 G의 설명이다.

이번 팟캐스트 방송을 하면서 많이 알게 돼서 성장을 많이 한 거 같다. 라디오 어떻게 하는지 알게 된 거 같다. … 그거 하면서 홍보도 해야 했다. 홍보하던 친구들이 라디오 안내도 해 주고, 그러다 보니 아는 사람도 많다. 우리 시어머니도 좋다고 했다. 베트남 가족들도 다 알고 좋아했다(A, 〈베트남 목소리〉 참여자).

베트남 이주여성들은 일주일에 한 번 60분 동안 방송했고, 여러 명이 방송에 참여해 자기 코너를 진행했으며, 시청자미디어센터 등을 이용해 녹음하고 편집했다(G, 미디토리).

B의 언급을 보면, 미디어 참여가 성장의 기회였음을 알 수 있다. 즉, 미디어 참여를 통해 방송 전반을 이해할 수 있을 뿐만 아니라 시혜를 받는 수동적 위치에서 탈피해 문화적 표현이 가능하였다. 이를 통해 다른 권리들도 당당히 주장할 수 있는 주체로 성장할 수 있었다. 특히 시어머니 등 가족들이 이주여성의 미디어 활동을 알게 되면서 이들을 인정하는 계기가 되었으며, 베트남에 있는 가족들도 청취하는 등 방송이 초국적 소통의 역할도 했다고 한다. 관찰과 인터뷰를 한 결과, 베트남 여성들은 그들이 편하게 말할 수 있는 베트남어로 생활정보, 뉴스, 전통음악, 사연 등이 중심인 방송을 주체적으로 하고 있었다. 이주여성들

이 주류 미디어가 아닌 자신들이 쉽게 접할 수 있는 팟캐스트를 활용하여 자신들의 목소리를 정확하면서도 적극적으로 전할 수 있는 모국어 방송을 선택한 것으로 해석된다. 방송은 아나운서, 엔지니어, 프로듀서, 기자 등 각 분야의 협업을 필요로 하는데 〈베트남 목소리〉도 제작과 송출 과정이 참여자들의 협업을 통해 진행되었다. 즉, 이주여성들이 방송 준비와 제작, 송출에 필요한 전 과정을 배우면서 동시에 참여도 하고 있었다. 한국 언론에서 이주민의 주체적인 목소리 내기 사례로 〈베트남 목소리〉가 여러 차례 보도되었는데, 〈베트남 목소리〉에 대한 홍보도 이주여성들이 스스로 했다고 한다.

A는 방송의 전 과정을 주도하는 〈베트남 목소리〉의 '리더'였고, 베트남인과 한국인, 그리고 베트남인들 사이를 매개했으며, 춤 동아리와 공연 활동까지 주도하는 등 베트남 공동체를 이끄는 인물이었다. 주류 미디어에 대한 실망이 이주민의 미디어 활동을 촉발했고, 이주민들이 방송 제작 과정에서 민족적 경계에 안주하지 않고 다른 집단들과 연대하며 자신의 이슈를 주장하는 미디어 생산자 역할을 했다는[100] 연구 결과와 비슷하게, 이주여성들은 다문화프로그램에서 '차이'와 '갈등'을 부각하고 이후 감동적 '화해'와 '행복'으로 이어지는 점에 대해 불만을 드러냈다. 원숙경의 연구에서도[101] 나오듯이 다문화가정에서 나타나는 갈등은 일차적으로 언어 문제이지만, 근본적인 문제는 상호 문화에 대한 몰이해에서 비롯된다. 이를 극복하기 위해서는 이주민들이 자신의 소통

---

100   H. Y. Lee, "At the cross roads of migrant workers, class, and media: a case study of migrant workers' television project," 2012.

101   원숙경, 〈다문화가정 소통권 확보를 위한 미디어교육정책에 관한 연구〉, 2017.

권을 확보하고 자존감을 회복함으로써 가족 간 이해를 증진하는 것이 일차적 해결책이다. 즉, 소통권 확보를 통해 이주민들은 서로 간에 연결됨은 물론, 가족이나 이웃 등과도 상호 소통하고 이해하는 기회를 갖게 된다.

인터뷰 결과를 종합하면, 〈베트남 목소리〉에서 다룬 내용은 매년 조금 차이는 있지만 크게 세 가지로 요약할 수 있다. 첫째, 팟캐스트를 통해 정보를 교류할 수 있었다. 이주노동자 · 유학생 · 결혼이민자 등에게 한국에서 살면서 필요한 법률 정보나 부산의 축제 · 먹거리 · 명소를 알려 주었으며, 부산 지역 생활에 필요한 정보와 성공한 베트남인도 직접 인터뷰해 성공 사례 등도 교류하였다. 둘째, 팟캐스트를 베트남어로 진행하면서 한국에 정착한 지 얼마 안 된 이주민들이 자녀들에게 읽어 주면 좋을 베트남 동화책 제목과 내용 등을 알려 주는 콘텐츠를 구성하였다. 자녀 나이에 적합한 좋은 동화책, 한국에서 어린이들이 읽을 만한 책 등에 관한 정보도 제공했다. 셋째, 베트남 여성들이 좋아하는 음악을 전달하고 사연과 편지 등을 공유하는 코너를 구성했다. 특히 이 코너는 청취자들의 반응이 좋았다. 청취자들이 청취 후 편지나 페이스북으로 노래를 많이 신청할 정도로 가장 인기를 끈 코너였다고 한다. 이렇게 팟캐스트를 통해 이주여성들은 미디어의 주체적인 참여자로서 법률 등 생활정보, 정착에 필요한 한국어 교육, 자녀교육에 대한 정보, 음악이나 지역 명소 등에 대한 정보를 소통했음을 알 수 있다. 이는 김영찬과 반명진의 연구에서[102] 주장한 것처럼, 이주민의 미디어 참여가 미

---

102 김영찬 · 반명진, 〈지역공동체 구성원들의 공동체 미디어 실천에 대한 고찰: '창신동라디오 〈덤〉' 현장에 대한 참여관찰을 중심으로〉, 2018.

디어 교육과 제작으로 시작했지만 점차 실질적인 상부상조를 위한 '공동체' 활동으로 발전했다고 평가할 수 있겠다.

방송 준비 과정에서 베트남 이주여성들은 그들 사이에서조차 지역에 따른 언어와 문화 차이로 처음에는 어려움을 겪었다고 한다. 회의 · 취재 · 편집 · 송출 등 방송의 전 과정이 협업을 바탕으로 한다는 점에 비추어 볼 때, 〈베트남 목소리〉 준비 과정에서 이주여성들끼리의 '차이'들이 소통되고 이해되는 과정을 거쳤다고 해석된다. 다음은 이와 관련한 의견들이다.

베트남은 북쪽이 표준말이고 남쪽이 사투리가 많다. 이런 경우 A씨가 어떻게 발음할지를 결정했다. 직접 방송을 통해 성공한 사람을 소개하고, 또 어떻게 한국어 공부를 했는지 경험도 나누고, 한국에서 어떻게 성공했는지를 알려 주기도 했다(B, 〈베트남 목소리〉 참여자).

우리들이 베트남 사람들과 말이 잘 안 통했고, 베트남 사람들 사이에서도 남과 북의 교육의 차이, 성조 차이, 문화 차이가 크다는 것을 알 수 있었다(G, 미디토리).

위의 언급처럼 이주여성들은 동질적이지 않으며 그들 사이에서 먼저 소통되어야 한다는 평범한 사실을 방송 준비 과정에서 이주여성은 물론 지원하는 한국인 관계자들도 체험하게 되었다. 무엇보다 〈베트남 목소리〉를 통해 베트남 사람들끼리 상호 소통하고 이해하는 과정이 실질적인 공동체가 구성되는 기회가 되었다고 해석된다.

이주민의 목소리 내기와 문화적 시민권 구축

두 번째 연구 문제인 〈베트남 목소리〉 참여와 다문화적 맥락에서 요구되는 문화적 시민권 구축에 관해 살펴보자. 엄한진의 연구에서[103] 설명한 바와 같이, 본 연구의 참여자들도 수동적 수용자가 아니라 여러 경험이나 정보·문화를 바탕으로 그들만의 콘텐츠를 만들고 공유하기 위해 미디어에 참여하고 있었다. 장지은의 연구에서도[104] 공동체 미디어는 복잡하고 상업화된 도시에서 인격적인 관계와 같은 친밀감을 형성해 주는 소통의 가교 역할을 수행했다. 즉, 이주여성들의 〈베트남 목소리〉 참여는, 그들 사이의 단절을 극복하고 서로 인격적 관계를 맺으며 점차 친밀감을 형성하는 과정을 통해 상호 소통과 이해에 기반한 '문화적 시민권' 구축의 토대가 되었다. 또한, 이주여성들은 주류 미디어가 외면하는 소수집단들이 목소리를 낼 수 있는 인터넷 공간의 장점을 활용하는 팟캐스트를 통해 스스로 문화적 표현의 주체로 변모하고 있었다. 이주여성들은 방송 참여 경험에 대해 다음과 같이 이야기했다.

베트남 이주여성들이 직접 모국어로 방송을 하게 되어서 좋았고, 베트남 사람에게 필요한 정보를 줄 수 있어서 즐거웠다. 〈베트남 목소리〉 방송에 직접 참여하고 청취도 하면서 한국 사회생활을 경험할 수 있어서 재미있었고, 부산에 정착하고 잘살기 위해 또 어떻게 하면 사회생활을 잘 할지

---

103 엄한진,《프랑스의 이민문제》. 서강대학교출판부, 2017.
104 장지은, 〈여성주의 실천 전략으로 바라본 공동체 미디어: 대구, 경산 공동체 미디어 실천 활동을 중심으로〉, 2018.

에도 많은 도움이 되었다(C, 〈베트남 목소리〉 참여자/청취자).

필요한 정보(이주여성들이 일 잘하는 방법, 직장에서 사람을 대하는 매너, 한국문화 등)를 알려 주어서 좋았다. 그리고 저는 시간이 많지 않아 아쉬웠지만 방송을 하면서 한국말도 배울 수 있고, 고향 느낌이 나서 방송할 때나 들으면서 좋았다(D, 〈베트남 목소리〉 참여자/청취자).

'한국 법과 생활'이라는 코너를 제작하고 직접 진행하면서 부산 외국어대 교수인 베트남 남성을 인터뷰했고, 부산에서 베트남식당을 경영하는 결혼이주민을 소개하는 등 다양한 인터뷰를 통해 많은 정보를 얻는 데 도움이 되었다(B, 〈베트남 목소리〉 참여자).

위의 인터뷰 내용을 보면, 〈베트남 목소리〉 참여자들은 방송에 직접 참여함으로써 베트남 사람들에게 모국어 방송을 통해 필요한 정보를 알려 줄 수 있어 보람이 컸으며, 청취자로서도 정보가 유익했다고 말했다. 특히, B는 교수나 식당경영자로 성공한 베트남 출신들을 소개하면서 베트남 공동체에 자신감을 준 일에 보람을 느꼈다고 했다. C는 베트남에서는 공항에서 발권 일을 했고, 2012년 초 결혼해 한국에 와서는 남편과 에어컨 모터 등을 가공하는 일을 하다가 최근 일을 그만두고 쉬고 있다고 했다. 그녀는 다문화가족지원센터에 교육을 받으러 갔다가 A를 만나고 〈베트남 목소리〉도 알게 되면서 6개월 정도 방송에 참여했고, 이후에는 바쁘고 시간이 안 나서 청취만 했다고 한다. 방송에서는 리포터 역할을 했으며, 특정 주제에 대해 조사해서 알려 주는 역할을 했다. C는 베트남어로 베트남 출신들을 위해 필요한 정보를 제공했다는 것에 자부심을 느꼈으며, 리포터로서 방송을 준비할 때나 이후 청취를 하면서 한국 생활을 체험하고 다양한 정보를 얻을 수 있어서 유익했다고 말했다. 특히, "모국어로 방송을 하고 친구들도 만나니 고향 생각도 나고 큰 자부심을 느꼈다"라고 덧붙였다. 이는 모국어 방송이 단순한 정보 전달뿐 아니라 이주여성들의 삶과 정체성을 긍정적으로 재해석하고, 어려운 한국어가 아닌 베트남어로 방송하면서 소통의 주체가 된다는 점에서 이주여성들에게 자신감을 부여하는 계기가 됨을 알 수 있다. 즉, 정보 공유, 한국인과의 교류 기회 확대, 목소리 내기를 통한 자부심 강화 등의 긍정적인 결과를 가져왔고, 이는 문화적 시민권 구축의 토대가 될 수 있겠다. 장지은은[105] 공동체 미디어 활동을 통해 사적인 것으로 간주되는 것이 공통의 관심사로, 다수에 의해 무시되어 온 것이 공적인 의제로 부상했고, 담론 자원이 빈약한 유색인종 등이 자신들만의 담론 공간을 만들고 자신의 존재를 긍정적으로 재정의하는 실천을 했다고 평가하였다. 〈베트남 목소리〉도 그러한 대안적 담론 공간이자 이주민의 존재를 재해석하는 기회가 되었음을 알 수 있다.

D는 결혼이주로 한국에 온 지 4년 반이 되었고 베트남에서는 여러 일을 하다가 지금은 전자제품 공장에서 일하고 있다. 〈베트남 목소리〉 팟캐스트에는 두 번 직접 진행자로 참여했다. 이후 방송을 더 하고 싶었지만 일을 해야 해서 그만두고 청취만 했는데, 방송 참여를 통해 자부심을 느꼈다고 했다. D는 앞으로 프로그램을 만든다면 "이주여성 대상 프로그램 외에도 한국인 남편들에게 이주여성과 잘 살고 잘 지낼 수 있는

---

105 장지은, 〈여성주의 실천 전략으로 바라본 공동체 미디어: 대구, 경산 공동체 미디어 실천 활동을 중심으로〉, 2018.

노하우를 알려주는 등 부부가 함께 볼 수 있는 정보 프로그램을 만들고 싶다"고 포부를 밝혔다. 이는 다문화교육이나 정책이 이주여성만을 대상으로 하는 상황에서, 방송을 통해 이주여성과 잘 지내는 방법을 한국인에게도 알리고 싶다는 상호 소통의 욕구로 해석되며, 선주민들의 다문화 인식 전환을 위한 방송의 필요성을 보여 준다. 또한 그녀는 '롤 모델'이 될 만한 이주여성을 소개하는 프로그램을 다루면 좋겠다는 의견도 덧붙였다.

> 이주여성 중 한국에서 잘 적응하고 사업을 통해 멋있게 잘 살고 있는 롤 모델이 될 만한 분들을 방송에서 많이 보여 줬으면 좋겠다고 생각한다. 그분들을 통해 (이주여성들이) 한국에서 살아가는 긍정의 힘이 될 수 있기 때문이다(D, 〈베트남 목소리〉 참여자/청취자).

D의 언급은 주류 방송이 불쌍하고 힘든 처지에 있는 이주여성들을 고부간 갈등, 부적응 등의 부정적 측면 중심으로 묘사하는 것에 대한 불만에서 비롯된 것으로 해석된다. 미디어의 고정관념적 재현에 대한 불만과 함께 이주여성들은 외모의 차이 등으로 인해 무시나 차별을 당했던 경험, 아이들이 학교에서 겪는 문제 등에 대해서도 말했다. 이는 한국인의 인식과 태도 변화를 위한 다문화교육의 필요성을 보여 준다. 즉, 다문화교육을 통해 신체, 외모, 장애, 출신지, 성적 정체성 등에 대해 존중하는 자세를 어릴 때부터 가르침으로써 다양성에 대한 인식을 강화해야 한다. 이주여성의 상당수는 노동이주로 왔거나, 결혼이주로 왔지만 직업을 갖는 경우가 많고, 남편이 한국인이 아닌 경우도 많으며 유학생으로 와서 정착하는 경우도 늘어나고 있으므로 '이주여성'

에 대한 고정관념의 변화가 시급하다. A는 미디어나 인터넷, 특히 다문화카페 등에서 이주민을 상대로 한 악플에 반박하는 댓글을 달면서 괴로웠다는 경험도 공유했다. 이는 한국의 반다문화 정서의 원인 중 하나가 인터넷 등 미디어임을 알 수 있다. 이 역시 한국인, 즉 선주민 대상의 다문화교육의 필요성을 보여 준다.

연구 결과를 종합하면, 한국인이 주도하는 한국어나 한국문화 교육, 취업이나 기술교육 등과는 다르게 〈베트남 목소리〉는 이주민이 사업 추진 단계에서부터 주체가 되었고 선주민들과 연대하였다는 특징이 있다. 또한, 사회 · 경제 · 문화적으로 소수자의 위치에 있는 이주민들이 미디어를 통해 적극적으로 발언함으로써 소통의 주체로 변모하는 계기가 되었다. 이주여성들은 가정과 직장생활에도 적극적이었는데, 〈베트남 목소리〉에 참여하면서도 방송의 전 과정을 주도하였고, 그들의 시선으로 자신들이 들려주고픈 이야기를 모국어로 전했다는 점에 자부심을 느꼈다.

이들은 삶의 터전인 지역사회에서 인정받고, 한국에서의 삶에서 주인공이 되고자 노력하고 있음을 알 수 있었다. 특히 다양한 문화활동과 자원봉사에 참여하면서 차별과 문화 차이 등의 어려운 점도 겪었지만, 문화적 표현의 권리와 소통권을 실천하려는 이들의 적극적인 활동들이 결국은 문화적 시민권 구축의 토대가 될 것으로 보인다. 다음은 베트남 이주여성들의 일상에 관한 이야기들이다.

좋아하는 친구들 모아서 같이 춤도 추고, 생활 속의 이야기 같이 나누고… 서로 위로해 주고, 생활의 힘든 점이나 문화적으로 해결 안 되는 이야기하고… 그러면서 춤 동아리도 만들었다. 하다 보니 인연이 되는 거고,

외국인 관련 공연 같은 거 많이 있으니까. 거기에 많이 나가게 됐고, 어떤 때는 한 달에 5~6번 정도 나가기도 하고…. 전에는 시간 될 때 자주 만났는데 지금은 시간이 없어서…, 일주일에 한 번 연습하고 있다(A, 〈베트남 목소리〉 참여자).

처음 방송을 하면서 재미있었다. 보람도 많이 느꼈지만, 현실적인 문제에 부딪히기도 했다. 남편의 경제력이 좋지 않다. 3년 지나면 일자리가 없어져서 걱정이다. 일자리 소개를 많이 해 주면 좋겠다. 월급을 안 주거나 월급을 깎는 등의 무슨 일이 생기면 다문화가족지원센터가 도와주면 좋겠지만, 도와주는 프로그램이 없다(B, 〈베트남 목소리〉 참여자).

한국과 베트남의 문화 차이를 좀 이해해 줬으면 좋겠다. 접시를 들고 먹으면 왜 들고 먹느냐는 식으로 듣기 싫은 소리를 하지 말고, 서로 간의 문화 차이를 이해해 주고 배려해 주면 한국의 문화를 천천히 배울 수 있을 거 같다(D, 〈베트남 목소리〉 참여자/청취자).

베트남 이주여성인 C와 D는 〈베트남 목소리〉에 참여했다가 생계에 대한 부담과 시간 부족으로 그만두게 되었다고 한다. 어려운 조건에도 불구하고 이주여성들은 한국 가족에게 의존하지 않고 스스로 잘살기 위한 방법을 고민하고 실천하려 했다. 〈베트남 목소리〉를 통해 필요한 정보와 지지를 얻고 이주여성들과는 물론이고 미디토리나 '시청자미디어센터' 관계자들과 새로운 관계를 형성하는 계기를 만들고 있었다. 인터뷰에 따르면, 베트남 이주여성들은 방송을 진행하면서 홍보도 직접 했다. 이는 이주민이 미디어 교육이나 미디어 활동의 객체에서 방송 주제 선정과 제작·송출은 물론 홍보까지 주도하는 방송의 주체가 될 때, 그 활동이 성공적일 수 있음을 보여 준다. 이러한 '이주민의 주체화'는 문화적 시민권 실천에 기여할 수 있을 것이다.

한진만과 홍성구에 따르면,[106] 다문화 자녀들의 정체성 형성은 어머니 모국의 언어 습득이나 친지 방문, 방송 시청 등 문화적 경험과 연관성이 크다. 다문화 자녀들은 방송 프로그램이나 동화, 홈페이지 등을 통해 어머니 모국의 문화를 자주 접하고, 이를 통해 이중 언어 능력을 갖출 수 있다. 이 점에서 이주여성이 참여하는 모국어 방송이 다문화가정 자녀들의 이중언어/이중문화 정체성에 대한 자부심으로 이어질 수 있음을 알 수 있다. 다음 인터뷰는 이주여성들이 표현하고 발언하려는 욕구가 강함을 보여 준다.

앞으로 〈베트남 목소리〉 방송을 다시 하고 싶고, 한국의 좋은 경치와 여행 장소를 소개하고 싶다. 최근 베트남에서 유학생이 늘어나고 있기 때문에 이들 베트남 유학생들에게 좋은 대학이나 일자리에 대한 정보를 제공하고 싶다(B, 〈베트남 목소리〉 참여자).

현재는 단편영화를 만들려고 하고 있고, 대본도 다 썼는데, 지금은 베트남에 있는 감독에게 대본 보냈고, 수정할 거 고치고…. 그런데 중요한 건 돈이 없어서… 한국에서 어느 기관에서 투자해 주면 좋겠다고 기대하고 있다. 여성에 대한 영화인데, 한국에 와서 처음부터의 생활, 그리고 시댁

---

106 한진만·홍성구, 〈다문화사회 방송규범의 실천적 방향성: 공정성 논쟁과 다문화 가정 인터뷰를 중심으로〉, 《한국방송학보》 27(6), 2013, 185~224쪽.

가족들과 생활하면서 겪고 있는 시어머니와 가족과의 갈등을 이야기한다. 실제 이야기이다(A, 〈베트남 목소리〉 참여자).

이주여성들은 바쁜 일상 속에서도 〈베트남 목소리〉를 통해 이주여성만이 아니라 모국 출신 유학생들에게 진로에 관한 정보를 제공하거나, 한국에서 베트남인의 생활을 진솔하게 보여 주는 영화를 만들고 싶다는 희망을 밝혔다. 이주여성인 A, C, D는 방송 프로그램을 제작할 기회가 또 온다면 하고 싶다고 했다. 방송을 통해 한국의 여러 상황이나 정보(교육, 취업 등)를 많이 알게 되었고, 스스로 한국 사회에서 성장했다고 평가했으며 사회관계도 넓어졌다고 말했다. 이는 자료 조사나 취재, 방송 준비 등을 위해 다양한 사람들을 만나는 것이 한국 사회에 능동적으로 정착하고 사회관계를 확대하는 과정으로 이어질 수 있음을 암시한다. 공동체 미디어는 지역적으로 생산되지만 인터넷과 방송, 신문 등을 통해 지역적인 한계를 뛰어넘어 확산되는 특성을 가진다.[107] 〈베트남 목소리〉 참여 이주여성들도 팟캐스트 방송 이후 지역의 경계를 뛰어넘어 새로운 관계를 맺거나 확장된 사회관계망을 형성하는 모습을 보였다. 특히 A는 〈베트남 목소리〉 참여 이후 '베트남교육문화센터'와 베트남어 교습소를 개설하는 등 다양한 베트남 공동체활동을 통해 '문화적 시민권'의 토대를 구축하고 있었다.

〈베트남 목소리〉의 성과로는 먼저 이주여성들의 목소리 내기를 통해 이주민을 위한 정보 전달 및 공유의 장이 형성되었다는 점을 꼽을

---

107 장지은, 〈여성주의 실천 전략으로 바라본 공동체 미디어: 대구, 경산 공동체 미디어 실천 활동을 중심으로〉, 2018.

수 있다. 앞에서 밝혔듯이 〈베트남 목소리〉는 한국에서 살아가는 데 필요한 법률 정보나 부산의 축제 · 먹거리 · 명소 등 부산 지역의 생활 정보를 소개하고, 성공한 베트남인을 인터뷰하는 등의 정보를 교류하였다. 이주여성들은 팟캐스트 방송을 제작하기 위해 '출입국관리사무소'나 '다문화센터', '외국인근로자 지원센터'에 직접 찾아가서 취재하고, 인터넷을 찾아보거나 자료를 정리하는 등의 과정에 열심히 참여하면서 큰 보람을 느꼈다고 했다. 이주여성들은 이런 과정을 통해 자신의 시각에서 이주민들에게 필요한 정보를 찾고 작성하여 확산하는 미디어 활동의 주체가 되었으며, 이주여성뿐 아니라 이주노동자 · 유학생 등에게도 필요한 정보를 제공함으로써 미디어를 통한 소통에 주체적으로 참여하였다고 평가할 수 있다. 공동체 미디어에 참여하는 사람들에게서 발견되는 모습은 미디어 참여 과정을 통해 얻는 '즐거운 열정'이다. 공동체의 '즐거운 열정'은 차별과 배제 없이 모두에게 열려 있는 참여의 방식에서 나오며, 이는 우리 자신의 힘을 활성화하는 능력이자 표현할 능력, 즉 무언가를 실천하고 표현하고 그 속에서 성취할 수 있는 힘이 된다.[108] 〈베트남 목소리〉에서도 이주여성들은 참여와 실천을 통해 '즐거운 열정'을 느끼고, 한국 사회에서 그들의 목소리를 내는 능력을 강화하는 성과를 냈다고 볼 수 있다. 베트남 이주여성들은 한국말을 잘 못하고 한국 풍속이나 법을 모르는 경우가 많은데, 이에 대응해 〈베트남 목소리〉에서 모국어로 다양한 정보를 소개한 것이 유익했다는 의견이 많았다. 뿐만 아니라 방송을 듣는 베트남 출신들과 방송을 하는 베

---

108   장지은, 〈여성주의 실천 전략으로 바라본 공동체 미디어: 대구, 경산 공동체 미디어 실천 활동을 중심으로〉, 2018.

트남 출신들이 서로 자료를 제공하는 등 함께 배우고 도와주는 연대의 장이 되었다. 즉, 방송 준비와 송출 과정에서 정보의 전달자와 수용자 사이의 경계가 무너지고, 서로 상호작용하며 어울리고 서로를 '권능화' 하는 장이 되고 있었다.

> 한국 정보, 한국문화, 법을 방송하면서 듣는 분들도 많이 배우고… 방송을 통해 정보, 문화, 뉴스, 노동법을 특히 많이 도와주었다. 방송 준비 과정에서 베트남 사람들끼리 서로 많이 도와주었고, 그럴 때 힘이 많이 됐던 거 같다(B, 〈베트남 목소리〉 참여자).

B에 따르면, 방송을 위해 자료를 찾고 취재하고, 분석하고, 녹음하는 과정에서 베트남 출신끼리 유대가 강화되었다. 방송 준비와 제작, 송출 과정을 통해 이주여성들의 공동체가 형성된 것이다. 한국에 온 지 7년 된 결혼이주여성 E는 〈베트남 목소리〉에 직접 참여한 적은 없지만 서너 번 청취한 적이 있다고 했다. 그녀는 페이스북에 올라와 있는 방송을 스마트폰으로 들었고, 동료 베트남 이주여성들이 이런 방송을 한다는 것이 뿌듯했다고 말했다. 방송에서 이주여성들은 노동법 관련 내용이나 사장이 돈을 안 주는데 어떻게 해야 하는지, 이혼할 때 아이들을 데리고 가는 방법, 자녀교육 방법 등을 알고 싶다는 의견을 나누었다. 이는 방송이라는 장이 이주여성들의 한국 생활과 생계 유지에 꼭 필요한 정보를 공유하는 장이 되고 있음을 보여 준다.

〈베트남 목소리〉의 두 번째 성과는 베트남 모국어 방송을 통해 이주민과 선주민 간 소통과 교류의 장이 되었다는 점이다. B는 부산에 사는 베트남 사람들이 주 청취자이지만 가끔 베트남어를 공부하는 한국 사람들이 방송을 잘 듣고 있다는 댓글을 보내 큰 격려가 됐다고 말했다. 또한 〈베트남 목소리〉를 지원한 미디토리 관계자들과 상호작용하면서 서로에 대한 이해의 폭이 넓어졌다고 했다. 실제로 미디토리 관계자 G는 베트남 내 남과 북의 언어나 문화 차이가 크다는 걸 알게 되었고 말했다. 공동체 미디어는 지역에 근거하는 만큼 주민들의 문제의식과 자발적 참여를 통해 공동체를 구현하고, 주민들의 이야기들을 기록하고 공유함으로써 공동체의 미래를 만들어 간다.[109] 이처럼 베트남 이주여성들은 팟캐스트 방송을 통해 베트남 출신들은 물론, 지역민들과 소통하고 공감함으로써 거주하는 지역에서 새로운 공동체를 만들어 가고 있었다. 반명진과 김영찬은 공동체 미디어는 지역공동체의 정체성과 당면한 지역 상황에 대한 문제의식을 공유하는 과정에서 부상한다고 주장했다.[110] 또한, 공동체 미디어를 통해 지역민 개인이 소통할 뿐아니라 지역 현안들을 이슈화하거나 함께 지역의 크고 작은 변화를 만들어 갈 수 있다.[111] 〈베트남 목소리〉는 베트남 출신들이 좋아하는 음악 등을 공유하고 사연을 통해 고향 생각을 함께 나누는 등, 마음의 위로를 받는 장이 되었다. 특히 이 코너가 청취자들의 반응도 좋았고, 팟캐스트 청취 후 편지나 페이스북으로 노래를 많이 신청할 정도로 큰 인기를 끌었다고 한다. 공동체 미디어는 '가정'이라는 사적 공간에 갇혀 있

---

109 장지은, 〈여성주의 실천 전략으로 바라본 공동체 미디어: 대구, 경산 공동체 미디어 실천 활동을 중심으로〉, 2018.

110 반명진 · 김영찬, 〈공동체 라디오 지역공동체 구성원의 상호작용에 대한 현장연구〉, 《한국언론정보학보》78(4), 2016.

111 장지은, 〈여성주의 실천 전략으로 바라본 공동체 미디어: 대구, 경산 공동체 미디어 실천 활동을 중심으로〉, 2018.

다가 경계를 벗어난 여성들에게 공간을 제공하고 사람을 맺어 주는 역할을 한다.[112] 즉, 이주여성들이 방송이라는 참여적 실천을 통해 마음의 위안과 지지를 공유하고, '함께 살아가기'를 모색하면서 지역문제도 고민하게 되었다고 볼 수 있다.

〈베트남 목소리〉의 세 번째 성과는 모국어 방송을 함으로써 이주여성이 주축이 되어 공동체를 형성할 뿐 아니라 다문화 자녀들의 정체성 형성에도 도움이 되었다는 점이다. 베트남어로 진행하면서 자녀들에게 읽어 주면 좋을 베트남 동화책 제목과 내용 등을 알려 주고, 자녀들의 나이에 적합한 동화책은 무엇인지 공유했다. 고향을 떠나 있는 이주여성들이 자녀교육 정보를 공유함으로써 모국어와 자기 정체성에 대한 자긍심을 잃지 않도록 하고, 다문화가정 자녀들도 어머니 모국 언어를 접하면서 경험이 확장되었다고 해석할 수 있다. 이주여성들은 베트남 모국어 교육프로그램을 통해서도 그들의 자녀들이 어머니의 나라와 문화에 대한 이해를 기본으로 문화권과 소통권을 강화하는 토대를 만들고 있었다. 특히, 베트남 모국어반 프로그램 참여를 통해 자녀들의 초국적 정체성 확립은 물론, 이 과정에서 공론장도 형성되고 있었다. 즉, 한국에서 페이스북, 단톡방 등의 미디어를 활용하여 이주여성들끼리 연대하고 공감하기 위해 노력하고 있었다. 선행 연구에서도 밝혔듯이 다문화 자녀들의 정체성은 어머니 모국의 언어 습득이나 다양한 문화활동 경험과 연결된다.[113] 본 연구에 참여한 이주여성들은 팟캐스트

112 장지은, 〈여성주의 실천 전략으로 바라본 공동체 미디어: 대구, 경산 공동체 미디어 실천 활동을 중심으로〉, 2018.

113 한진만·홍성구, 〈다문화사회 방송규범의 실천적 방향성: 공정성 논쟁과 다문화 가정 인터뷰를 중심으로〉, 2013.

를 통해 자녀들이 어머니 모국의 문화를 접하는 계기가 되어서 좋았다는 경험도 나누었다. B는 〈베트남 목소리〉 방송을 다시 해 베트남 유학생들에게도 좋은 일자리 정보를 주고 싶다고 했는데, 이는 이주여성의 모국어 방송이 베트남 공동체의 외연을 넓히고 네트워킹을 강화하는 기회가 됨을 보여 준다. 다음은 A가 방송 종료 후 이주여성과 가족들을 위해 교육 등 공동체활동을 하게 된 사례에 대한 설명이다.

팟캐스트 방송 이후 올 봄(2018년 3월)에 '베트남교육문화센터'를 개설했다가 지금은 다른 분에게 맡기고, 얼마 전(2018년 7월)에 '베트남어교습소'를 열었다. 점차적으로 한국 사람들에게도 베트남어를 알리는 역할을 하려고 한다. 2018년 3월에 오픈한 '베트남교육문화센터'를 통해 베트남 이주여성 자녀들에게 베트남 모국어 교육프로그램을 제공했다. 그 프로그램에 참여하는 베트남 결혼이주여성들은 페이스북이나 단체 카톡 등을 통해서 정보를 교환하고 또 다양한 이야기를 나누는 등 커뮤니티를 형성해서 활동하고 있다(A, 베트남 목소리 참여자).

위의 의견처럼 베트남 이주여성들은 비록 〈베트남 목소리〉는 중단되었지만 페이스북, 단톡방 등 공동체 내 미디어 활동을 통해 정보와 사회적 지지를 교환하면서 이주민 공동체를 유지하고 있었다. A는 2018년 7월 추가 심층인터뷰를 했을 때 한국의 모 대학에서 베트남어를 전공해 8월에 석사학위를 받는다면서, 한국에서 스스로 발전할 수 있었던 계기가 〈베트남 목소리〉 활동이었다고 덧붙였다. A는 본인이 주축이 돼서 베트남 이주여성들의 공동체를 구성하고 그들과 페이스북, 단톡방 등을 통해 정보를 교환하면서 다양한 이야기를 나누는 등 관계를 확장하고 있었다. A는 베트남 이주여성 자녀들에게 다양한 정보와 교육을 제공하고 소통하고 싶으며, 나아가 한국인들에게도 베트남어를 알리고 싶다고 했다. 다음은 베트남 공동체에서 모국어반 참여 등으로 공동체활동에 참여하고 있는 베트남 이주여성들의 경험과 의견이다.

〈베트남 목소리〉 방송을 듣지는 못했지만, 지금 '베트남교육문화센터'에서 진행하고 있는 '베트남 모국어반'에 아이들이 참여하게 하면서 정말 좋다. 집에서도 아이들에게 베트남어를 가르치고 있지만, 혼자 하다 보니 힘든 점도 많았는데 이런 공동체에서 같이 배우니까 좋다. 애들이 같이 생활하면서 같이 배우고 또 사회에서 같이 공부하니까 빨리 성장할 수 있을 거 같다(J, 베트남어 모국어반 참여 베트남 이주여성).

〈베트남 목소리〉 소식은 들었는데 바빠서 못 들었다. A가 했던 베트남 모국어반 프로그램은 나한테도 좋고, 또 엄마의 나라 말을 배울 수 있어서 애들한테 좋다고 생각한다. 선생님들도 좋다. 아들 2명이 있다. 엄마 나라 말을 하기 좀 힘들어하고, 관심이 많지 않았다. 그런데 작은들은 엄마 나라 말로 대화하기 좋아하고, 그러다 보니 베트남어를 자연스럽게 잘하게 되었다. 집에서는 아이들이 한국어로 말하지만, 배우고 나서는 집에서도 나랑 베트남어로 대화할 수 있어서 참 좋다. 이곳에서 핸드폰으로 문자나 단톡 등으로 여러 가지 도움을 받을 수 있어 이용하고 있다(K, 베트남어 모국어반 참여 베트남 이주여성).

집에서 아이들에게 고향 나라 말을 가르쳐 주고 싶지만 엄마 말을 잘 안 들어서 힘들었다. 그런데 이곳에서 친절하게 잘 가르쳐 줘서 아이들이 잘하고 있다. 집에서는 주로 한국어로 말하지만, 가끔 나랑 베트남어로 대화를 한다. 그래서 기분이 좋다. … 요즘에는 아이들이 친정식구들하고도 베트남어로 대화할 수 있어서 좋다. 나는 단톡을 통해 주로 자녀교육에 대해 정보를 얻고 있다(L, 베트남어 모국어반 참여 베트남 이주여성).

주목할 점은 김영찬과 반명진의 연구에서[114] 나타난 것처럼 공동체에 대한 애착이나 연대감이 공동체 미디어 실천을 계기로 구체적인 삶의 실천과 연동된다는 것이다. A는 방송을 더 이상 제작하지 않았지만, 베트남 공동체를 위한 교육프로그램을 운영하는 공동체 리더의 역할뿐 아니라 교육 강사로 참여하는 등 미디어 외적인 실천과 지역의 이주민 공동체와의 접점을 넓히고 있었다. 공동체라디오에 대한 연구에서도[115] 미디어 실천이 공동체적 감수성 형성과 발현이라는 실천적 경험을 낳고, 팟캐스트나 유튜브 · 페이스북 같은 소셜미디어를 활용한 다양한 시도(콘텐츠 제작이라는 직접 참여)를 통해 소통과 교감의 범주도 넓어짐을 확인할 수 있다. 결국, 이주여성의 모국어 방송 참여가 베트남 공동체 네트워킹의 토대가 되고, 그들이 정체성과 공동체에 대해 자부심을 느끼는 계기가 되었다. 〈베트남 목소리〉는 현재 지원이 끊기면서 운영되지 않는다. 향후 중앙정부나 지방자치단체 차원의 정책 지원이 필요하다. 김영찬 · 반명진이 주장한 것처럼,[116] 미디어 기술이 발달

---

114 김영찬 · 반명진, 〈지역공동체 구성원들의 공동체 미디어 실천에 대한 고찰: '창신동라디오 〈덤〉' 현장에 대한 참여관찰을 중심으로〉, 2018.

115 반명진 · 김영찬, 〈공동체 라디오 지역공동체 구성원의 상호작용에 대한 현장연구〉, 2016.

116 김영찬 · 반명진, 〈지역공동체 구성원들의 공동체 미디어 실천에 대한 고찰: '창신동라디오 〈덤〉' 현장에 대한 참여관찰을 중심으로〉, 2018.

함에 따라 '1인 미디어'가 증가하는 상황에서 '제작 참여'만으로는 공동체 미디어 실천의 사회적 가치를 평가할 수 없으며, 미디어 외적인 실천에도 주목해야 한다. 이 점에서 '베트남교육문화센터'나 '베트남어 교습소' 등 〈베트남 목소리〉를 계기로 출범한 다양한 공동체 차원의 실천들을 통해 공동체가 외연을 확장하는 것도 이주민의 문화적 시민권 구축에 기여한다고 볼 수 있다.

나가는 글: 시민으로서의 이주민과 미디어의 역할

이 연구는 이주민에 대한 이해와 이들과의 충분한 접촉이 부족한 채 표면적 현상에 대한 분석에만 치중하는 '타자로서의 거리두기',[117] 그리고 관찰자 시선으로만 서술하는 연구 관행에서 벗어나고자 했다.[118] 연구를 통해 이주여성들의 팟캐스트 방송 참여가 이들의 문화적 시민권 구축에 어떻게 관련되는지를 알아보고자 했다. 연구자로서 직접 찾아가서 관찰하고 대화하는 과정 자체가 상호 소통과 상호 변화의 계기가 될 것으로 기대했다. 연구 결과를 요약하면, 이주여성들이 바쁜 일상 속에서도 그들의 문화와 이슈에 대해 소통하려는 욕구와 일자리 및 교육에 대한 정보 욕구가 강함을 알 수 있었다. 이주여성들은 〈베트남 목소리〉에 적극적으로 참여했다. 프로그램 기획 회의부터 시작하여 자

117 이창호, 〈이주민들의 의사소통 방식에 대한 일고찰: 인천 차이나타운 거주 화교를 중심으로〉,《다문화사회연구》 5(1), 2012.

118 이용승, 〈다문화수용성 제고, 왜 그리고 어떻게 해야 하는가?〉,《현대사회와 다문화》 6(1), 2016.

료를 찾아서 한국어로 자료를 만들고, 생활정보나 뉴스 전달, 전통음악 감상, 사연 공유하기 등 다양한 주제로 베트남어 프로그램을 제작하고 송출했다. 이주여성들이 좀 더 쉽게 활용할 수 있는 모국어 팟캐스트 방송을 통해 그들 간의 소통을 강화하고, 그들의 공동체를 새롭게 발견하고 형성하는 계기가 된 것으로 해석된다. A는 팟캐스트 방송을 위한 자료 조사와 제작 등 전 과정을 주도하는 '리더'였으며, 방송 외에도 춤 동아리와 공연 활동, '베트남교육문화센터'와 '베트남어 교습소' 운영 등의 활동을 하며 이주민 공동체를 이끌고 있었다. 인터뷰와 관찰을 통해, 이주여성들이 방송에서 묘사되는 것처럼 의존적이거나 무능력한 존재가 아니며 피곤한 삶이지만 열심히 삶을 꾸려 나가고 있음을 확인할 수 있었다. 이주여성들은 경제활동을 하는 경우가 많았다. 또한, 이들은 자녀가 한국 아이들과 똑같이 성장하기를 바라고 있었다. 이 점에 주목한 부산문화재단이 이주민의 목소리를 직접 경청하면서 그들의 요구를 파악하고, 그들에게 필요한 사업을 지원하고자 했으며, 그 과정에서 〈베트남 목소리〉가 기획되었다. 특히 베트남 여성들이 사회 참여에 적극적이라는 점에서 이들이 주도하는 모국어 팟캐스트 방송에 대한 지원이 시작되었다.

이 연구는 〈베트남 목소리〉가 다문화 맥락에서 문화적 시민권 구축과 어떻게 관련되는지도 살펴보았다. 이주의 증가는 국경을 통제·관리하는 방법과 이주민을 통합시키는 방안에 대한 문제를 제기하며 '구성원권'의 경계에 대한 질문도 던지고 있다.[119] 이 점에서 법/제도를 뛰

---

119 이병하, 〈환대개념과 이민정책: 이론적 모색〉, 《문화와 정치》 4권 2호, 2017.

어넘어 공동체 구성원으로서의 소통과 인정에 바탕을 두는 시민권 개념이 요구된다. 〈베트남 목소리〉는 이주민에게 목소리 내기와 사회 참여의 기회를 제공함은 물론, 베트남에 있는 가족·친지들과도 연결된다는 점에서 초국적 '디지털 디아스포라' 형성의 장이 되었다.[120] 즉, 디지털 기술의 연결성과 상호성 덕분에 이주여성들은 그들의 정체성을 표현하고 초국적 공동체를 구성하며, 문화적 시민권 획득을 위한 요구를 자연스럽게 표출했다. 또한, 이주민이 목소리를 냄으로써 취업이나 교육, 이주민의 문화활동과 자원봉사에 관한 정보를 공유하고, 공동체의 연대를 모색할 수 있었다. 인터뷰와 관찰에 의하면, 이주여성들은 거주의 권리가 안정적이지 않은 가운데에도 자신의 목소리를 내려고 노력했고, 문화활동·자원봉사 등을 통해 이주민 간은 물론 선주민과도 소통하려 했으며, 방송 참여를 통해 자신의 목소리를 내고 연대를 모색하였다. 이러한 미디어 참여를 통한 목소리 내기와 소통 강화는 다문화적 맥락에 필요한 문화적 시민권의 토대가 된다.

〈베트남 목소리〉의 성과로는 이주여성들의 목소리 내기가 정보 전달과 공유의 장이 되었다는 점을 들 수 있다. 방송 준비와 제작 과정에서 이주여성들은 출신 지역과 언어, 교육수준 등의 차이로 인한 어려움을 극복하면서 서로 소통하고 다양한 정보와 지지를 공유하였다. 또한, 이주민과 선주민 간 교류의 장도 형성되었는데, 방송을 지원하는 지역민 등 한국인들과의 소통과 연대로도 이어졌다. 나아가 모국어 팟캐스트를 기반으로 자녀들을 위한 다양한 교육프로그램을 운영하는 활동을

---

120 R. S. Hedge, *Mediating Migration*, 2016.

통해 공동체가 새롭게 발견되었다. 그 결과 자녀들은 어머니 모국 문화를 접하게 되고, 이주여성들 간에 다양한 정보와 지지를 공유할 수 있었다. 이는 다문화 자녀들의 이중문화/이중언어에 기반한 문화 간 정체성 형성뿐 아니라 어머니 모국 언어/문화에 대한 자부심, 이로 인한 다양한 참여로 이어질 수 있다. 곧, 이주여성의 미디어 참여가 베트남 공동체의 질적·양적 성장과 다양화의 근간이 되었다고 해석된다.

연구 결과를 바탕으로 다문화·미디어 정책을 제안하고자 한다. 첫째, 다문화교육과 미디어 교육을 결합해 강화하는 방안이 요구된다. 다문화·미디어 교육은 시민교육이자 다문화 시민성 함양을 위한 사회적 기제로서 미디어에 대한 올바른 접근과 수용, 활용에 초점을 두어야 한다.[121] 이 점에서 이주민과 선주민이 함께하는 다문화·미디어 교육 정책을 도입해 문화 간 상호 소통에 기여해야 한다. 다문화 정책이나 교육이 한국화 중심에서 탈피하여 다양한 나라들의 문화를 상호 교류하는 방향이 되어야 하고, 이주민을 분리해 지원하는 시혜성이 아니라 상호 소통에 바탕을 두면서 문화적 시민권을 강화하는 방식으로 추진되어야 한다. 부산문화재단의 관계자(F)는 다문화 정책이 큰 틀에서 변해야 한다고 주장했다. 첫째, 〈베트남 목소리〉 같은 이주민의 미디어 참여를 지원하거나 이주민과 선주민이 함께 방송을 하는 기회를 통해 문화적 시민권이 상호인정될 수 있도록 견인하는 정책적 노력이 필요하다. 둘째, 웹 매체 등 접근성이 용이한 매체 활용에 대한 정책 지원도 필요하다. 이용자들이 평등한 조건에서 팟캐스트 등의 웹 공간을 활용해

---

121 김은규, 〈다문화미디어교육의 운영 현황 점검과 방향성 모색: 다문화가족지원센터와 시민미디어센터의 다문화 미디어교육 사례를 중심으로〉,《언론과학연구》15(1), 2015.

손쉽게 접근하고, 자발적으로 목소리를 내며, 다양한 참여를 조직할 수 있도록 정책적 뒷받침이 요구된다. 셋째, 전문적 미디어 교육을 통해 이주민 미디어 활동가를 양성하고, 이들이 미디어 활동의 주체가 되도록 돕는 미디어 정책이 개발되어야 한다.

연구 과정에서 만난 베트남 여성들은 봉사나 사회활동에 적극적이었고, 자국 출신 이주민이나 유학생을 도우려 하거나 다양한 프로그램에 참여하는 등 주체적 모습을 보였으며, 의식이 깨어 있고 행동하고 있었다. 특히 A는 2017년 6월 하순 문을 연 다문화사랑방 형식의 카페에서 매니저 역할을 하면서 이주민과 그 자녀들에게 도움이 될 만한 프로그램을 진행해 이주민 간 연대와 이주민 공동체 강화를 위해 노력하고 있었다.[122] 구체적으로 시 낭송 같은 베트남 문화공연과 자녀들을 위한 베트남어 · 영어 · 한국어 강좌를 열었으며, 이를 페이스북 등에 올려 다양한 문화를 공유하고 있었다. 실제 A가 참여했던 'ㅇ다문화 여성 커뮤니티'는 2017년 12월 법무부의 사회통합프로그램 운영기관으로 선정되어 2018년 2월부터 한국어와 한국문화 수업을 진행했으며, 주말에는 집중적으로 한국어와 모국어 교육, 토픽반을 운영했다. 이후 A는 2018년 3월부터 '베트남교육문화센터'를, 7월부터는 '베트남어 교습소'를 운영하고 있다. 〈베트남 목소리〉 기획 단계에서 '다문화가족지원센터'가

---

122 인터뷰와 관찰에 따르면, 다문화사랑방 형식 카페는 2017년 6월 개소식을 갖고 'ㅇㅇ다문화여성커뮤니티'로 시작했다. 2017년 7월에는 주말마다, 8월부터는 일주일에 3회 교육(베트남 출신 다문화자녀 대상으로 모국어와 한국어 교육, 토픽반 등)을 운영했으며, 이 교육들은 재능기부 등으로 진행되었다. 이는 이주민의 목소리 내기는 물론, 이주민과 지역민 간 상호 소통과 교류, 이주여성들 간 그리고 이주여성 자녀와 가족들 간 만남과 연대의 장이자, 다문화 상황에 필요한 문화적 시민권 강화의 장이 되었다고 해석된다.

이주민을 대하는 태도가 부정적이라서 이들을 사업에서 제외했다는 주장도 제기되었다. 이는 정부위탁을 받아 사업을 수행하는 기관이 이주민에 대한 인식이 부족하고 이주민을 보호의 대상으로만 보는 편협한 태도를 갖는 것과 관련이 있으며, 정책 추진 체계의 전환이 필요함을 보여 준다. 미디어와 인터넷에서 이주민에 대한 고정관념적 재현이 만연한 것에 대응하여 언론인과 선주민 대상 다문화교육 강화도 요구된다. 다문화 · 미디어 교육 강사 양성 과정을 수료한 이주민들이 다문화와 미디어에 대해 가르친다면 이주민과 선주민의 다문화 감수성 향상에 기여하고, 이주민의 교육 참여 동기도 강화될 수 있을 것이다. 이주민 미디어 교육 강사들을 시청자미디어센터는 물론 학교에도 배치한다면 이주민이 교육의 주체로 변모할 수 있고 동시에 이들의 문화적 시민권 확보와 상호 문화교류에도 도움이 될 것이다.

　문화다양성이 풍부한 프로그램의 편성 강화와 다국어 방송 확대도 필요하다. 부산문화재단과 미디토리 관계자, 〈베트남 목소리〉 참여자 일부는 '부산영어방송'이 다국어 방송으로서 역할을 강화해야 한다고 주장했다. 부산영어방송 편성 책임자(I)에 따르면, 베트남어 방송의 홈페이지 업데이트가 늦어지면 베트남 이주민들이 회사로 전화하는 등 방송을 기다리는 사람들이 많아 차후 의견 수렴을 통해 다국어 방송 확대도 고려 중이라고 한다. 부산영어방송이 지역 거주 외국인 전체를 위한 '지역 미디어공동체' 형성을 목표로 한다면, 다양한 국적 출신 이주민들이 원하는 것이 무엇인지 파악하고 이주민의 제작 참여를 강화하는 것이 필요하다. 인터뷰에서 〈베트남 목소리〉가 오래 계속되지 못한 것에 대해 아쉬움을 토로한 이주여성들이 많았다. 따라서 이주여성의 미디어 참여를 지원하는 지속적인 정책을 통해 이주민의 소통권이 강

화되고, 문화적 시민권이 실천되는 발판이 마련될 수 있을 것이다. 홍
종배·유승관은 다문화시대 다문화 교육프로그램 강화와 다문화 전문
방송국 설립, 다문화프로그램 다양성 강화 등을 주장했고,[123] 정의철은
다문화사회 소통 채널로서 지역 미디어의 중요성을 강조하고 지역밀착
형 다문화프로그램 확대, 이주민과 선주민 참여 방송 개발, 다문화프로
그램 모니터링 강화 등을 이주민과 지역민이 공생하는 방안으로 제시
했다.[124] 이는 지역의 케이블 채널도 지역밀착형 채널로서 이주민의 이
슈를 다루는 프로그램을 더 많이 편성해야 한다는 점과도 연결된다.[125]
지역 케이블방송이 다문화가정의 애환을 한국인 시선에서만 스케치할
것이 아니라, 그들에게 필요한 교육과 취업·건강 정보 등을 지역 이주
민에게 전달하고 이주민들의 생생한 목소리를 적극 소개한다면 이주
민의 소통권 강화와 '권능화'에 기여할 수 있을 것이다. 물론 이러한 방
송 프로그램의 기획과 제작에 이주민 미디어 활동가들이 더 많이 참여
해야 한다. 〈베트남 목소리〉 참여자들은 팟캐스트 방송 참여자 모집 당
시에 적극적이었고, 취재와 방송 준비 과정에서 제공되는 교통비나 진
행비에 대해 일자리가 생겼다는 의견을 보이기도 했다. 주류 미디어에

123　홍종배·유승관, 〈다문화 소외계층의 미디어 이용과 정책방안에 관한 연구〉, 《한국소
　　통학보》 23, 2014.

124　정의철, 〈지역방송의 다문화프로그램과 사회공헌활동에 대한 연구: 방송관계자 및 전
　　문가 인식을 중심으로〉, 《한국언론학보》 58(2), 2014.

125　케이블TV 방송협회는 '지역채널우수프로그램'을 시상하고 있는데 2017년에는 CMB
　　충청방송이 제작한 '희망나눔 행복비나리'가 선정되었다 이 프로그램은 독거노인과
　　다문화가정 등 소외계층 이야기를 다루었고, 사연만 전한 것이 아니라 건강검진과 주
　　거환경 개선 등의 정보를 통해 희망의 메시지를 전했다고 한다.(〈CMB충청방송, '희망
　　나눔행복비나리' 한국케이블V방송협회지역채널우수프로그램 수상〉, 《중도일보》 2017
　　년 8월 7일자)

서 기자나 피디·작가 등이 상징/문화생산자이면서 직업인이기도 한 것처럼, 이주민에게 일자리 형식으로 미디어 활동의 기회를 제공할 수 있는 정책이 강화되어야 한다. 이주민이 그들의 정체성과 이슈를 드러내고 선주민들과도 소통할 수 있도록 지원하는 미디어 정책을 통해 이주민에게 필요한 문화적 시민권 구축을 촉진할 수 있다. 지역의 방송사, 시청자미디어센터와 대학의 미디어 관련 학부/대학방송국과 연계해 이주민 미디어 교육을 실시하고, 이주민이 제작에 참여하도록 스튜디오·편집실·장비 등을 지원하며, 공동제작을 육성하는 방안도 유익할 것이다. 이러한 과정을 통해 수평적이고 상호 소통에 기반한 문화적 시민권이 지역사회에서부터 한 걸음씩 구축되는 계기를 마련할 수 있겠다.

이 연구의 한계는 더 많은 〈베트남 목소리〉 참여자/청취자들을 인터뷰하지 못했다는 점이다. 동시에 〈베트남 목소리〉가 이미 중단되어 방송에 참여했거나 청취했던 베트남 이주여성들을 찾기 어려웠다. 이는 이주민의 미디어 참여 정책이 단기간에 이루어지고 후속 대책이 소홀한 데도 원인이 있다. 향후 이주민 미디어 교육을 강화해 이주민 미디어 활동가를 더 많이 배출하고, 〈베트남 목소리〉 같은 미디어나 미디어 교육에 참여한 이주민을 대상으로 조사를 실시해 장기적인 이주민의 미디어 참여 강화 방안을 모색해야 한다. 또한, 이주민 미디어 활동가 데이터베이스를 구축하여 〈베트남 목소리〉 같은 이주민을 위한 미디어 사업을 추진할 때 이들을 참여하게 하거나 의견을 구한다면 이주민의 목소리가 반영되고, 이들이 주체가 되는 미디어 정책을 마련할 수 있을 것이다. 후속 연구에서는 이주민이 주체가 되는 방송을 접한 이주민들을 더 많이 인터뷰해 이들이 방송에 대해 어떻게 느꼈고, 그들의 정체성과 사회활동, 문화적 시민권 형성에 어떤 영향을 미쳤는지, 또 이들이 원하는 방송은 무엇인지를 더 깊게 이해하는 노력이 요구된다. 또한, 다문화 맥락에서 필요한 '문화적 시민권'의 토대가 되는 이주민의 목소리 내기의 다양한 방법과 사례, 정책들을 더 구체적으로 제안하는 연구도 의미가 클 것이다.

참고문헌

안정임 · 전경란 · 김양은, 《다문화와 미디어교육》, 방송통신위원회, 2009.

엄한진, 《다문화 사회론》, 소화, 2011.

엄한진, 《프랑스의 이민문제》 서강학술총서, 2017.

이창원 · 정의철 · 최서리 · 최영미, 《이주민 미디어 활용을 통한 사회통합 제고방안 연구》, IOM이민정책연구원, 2014.

김남국, 〈다문화시대의 시민: 한국사회에 대한 시론〉, 《국제정치논총》 45(4), 2005, 97~120쪽.

김비환, 〈한국사회의 문화적 다양화와 사회 통합: 다문화주의의 한국적 변용과 시민권 문제〉, 《법철학연구》 10(2), 2007, 317~348쪽.

김영찬 · 반명진, 〈지역공동체 구성원들의 공동체 미디어 실천에 대한 고찰: '창신동 라디오 〈덤〉' 현장에 대한 참여관찰을 중심으로〉, 《한국언론학보》 62(3), 2018, 277~308쪽.

김은규, 〈다문화미디어교육의 운영 현황 점검과 방향성 모색: 다문화가족지원센터와 시민미디어센터의 다문화 미디어교육 사례를 중심으로〉, 《언론과학연구》 15(1), 2015, 115~161쪽.

김현미, 〈이주자와 다문화주의〉, 《사회와 문화》 26, 2008, 57~78쪽.

김현미, 〈귀화이주민의 문화적 권리〉, 《한국문화인류학》 48(1), 2015, 89~118쪽.

박관형 · 전희진, 〈긴장의 원천인 시민권: 시민권 담론의 다층성에 대한 이론적 검토〉, 《문화와 정치》 4(2), 2017, 111~140쪽.

반명진 · 김영찬, 〈공동체 라디오 지역공동체 구성원의 상호작용에 대한 현장연구〉, 《언론정보학보》 78, 2016, 79~115쪽.

소영현, 〈징후로서의 여성/혐오와 디아스포라 젠더의 기하학〉, 《대중서사연구》 23(2), 2017, 85~117쪽.

안진, 〈나는 왜 백인 출연자를 선호하는가: 어느 TV제작자의 자기민속지학적 연구〉, 《미디어, 젠더& 문화》 30(3), 2015, 83~121쪽.

안진 · 채영길, 〈공동체 미디어 실천과 다문화 정체성의 재구성: 결혼이주여성의 공동체 라디오 참여활동과 권능화〉,《한국방송학보》29(6), 2015, 94~136쪽.

양한순, 〈다문화주의 시대 귀환 중국동포의 문화적 시민권: 대림동 사례를 중심으로〉,《동북아문화연구》45, 2015, 231~254쪽.

윤인진 · 이진복, 〈소수자의 사회적 배제와 사회통합의 과제: 북한이주민의 경험을 중심으로〉,《한국사회》7(1), 2006, 41~92쪽.

원숙경, 〈다문화가정 소통권 확보를 위한 미디어교육정책에 관한 연구〉,《언론학연구》21(4), 2017, 37~63쪽.

윤수종, 〈소수자와 교육〉,《진보평론》38, 2008, 227~242쪽.

윤재희 · 유향선, 〈한 걸음 더 나아가기: 영 · 유아 다문화교육의 새로운 방향 모색〉,《다문화의 이해: 주체와 타자의 존재방식과 재현양상》, 도서출판 경진, 2009, 149~173쪽.

이병하, 〈환대개념과 이민정책: 이론적 모색〉,《문화와 정치》4권 2호, (2017). 47~72쪽.

이소영, 〈여성결혼이민자의 네트워크가 다문화 시민권리에 미치는 영향: 광주 · 전남 지역을 중심으로〉,《다문화 교육연구》7(1), 2014, 1~28쪽.

이용승, 〈다문화시대의 시민권 아포리아: 누가 시민이며 시민권 향유의 주체는 누구인가〉,《한국정치학회보》48(5), 2014, 185~206쪽.

이용승, 〈다문화수용성 제고, 왜 그리고 어떻게 해야 하는가?〉,《현대사회와 다문화》6(1), 2016, 1~26쪽.

이용재, 〈결혼이주여성의 시민적 권리에 대한 고찰〉,《다문화와 인간》1(2), 2012, 235~268쪽.

이창호, 〈이주민들의 의사소통 방식에 대한 일고찰: 인천 차이나타운 거주 화교를 중심으로〉,《다문화사회연구》5(1), 2012, 5~32쪽.

이희은, 〈문화적 시민권과 문화연구의 만남에 대한 모색〉,《언론과 사회》18(2), 2010, 40~81쪽.

이희은, 〈무례한 미디어 매개된 경험과 타자의 삶〉,《한국방송학보》31(3), 2017, 216~246쪽.

이혜진, 〈일본의 다문화공생 개념과 커뮤니티라디오방송국 FMYY〉,《경제와 사회》, 2012, 360~401쪽.

장미경, 〈한국사회 소수자의 시민권의 정치〉,《한국사회학》32집 6호, 2005. 159~182쪽.

장지은, 〈여성주의 실천 전략으로 바라본 공동체 미디어 : 대구, 경산 공동체 미디어 실천 활동을 중심으로〉,《한국여성학》34(1), 2018, 105~140쪽.

전경옥, 〈여성이주노동자 권리 관련 국제규범과 한국의 여성이주노동자 인권정책〉,
《다문화사회연구》9(1), 2016, 65~96쪽.

전영평, 〈다문화시대의 소수자운동과 소수자행정: 담론과 과제〉,《한국행정학보》
42(3), 2008, 9~27쪽.

정의철, 〈지역방송의 다문화프로그램과 사회공헌활동에 대한 연구: 방송관계자 및
전문가 인식을 중심으로〉,《한국언론학보》58(2), 2014, 191~218쪽.

정의철, 〈이주민의 커뮤니케이션 권리와 역량강화: 이주민 미디어와 이주민 미디어
교육을 중심으로〉,《한국언론 학보》59(2), 2015, 257~286쪽.

조동기, 〈이주자에 대한 사회적 거리와 시민권에 대한 태도〉,《한국인구학》33(3),
2010, 53~73쪽.

조동기, 〈사이버공간의 불평등 담론과 문화적 시민권〉,《사회과학연구》24(1), 2017,
57~74쪽.

조희원, 〈새로운 시민의 등장과 한국의 다문화현상: 결혼이주여성을 중심으로〉,《세
계지역연구논총》33, 2015, 235~254쪽.

주재원, 〈다문화 뉴스 제작 관행과 게이트키핑의 문화정치학〉,《한국콘텐츠학회논문
지》14(10), 2014, 472~485쪽.

채영길, 〈다문화사회와 상호주관적 소통권: 미디어 중심에서 커뮤니티 중심의 커뮤
니케이션을 위하여〉,《커뮤니케이션 이론》9(4), 2013, 136~175쪽.

최 현, 〈탈근대적 시민권 제도와 초국민적 정치공동체의 모색〉,《경제와사회》79,
2008, 38~61쪽.

한 선, 〈공익광고가 재현하는 한국식 '다문화주의'에 대한 비판적 독해〉,《디아스포라
연구》9(2), 2015, 173~195쪽.

한진만 · 홍성구, 〈다문화사회 방송규범의 실천적 방향성: 공정성 논쟁과 다문화 가
정 인터뷰를 중심으로〉,《한국방송학보》27(6), 2013, 185~224쪽.

황정미, 〈초국적 이주와 여성의 시민권에 관한 새로운 쟁점들〉,《한국여성학》27(4),
2011, 111~143쪽.

홍종배 · 유승관, 〈다문화 소외계층의 미디어 이용과 정책방안에 관한 연구〉,《스피
치와 커뮤니케이션》23, 2014, 7~38쪽.

행정안전부, 〈지방자치단체외국인현황: 시도별 외국인 주민현황〉(2017.12).

한성일, 〈CMB충청방송, '희망나눔 행복비나리' 한국케이블TV방송협회 지역채

널 우수프로그램 수상〉,《중도일보》, 2017년 8월 7일자. URL: http://www.
joongdo.co.kr/main/view.php?key=201708072118

Atton, C., "Alternative media, the mundane and 'everyday citizenship'," In M.
   Ratto & M. Boler (Eds.), *DIY Citizenship: Critical making and social media*,
   Cambridge, MA: MIT Press, 2014, pp. 343-358.
Hegde, R. S., *Mediating Migration*, Cambridge: Polity Press, 2016.
Kymlicka, W., *Multicutural citizenship*, Oxford: Clarendon Press, 1995. (윌 킴리카,
   《다문화주의 시민권》, 장동진 · 황민혁 · 송경호 · 변영환 옮김, 동명사, 2010)

Banks, J. A., "Diversity, Group Identity, and Citizenship Education in a Global
   Age," *Educational Researcher* 37(3), 2008, pp. 129-139.
Georgiou, M., "Diasporic media across Europe: Multicultural societies and the
   universalism-particularism continuum," *Journal of Ethnic and Migration
   Studies* 31(3), 2005, pp. 481-498.
Kymlicka, W., & Norman, W., "Return of the Citizen: A Survey of Recent Work
   on Citizenship Theory," *Ethics* 104(Jan), 1994, pp. 352-381.
Lee, H. Y., "At the cross roads of migrant workers, class, and media: a case study
   of migrant workers' television project," *Media, Culture & Society* 34(3), 2012,
   pp. 312-327.
McGillivray, D., McPherson, G., Jones, J., & McCandlish, A., "Young people,
   digital media making and critical digital citizenship," *Leisure Studies* 35(6),
   2016, pp. 724-738.
Miller, T., "Cultural citizenship," *MATRIZes* 4(2), 2011, pp. 57-74.
Paterson, A. Y., Norgaard, R. T., & Koppe, C., "Patterns of Inclusion: Fostering
   Digital Citizenship through Hybrid Education," *Educational Technology &
   Society* 21(1), 2018, pp. 225-236.
Silverstone, R., & Georgiou, R., "Editorial Introduction: Media and minorities in
   multicultural Europe," *Journal of Ethnic and migration studies* 31, 2005, pp. 433-441.
Stevenson, N., "Cultural citizenship in the 'cultural' society: a cosmopolitan
   approach," *Citizenship Studies* 7(3), 2003, pp. 331-348.

도시공간과 축제, 그 윤리적 사유

김숙현

이 글은 《한국연극학》 제1권 제72호(2019)에 게재된 원고를 수정 및 보완하여 재수록한 것이다.

도시와 도시공간에 대한 권리

도시는 현대사회의 모든 요소가 집약적으로 갈등하며 존재하는 핵심 공간이다. 팔루스적 수직의 공간 속에서 물신화는 망상적 환영의 대상으로 승격되었고, 물화된 의식 속에서 '인간'의 자리는 없다. 특히나 한국의 대도시는 과잉성장으로 인한 후유증을 앓고 있다. 한국의 도시개발은 유독 무자비하여 거의 모든 자연을 콘크리트 아래 복속시켰다. 투기적인 도시화로 대부분의 공적 공간 또한 사라졌다. 국가주의적 정책 아래 양적 경제성장과 물리적 개발이 곧 발전을 의미했던 한국의 도시에서 공공공간은 절대 면적이 부족하다. 무엇보다 문제적인 것은 한국의 공적 공간이 '국민'과 '소비자'로서만 누릴 수 있는 죽은 공간으로서의 공공공간이라는 데 있다. 긴 시간 권위주의 국가권력이 내세운 반민주적 규율 속에서 서로가 서로를 대면하고 소통할 수 있는 공적 공간은 국가가 규정하는 협소하고 제한적 의미의 국민만 누릴 수 있었다. 그리고 그 자리를 차지하게 된 자본의 논리는 구매력이 '있는' 자만이 공간을 이용할 수 있고 구매력이 '없는' 사회적 약자는 도태시켜 밀려나게 하였다.[1] 공공공간은 이른바 '타자들'의 말과 행위를 격리, 배제시켰다. 따라서 도시는 그 안에 살고 있는 모든 사람들이 공유해야 할 집합적 공간이며, 도시의 진정한 주인인 도시 주민들이 도시공간을 사용할 권리와 도시행정에 참여할 권리를 가지고 있다는 주장은 여전히 낯선 면이 없지 않다.

---

1 김동완 외, 서울대학교 SSK동아시아도시연구단 기획, 《공공공간을 위하여 – 어떻게 우리의 공적 공간을 회복 지속 확장할 것인가》, 동녘, 2017, 7~12쪽 참조.

도시는 사회문화적 조건과 끊임없이 상호작용함으로써 스스로 재생산하는 생명체이다. 일찍이 벤야민Walter Benjamin의 망명도시 파리는 자본주의 공간미학과 도시학 연구의 단초를 제공했다. 파사주를 중심으로 한 대도시의 일상 공간들은 자본주의 공간을 양가감정으로 바라보는 산책자의 미적 대상이자 새로운 미적 범주를 의미했다. 그런 의미에서 예술작품은 일상의 영역까지 확대되었다. 그러나 자본주의가 고도화되고 세계화가 빠르게 진행되면서 지금의 도시는 소비권력의 절대적 지배 속에 일상과 예술이 분리되고 사유하는 인간 주체를 소외시킴으로써 비인간화된 공간, 익명의 공간으로 변모하였다.

그러한 측면에서 르페브르Henri Lefebvre의 '공간' 사유의 파장은 크다. 그는 장소와 공간의 조건을 그저 물질적 환경이나 배경으로만 이해했던 과거에서 벗어나, 인간 행위자는 물론이려니와 담론적 비물질성까지를 포괄하는 새로운 의미의 '공간 전환'으로 사유를 이끌었다. 르페브르의 세례를 받은 이들은 공공공간을 바라보는 관점에 중대한 변화가 필요함을 절감하였고, 공공공간의 가치중립성은 과연 누구를 위해 존재하는가를 묻고 그에 따라 일부 논저들은 공적 공간의 결핍에 따른 광장의 회복과 지속을 주장하기도 하였다.

같은 맥락에서 하비David Harvey는 자신이 소유한 자산가치를 지켜 내는 것이야말로 가장 중요한 정치적 이해가 되고 있는 이 시대, 이른바 '소유적 개인주의'라는 신자유주의적 강령이 집합적 차원의 행동을 위축시키고 있는 현재의 세계에서 도시와 우리 자신을 변화시킬 권리를 연계하여, 자기 자신과 도시를 창조 · 재창조하는 자유는 가장 소중한

인권임에도 가장 무시되었던 인권이라고 주장하였다.[2]

이 글은 세계자본주의 논리에 침식당한 도시공간에서 '도시에 대한 권리', 즉 도시 거주자들의 공동'작품'인 도시공간에 대한 일상적 향유와 사용의 권리를 주장하며 도시의 주인이 누구인지를 환기시킨 르페브르의 사유에 기반하여, 동시대 도시공간이 갖는 의미망을 점검하고 궁극적으로는 도시공간을 전유하는 축제와 그 공동체예술을 통해 동시대적 의미의 '새로운' 예술이 요구하는 '미학의 정치', 윤리에 대해 사유해 보고자 한다. 이를 위해 몇몇 국내외 사례를 통해 동시대 한국의 현재하는 축제의 문제점을 되비추는 가운데,[3] 도시공간과 그에 대한 도시민의 권리, 혹은 그 '인권'의 주요한 축으로서 축제의 '다른' 가능성을 조망해 보려 한다.

도시공간은 도시 거주자들의 '작품'

도시, 도시공간은 왜 중요한가? 동시대 세계자본주의사회에서 도시는 우리의 삶, 일상생활과 어떤 관계가 있는가? 도시란 우리에게 무엇인가?

르페브르는 사회가 도시화되어 이른바 도시사회가 되었다고 진단한다. 그 의미는 대부분의 사람들이 농촌이 아닌 도시에서 살게 되었다는

---

2 데이비드 하비, 《반란의 도시》, 한상연 옮김, 에이도스, 2014, 9~30쪽 참조.
3 이 글의 목적은 적합한 국내외 축제 사례들을 일괄적으로 소개하거나 혹은 수집 분류하여 분석 평가하는 데 있지 않다. 도시공간이란 우리에게 무엇인지를 반성적으로 질문하고, 그에 대한 참여와 권리의 어떤 가능성으로서의 축제와 그것의 동시대적 의미를 연계하고 사유하는 데 목적을 둔다. 따라서 이 글에서 제시된 사례는 구성적으로, 제한적임을 밝힌다.

의미를 넘어서 사람들의 존재 방식, 사고방식, 행동 방식이 도시적으로 바뀌었다는 것을 의미한다. 도시와 농촌의 물리적 구분은 중요하지 않다. 농촌까지도 도시사회가 되었기 때문이다. 르페브르는 이를 도시혁명이라 명명한다. 이제 산업혁명을 이끈 기존의 제조업 대신에 공간을 정복하고 도시화를 확대하는 데 기여하는 레저산업과 건설산업이 자본주의의 새로운 중추 산업으로 자리 잡게 되었다. 선진자본주의에서 자본주의적 생산력과 생산관계 사이의 모순은 이렇듯 도시 성장을 통해 극복되었다. 자본주의의 유지는 공간을 '점유'함으로써, 공간을 '생산'함으로써 가능했다. 즉 공간을 상품으로 변화시킴으로써 자본주의는 자신의 한계를 극복한 것이다. 공간은 동질화되어 계량 가능한 상품이 되었다. 그것이 담고 있는 물과 공기와 빛(조도)과 더불어 하나의 상품으로서 기능하게 된 것이다. 이렇듯 르페브르가 공간과 도시에 관심을 집중한 것은 사람들의 일상생활 속에서 현대 자본주의의 생산관계가 '재생산'되는 곳이 바로 공간과 도시이기 때문이다. 그런데 여기 이윤 확보를 위해 공간을 착취하고자 하는 자본의 요구와, 필요에 의해 공간을 사용하고자 하는 사람들의 요구 사이에서 모순이 발생하게 된다. 바로 그러한 점에서 자본주의의 위기를 극복하는 수단이었던 도시/공간은 동시에 또 다른 혁명을 일으키는 계기점이 될 수 있다. 왜냐하면 자본주의의 최종적인 위기는 공간을 통한 자본주의 생산관계의 재생산이 중단될 때 발생할 수 있기 때문이다.[4] 이로써 르페브르의 사유는 실천적, 윤리적 함의를 띠게 된다.

---

4 강현수, 《도시에 대한 권리 – 도시의 주인은 누구인가》, 책세상, 2010, 24~28쪽.

이는 곧 '도시에 대한 권리'와 연관된다. 그것은 '작품œuvre'으로서의 도시와, 그 작품에 대한 권리를 말한다. 르페브르에게 도시란 도시 거주자들이 참여해 함께 만들어 가는 일종의 집합적 작품이다. '작품'이란 화폐와 상업, 교환과 제품을 추구하는 경향과 반대되는 특성을 갖는다. 또한 도시에 대한 권리는 거주에 대한 권리, 주거에 대한 권리보다 상위 형태의 권리로서, 전유와 참여 그리고 차이의 권리를 의미한다. 먼저 핵심 권리 중 하나인 전유appropriation의 권리는 '작품'을 창조하는 것과 유사하다. 공간을 전유하는 행동은 곧 예술작품을 만드는 것이다. 이때 건물만이 아니라 광장 역시 전유될 수 있다. 그리고 참여의 권리란 도시 거주자들이 도시공간의 생산을 둘러싼 의사 결정에서 중심 역할을 할 수 있는 권리이다. 필요한 것을 시민들 스스로 규정할 수 있는 공간 창출의 권리이다. 누군가로부터 위에서 아래로 각 개인에게 분배되는 권리가 아니라, 도시 거주자들이 능동적·집합적으로 도시정치에 관여하면서 스스로 규정해 나가는 것이다. 이렇게 도시에 대한 권리는 도시의 물리적 공간에 대한 권리일 뿐만 아니라 도시정치적 공간에 대한 권리가 된다.[5]

주지하다시피 현대인의 일상생활 장소는 바로 도시이다. 무엇보다

---

5 국적에 기초한 도시 거주자의 권리와 무관하게, 자신이 '살고 있는' 도시에 대한 권리이며 더 나아가 도시의 '이용자'도 도시에 대한 권리를 갖고 있다. 그러나 그 이면으로 실제로 '도시에 대한 권리'가 겨냥하는 것은 도시에서 자신의 권리를 제대로 누리지 못하는 취약계층이다. 취약계층은 계급 개념이 아닌, 차이 개념과 만난다. 인종, 종교, 성별, 연령, 국적, 문화, 성적취향 등의 차이로 인해 주류에서 배제된 개인과 집단에 대한 권리가 도시에 대한 권리에 포함되는 것이다. 곧 '차이의 권리'란 서로 다를 수 있는 권리, 동질화의 권력에 강제로 분류되지 않을 권리이다. 강현수, 《도시에 대한 권리─도시의 주인은 누구인가》, 24~40쪽 참조. '차이의 이해와 차이의 실현은 강제적인 동질화와 대립하는' 것이다. 앙리 르페브르, 《공간의 생산》, 양영란 옮김, 에코리브르, 2011, 586쪽.

실천의 장소로 도시가 지목되는 이유이다. 도시는 세계의 문제가 집중되는 장소이자 문제가 해결되는 장소이다. 현대 도시의 문제란 다름 아닌 민주주의의 문제이며, 민주주의의 문제 해결은 도시에 달려 있다. 물론 이때의 민주주의는 특정한 국가 형태나 정부의 정치제도를 일컫는 용어가 아니다. "평등 그 자체를 목적이 아니라 하나의 전제로 이해하는 정치적 사유를 말한다."[6] 일상생활의 반복적 동질화 경향을 비판하고 차이의 중요성을 강조하며 도시에서의 '차이의 권리'를 간파한 르페브르의 사유 역시 그 지점에 있다.

이렇듯 '도시 거주자'의 '도시에 대한 권리'란 도시공간 생산 결정에 참여하는 참여의 권리, 공간에 접근하여 점유하고 사용하며 새로운 공간으로 재구성할 전유의 권리, 그리고 동일자의 권력에 강제로 분류되지 않으며 '차이'를 실현할 차이의 권리라 정리할 수 있다.

공공공간 전유와 공간의 재구성: 축제의 의미 찾기

언급한 바와 같이 르페브르에게 도시는 도시 거주자들이 '참여'해 함께 만들어 가는 일종의 집합적 '작품'이다. '작품'으로서의 도시는 교환가치가 아닌 사용가치와 연관된다. 전유의 권리, 즉 "창조적 개입"[7]으로 공간을 전유하는 것은 작품을 만드는 행위다. 축제가 주목되는 이유이다.

---

6 박근영, 〈미학은 감각적 경험을 분배하는 체제다〉, 《시사IN》 2008년 12월 9일자. 〈https://www.sisain.co.kr/news/articleView.html?idxno=3396〉 (검색일: 2019. 08. 21)
7 앙리 르페브르, 《공간의 생산》, 587쪽.

놀이하는 인간 '호모 루덴스Homo ludens'라는 말로 놀이를 잃어버린 현대인을 걱정했던 하위징아Johan Huizinga, 그의 이론을 축제하는 인간 Homo Festivus이라는 개념으로 확장시킨 콕스Harvey Cox, 카니발 이론으로 질서에 대한 저항과 사회적 위계의 정지, 그리고 각각의 차이들 간 대화의 장으로서 축제의 기능을 주장했던 바흐친Mikhail Bakhtin에 이르기까지, 축제의 의미와 그 중요성에 대한 논의는 지속적으로 이어져 왔다.[8]

르페브르에게 도시의 '일상은 자본주의적 억압과 착취가 자행되는 곳이며 생산관계가 재생산되는 장으로, 인간소외와 사회문제가 총체적으로 드러나는 장소'이다. 따라서 그는 일상에서의 소외를 복구하기 위해 억제된 몸 감각을 자유롭게 할 것을 제안한다.[9] 이에, 소외된 몸을 회복시키기 위한 놀이, 축제의 '재현공간'의 필요성을 언급한다.[10] '식민화'된 일상성을 어떻게 극복할 것인가. 곧 자본주의와 상품이데올로기에 포섭된 일상성의 공간을 해방시키고 그에 활력을 불어넣기 위해 삶의 리듬을 찾는 축제적 인간의 모습에 주목한 것이다.

현대세계의 일상이 도시문제와 분리될 수 없다는 통찰에 이르렀던 르페브르는 특히 공간의 점유와 관련하여 인간의 몸에 주목하였다. 추상으로서의 몸이 아니라 공간을 분할하거나 진행 방향을 제시할 수 있는 몸이 공간을 점유한다는 사실 말이다. '생명체에게 기반을 이루는 장소, 공간을 가리키는 것들은 우선 몸에 의해서 그 자격을 얻는다'는

---

8 이미순, 《축제가 도시브랜드를 만날 때》, 새로미, 2014, 10~16쪽 참조.
9 김민지, 〈도시공간과 실천적 일상전술의 예술적 실행〉, 《현대미술학논문집》 16, 현대미술학회, 2012, 42쪽.
10 앙리 르페브르, 《공간의 생산》, 286~287쪽, 307~310쪽 참조.

것이다. 이렇듯 몸 공간은 르페브르 공간론의 출발점이 된다. 생명체의 몸을 통한 공간의 생산을 그는 '차이'의 생산이라고 말한다. 생명체의 몸이 제각각의 방식에 따라 저마다의 리듬으로 공간을 전유함으로써 차이가 생산된다는 의미다.[11] 그리고 질적 차이에 대한 공간적 구현을, 지각된 공간–공간적 실천, 인지된 공간–공간재현, 그리고 체험된 공간–재현공간으로 나누어 공간 속에서의 인간 활동 행위를 이해하는 분석틀을 마련한다.[12] 특히 마지막이 중요한데, 이 공간은 우리가 체험을 통해 대면하는 감각적 이미지의 공간이며 주로 예술작품을 통해서 드러난다.[13] '차이'의 몸 공간으로 창출된, 차이와 만남이 창조되는 예술작품인 셈이다. 축제의 '자리'를 환기시키는 대목이다.

축제는 모든 문화의 중심에 놓여 있다 해도 과언이 아니다. 널리 알려진 축제를 통해 가늠해 볼 수 있듯이, 축제는 도시와 지역 그리고 국가 브랜드를 구축하는 중요한 역할을 하기도 한다. 국내에서도 지자체의 활성화와 더불어 문화산업과 축제가 연관성이 크다는 인식이 확산됨에 따라 90년대 말부터 급격하게 늘어나기 시작하여 현재는 한 해에

---

11 신승원, 〈앙리 르페브르의 변증법적 공간론〉, 김동일 외, 《공간에 대한 사회인문학적 이해》, 라움, 2017, 150~152쪽.

12 이러한 공간은 다양한 방식으로 모순과 차이를 교차시키면서 변주된다. 르페브르는 이렇듯 사회적 공간의 생산이 단일한 공간적 체계의 완성으로 귀결되지 않으며 복수적인 가능성에 개방된다고 주장한다. 공간적 실천들(실제로 생겨나는 것들), 공간재현(질서/이데올로기의 공간), 재현공간(상징과 이미지에 의한 체험), 이 세 가지 양상은 모든 공간에서 늘 현존하고 상호 관련된다. 김성도, 《도시인간학》, 인그라픽스, 2014, 786~789쪽 참조. 동질화로 인해 타자를 제거하며 나라는 주체 역시 공간에 기획된 정체성으로 인해 소실되는 공간 생산이 '공간재현'이다. 반대로 살아 있는 공간, '재현공간'이란 시민들의 상상이나 예술과 문학을 통해, 살아 있음으로써 접근 가능한 공간과 삶의 일체화를 의미한다.

13 최준란, 《책문화 공간과 도시재생》, 후인, 2017, 53~57쪽 참조.

수천 개에 달하는 축제가 열리고 있다.[14] 그러나 매번 달라지는 정책이나 그에 못지않은 유행의 변동에 따라 지속성 없이 명맥이 단절되거나 일회적으로만 소비되는 한계를 드러내기도 한다. 무엇보다 가장 큰 문제는 '도시민 혹은 지역민들이 향유하는 축제인가?'라는 질문에 긍정적으로 답하기가 어렵다는 데 있다. 거기엔 관 주도의 하향식, 행사용 축제라는 문제점이 내포되어 있다.[15] 언급한 예술'작품'의 창조라는 도시민의 권리 측면에서 국내 축제는 비판적으로 검토되어야 한다.

축제, 공간과 역할 관계의 고정관념을 벗다

한 인간의 삶의 흔적이 누적되어 개인의 역사, 공동체의 역사, 그리고 사회의 역사가 된다. 진정한 의미에서 인류의 역사란 결국 인간 삶의 모든 단면에서 생겨난 무수한 이야기들일 뿐인 셈이다. 또한 인간의 삶과 사회 변화, 역사의 맥락을 투영하는 총체적인 세계란 사실은 작고 사소한 것들로 구성된 일상의 공간을 통해 구축된다. 따라서 '지금 여기' 우리 삶의 공간, '살아가는 흔적이 남겨진' 기억의 저장고가 도시이며, 도시는 개인 기억의 적층이자 공동 기억의 집합소가 된다.

그런 점에서 공간의 경계를 유희하며, 일상과 예술의 경계 너머 개인의 이야기가 공동체의 축제로 이어지는 '민토:라이브Minto:Live'를 주목해 볼 수 있다. 민토:라이브는 저명한 미국의 공연기획자 데이비드 바

---

14 이미순, 《축제가 도시브랜드를 만날 때》, 5~12쪽.
15 최재정, 《도시를 읽는 새로운 시선》, 홍시, 2015, 128~129쪽 참조.

인더David Binder가 2012년 '예술 페스티벌의 혁명'이라는 제목으로 TED 강연에서 언급하여 유명해진 축제이다. "호주 시드니 남부 근교의 작은 도시 민토Minto에서 개최된 민토축제가 주민들이 직접 참여하여 자신들 개인의 이야기를 주제로 공동체예술을 창작함으로써 자신과 공동체의 정체성을 재발견하고 자신들이 속한 지역사회에 대한 자긍심을 고취시켰다"는 것이다.[16]

'민토:라이브'는 축제의 공간에 '사는' 실제 주민들real people이 퍼포머 performer가 되어 자신들이 거주하는 집 앞마당, 잔디밭이나 차고에서 자전적 춤autobiographical dance을 추는 것으로 진행된다. 그런 방식으로 집과 집을 잇는 거리를, 즉 공간과 장소를 실재하는tangible 예술적 형식으로 전환시킨다. 거주민들의 집과 마당에서 시민들 스스로 자전적 공연을 펼치고 관객은 마을 길을 따라 이동하면서 창안된 장소이동형 퍼포먼스에 스스로 참여하게 됨으로써 축제는 기존의 관례를 벗어난다. "관객은 수동적인 구경꾼이 아닌 협력자·주인공이 되기도 하고, 상상은 건물 안으로만 한정되지 않으며 실외의 특정 장소에서도 수행된다."[17] 이렇듯 사적 공간을 공적 공간으로 탈구하고, 공적 공간을 시민 퍼포머/관객들이 틈입하여 전유함으로써, 공간을 재구성한다. 또한 자기서사의 자전적 퍼포먼스와 이동형 장소특정적 공연의 만남 속에 개인의 서사는 공동체의 예술로 확장되고 재배치된다.

그런 점에서 축제는 이머시브 시어터Immersive Theatre의 형태를 취한다

---

16 David Binder, "The Arts Festival Revolution," TED. 〈https://www.ted.com/talks/david_binder_the_arts_festival_revolution?language=ko〉 (검색일: 2018년 12월 30일)

17 David Binder, 위의 연설.

고 볼 수도 있다. 기존의 극장 건물을 벗어난 '발견된 공간'으로, 공연
공간과의 경계가 뚜렷하지 않은 일상공간에서의 장소특정적 공연이라
는 점에서 그러하다. 또한 관객이 기존의 수동적 관객에서 벗어나 공연
에 적극적으로 참여하며 그들 오관을 통해 직접적으로 실감하는 현장
작업이 된다는 점에서 그러하다.[18]

자신의 집 마당에서 혹은 가게에서 나아가 그것을 잇는 거리에서, 도
시를 전유하는 과정에서 사적 공간은 공적 공간으로, 시민은 예술가로,
보는 관객은 참여하는 관객으로, 기존의 관계는 변위displacement된다. 이
는 축제/예술의 존재 이유를 잘 말해 준다. 도시 거주자의 개인적이고
일상적인 이야기가 댄스를 통해 보편성을 얻고, '비非댄서'와 '비非배우'
가 퍼포먼스를 통해 관객 시민들을 '환대'하며 공유의 사회적 공간을
만들어 낸다. 그와 같은 새로운 공유의 경험으로 어떤 '우리'의, 역동적
커뮤니티가 도래하는 것이다.

'민토; 라이브'[19]는 이렇게 도시민의 상실된 창조력의 재생을 통해

---

18 허순자, 〈이머시브 연극(Immersive Theatre)의 장소성과 관객의 공간 이동성 - 펀치드렁
   크의 〈슬립 노 모어〉를 중심으로〉, 《연극교육연구》 29, 한국연극교육학회, 2016, 13~18
   쪽 참조.

19 "Led by artists Gregg Whelan and Gary Winters, Lone Twin is one of Europe's leading
   performance companies." 〈forma.org.uk/artists/lone-twin〉 (검색일: 2019년 8월 20일).
   민토;라이브는 영국의 Lone Twin(예술감독인 Gary Winters와 Gregg Whelan, 안무가인
   Jane Mason, Anna Williams)과, 호주의 Julie Anne Long이 함께 작업하고 연출했다. 영
   국의 예술가 그룹 'Lone Twin'은 1997년부터 춤, 연극, 퍼포먼스로 공공프로젝트와 거리
   춤 그리고 젊은이들을 위한 '라이브' 경험 등을 창안해 왔다. 공공공간에서 했던 그들의
   작업을 일컬어 '스토리텔링 스트리트 댄스'라고도 칭한다. 이 축제에 대한 한 참가자의
   평은 다음과 같다. "거리가 무대가 되는 것은 뭔가 아름답다. 일상생활과 보통 사람들이
   갑자기 서사시가 된다." 〈https://www.homeliveart.com/event/street-dance-lone-twin/〉
   〈https://en.wikipedia.org/wiki/...Visual.../Lone_Twin〉 (검색일: 2019년 08월 12일)

삶/일상의 재생으로, 그리고 개인 삶의 재생이 곧 도시공동체의 재생으로 이어지도록 함으로써 축제의 의미를 되짚어 내고 있다. 예술적 감각의 복원은 주체적인 삶의 자리 찾기와 연계되는 정치적인 것이다. 삶의 공간으로 들어온 예술, 예술로 매개된 일상, 삶과 예술 사이의 경계를 해체하는 축제는 그런 관점에서 실천적이다. 신자유주의 경제논리와 맞물려 모든 것을 경쟁과 상품화로 대상화하려는 획일적이고 전체주의적인 태도 속에서 축제를 통해 일상이 지니는 생명력, 창신력을 재맥락화하는 것은 삶을 갱신하고 재창조하는 일인 것이다.

더 나아가, 이탈리아의 '알토 페스티벌Altofest'은 집 주변이나 그를 둘러싼 거리가 아닌 시민들의 내밀한 사적 공간, 실제 거주공간에서 축제를 벌인다. 예술가는 공간 기부자의 집에서 거주하면서 창작을 하고 그곳에서 관객을 만난다. 이렇게 나폴리 시민들은 자신들 소유의 사적 공간을 예술가들에게 내주고 예술가는 그곳에 일정 기간 머물며 함께 생활하는 진정한 의미의 공유를 실현한다. 사적 공간을 공유함에 따라 사적 공간은 공유의 공간으로 재구성되는데, 이렇듯 축제는 소유와 공유, 사적 공간과 공적 공간에 주목하도록 만들어 시민들에게 삶의 새로운 시각과 경험을 마주하게 한다. 축제 감독 조반니 트로노Giovanni Trono는 "공유는 지금과 같은 역사적 순간에 사회를 변화시키는 행동이다"라고 말하고 이러한 가치는 "관계를 통해서만 촉발된다"고 강조한다.[20] 알토

---

20 박지선, 〈야만적인 예술의 힘으로 도시를 오염시키다: 알토페스트〉, 《연극평론》 92, 2019, 149~153쪽 참조. 본 축제의 공동예술감독 중 한 사람인 안나 게수알도Anna Gesualdo는 '축제란 낯설고 야만적인 예술의 힘으로 도시를 감염시키며 가로지르는 것'이라고 말한다. 바로 그곳에 살고 있는 사람들의 관점이 오염됨으로써 새로운 시선이 만들어지게 된다는 것이다. 축제는 "커뮤니티의 사회구조를 오염시키는 일종의 언어 '감염'을 유발하여 일상생활에 내재된 시적 잠재성을 드러나게 할 수 있다. 친숙한 일상에 속하는 물체와 공

페스티벌은 실존의 나눔, '함께 있음' 자체를 나눔으로써 위계적인 기존의 연극적 '관계'나 인위적인 연극적 구도를 벗어난다. 소유를 포기하고 공유를 행동하는 축제는 곧 난민문제에 직면한 동시대 유럽 사회의 도시 실험이 된다. 이는 곧 동시대적 삶에서, 예술의 존재 방식에 대한 윤리적 질문과도 맥을 같이한다.

한편 도시공간의 공공성을 재구하고 기성의 '분할'을 재분배하는 커뮤니티 아트의 한 사례를, 서울거리예술축제의 최근 작품들 중에서 찾아볼 수 있다. 이는 곧 도시공간에의 '참여'와 '전유'로 공간의 기호와 규율의 경계를 해체하는de-bordering 퍼포먼스로도 읽을 수 있다. 공공의 공간 서울광장의 대표적 공간인 서울시립도서관 건물 전면을 무대로 하여 영상과 사운드, 그리고 문자를 결합한 매핑을 시도한 프랑스 콩플렉스 카파르니움KompleX KapharnaüM의 〈새로운 메시지가 도착했습니다〉가 그러하다. 작품은 시민들을 인터뷰한 영상이나 그들이 보내온 문자나 그림을 미디어 콜라주로 도서관 전면에 투사함으로써 수행된다. 다루어진 주제나 이슈들도 아직까지 한국에서는 잘 드러나지 않는 존재인 난민과 북한 사람에 관한 이야기이며 문자로는 #REFUGEES WELCOME, stop populism, socialeconomy, #MeeToo, 약속, 평화 등 실제 시민들이 보낸 문자와 그림을 사용한다. 또한 시민들의 의견이 담긴 각각의 인터뷰 영상을 마치 공동 화상회의처럼 건물 전면에 동시에 투사한다. 작품은 도서관 건물 전면을 마치 한 장의 도화지처럼 다루는

간에 영향을 미치며 의미를 새롭게 만들어 나가는 과정이라 할 수 있다. … 새로운 지형이 나타날 수 있는 흔적을 남기고 새로운 언어를 생성할 수 있는 씨앗을 뿌리는 것이다." 박지선, 〈야만적인 예술의 힘으로 도시를 오염시키다: 알토페스트〉, 151쪽.

그림 1 프랑스 콩플렉스 카파르니움의 〈새로운 메시지가 도착했습니다〉. 서울시립도서관 건물 전체를 시민들이 보내온 문자나 그림 그리고 그들이 출현하는 영상과 사운드를 결합하여 맵핑하고 있다. ©서울거리예술축제 2018

데, 때론 손으로 이 과정을 드러내 유희함으로써 공공건물의 위엄과 경직을 풀어헤친다. 도심 한복판에 있던 도서관을 전유하여 예술적으로 침입할 수 있었던 어떤 시민은 이제 그 공공공간에 대한 기억을, 감각을 새로운 방식으로 재구성할 수 있게 된다.

도시의 스펙터클은 단순히 겉으로 드러나는 광경이나 볼거리만은 아니다. 그 이면에는 총체적인 경제, 사회구성체의 논리가 결합되어 있다. 이러한 스펙터클은 실제적 소유를 보조하기 위한 시각적 점유를 효과적으로 달성하면서도 그와 동시에 점유한다는 것을 은폐하는 가시적이고 상징적인 기술로서, 특정한 목적으로 의식적으로 만들어진 공간에서 대량생산되고 대량소비되는 이미지이다. 바로 그 삶의 스타일을 주도해 나가는 것이 광고를 중심으로 하는 전광판, 대중매체이다. 이미지의 파노라마를 보여 주는 광고의 핵심적 역할은 새로운 삶의 약속으로서, 그것이 제시하는 삶의 새로운 양식은 한없는 풍요와 부로 충만한 유토피아적 생활방식이다. 시각 이미지에 호소하는 광고의 욕망자극 효과는 도시공간에도 그대로 적용되어 상가와 건축물, 그리고 심지어 거리 자체까지도 하나의 이미지 소비 공간이 된다.

서울거리예술축제가 진행되는 주 공간인 서울광장 역시 예외는 아니다. 광장의 원을 따라 건물의 선도 둥그렇게 만들어진 거대한 '플라자 호텔'은 이미 광장 전체를 시각적으로 점유하고 있다. 그리고 빌딩 사이사이 대형 전광판에 비치는 광고 문구들은 공공의 공간의 시각적 전유 효과를 충족시키면서도 그 전유를 은폐하며 소비를 욕망하도록 자극한다. 축제가 펼쳐지는 바로 그 광장에 '시민예술가'라 명명된 집단이 굴곡진 한국사의 이미지를 담은 대규모 퍼포먼스를 펼친다. 국내 창작집단 단디의 〈빛의 기억〉이라는 작품이다. 공연은 광장 공중에 초대형

그림 2 창작집단 단디의 〈빛의 기억〉. 플라자 호텔의 전유물이 되어버린 광장, 그 공간에 띄워진 노란 배 주위로 공중을 유희하며 하늘로 오르는 하얀 의상을 입은 여성이 다양한 역사적 이미지를 소환한다. ⓒ서울거리예술축제 2018(임형준)

의 노란 배를 띄워 그 공공의 공간을 역설적으로 전유함으로써 위안부·세월호와 연관된 죽음의 이미지, 결핍의 이미지로 일종의 제의를 창출한다. '타자'의 소환을 통해 공적 공간을 전유한 도시공간의 예술'작품'이라 말할 수 있는 셈이다.[21]

---

[21] 광장 위로 떠오른 노란 배의 형상은, 2014년 사건 발생 이후 희생자 수와 동일한 304개 조각으로 만들어진 배에 노란 종이배를 가득 채웠던 바로 그 기억의 배, 기억하겠다는 약속의 배 이미지를 환기시켜 주었다. 이는 시민들의 공유된 기억을 배경으로 삼은 것이다. 나아가 하얀 의상을 입은 채 공중의 노란 배 주위를 자유로이 떠도는 소녀(유령?)의 이미지

소환된 낯선 타자들이 만들어 내는 창발적인 몸짓은 그곳을 장악하고 있던 선별과 배제의 권력에 순간적인 균열을 만들어 낸다. 공공공간이 일상적으로 담고 있던 경계를 흩트림으로써 그곳을 복수의 타자가 자신을 드러내고 참여할 수 있는 곳으로 만든다. 헤테로토피아적 공공공간, 복수의 시선으로 상상되고 전유되는 공간이 되는 것이다.[22]

"도시에 대한 권리는 저절로 주어지는 것이 아니며 선험적으로 결정되는 것도 아니다. 요구와 외침으로 만들어지는 것이다."[23] 르페브르의 언급대로 도시는 자본주의 체제를 공고화하는 공간이기도 하지만 차이의 공간을 생산하는 정치적 접점이 되기도 한다. 자본권력의 개입으로 오염되고 변형된 공간을 시민들이 무엇이든 할 수 있는 가능성의 공간으로 돌려놓을 방법은 경계 해체, 즉 공간에 설치된 기호와 규율을 비트는 문화적 실천, 경계를 고발하고 해석하고 비틀고 재구성하는 일련의 실천에 다름 아니다.

미적 공동체의 장으로

기존 예술장에서 탈피한 대안 공간, 즉 삶 공간의 장소특정적 퍼포먼

는 근현대사의 다양한 역사적 사건들을 소환하면서, 기억을 기원하는 거대한 제의가 되었다. 김숙현, 〈축제의 진화, 거기 공동의 기억이 있다〉, 《서울거리예술축제 2018 - 거리예술 비평 모음집》, 서울문화재단, 2019년 1월, 19쪽.

22 김현철 · 한윤애, 〈반영토 기획의 실천전략: 전유하기〉, 서울대학교 SSK 동아시아도시 연구단 기획, 김동완 편저, 《공공공간을 위하여》, 80~85쪽.

23 강현수, 《도시에 대한 권리 - 도시의 주인은 누구인가》, 185쪽.

스와 커뮤니티 아트로 이루어지는 축제는 바로 나의 '사건'으로 전회될 여지가 크다. 이는 삶의 감각을 재분배하는 실천적 행동으로서의 축제의 가능성을 배태한다. 곧 후기자본주의 상품이데올로기로 인해 배제된 도시공간에 대한 권리를 복원하고 개인이 창조력을 발휘할 수 있는 축제적 인간을 모색하게 되는 것과 연관된다.

랑시에르Jacques Ranciere는 도시공동체에서의 삶의 권리를 감성의 권리와 연결하여 감성, 즉 향유와 놀이를 도시에서 주체의 평등과 자유, 그리고 권리의 실현이라는 측면에서 논의한다. 이런 점에서 예술은 정치적이며, 감각의 재분배로서 형성되는 '미학의 정치화'에 다름 아니다. 결국 동시대 도시공간에서 '새로운' 예술의 가치와 '미학'의 자리는 앞서 살펴본 축제의 퍼포먼스가 수행한바, '참여'와 '전유'로써 공간을 재구성하고 사적 공간과 공적 공간의 관계나 예술가와 거주민, 혹은 관객/대중과의 관계적 위상의 변위로써 오래된 분할 담론의 재생산을 공격하는 것 속에서 드러난다고 볼 수 있다. 그런 점에서 르페브르의 개념인 '작품'은, 행정적 목표에 봉사하는 예술이나 미학을 비판하는 맥락에서 랑시에르가 사용했던 '미학'[24]과 연계하여 사유될 수 있다.

랑시에르의 미학은 르페브르가 공간 전환에서 직접적으로 논의하지 못했던, 공동체예술의 '커뮤니티' 개념을 확장시켜 준다는 점에서 주목을 요한다. 물론 랑시에르가 언급한 미적 공동체, 감각의 공동체는 르

---

[24] "나에게 미학은 정치적 잠재성의 영역이다. 예술은 그 자체로 독립적이거나 자율적인 실천이 아니다. 미학의 문제는 내게 언제나 정치 문제와 연결되어 있다. 미학에 대한 나의 관점은 기본적으로 합의와 불화에 대한 논의에 기초하는데, 이러한 관점에서 또한 내가 강조하는 개념이 바로 '감각적인 것의 분배'다. 이는 감각적 경험들, 곧 볼 수 있는 것, 말할 수 있는 것, 사유할 수 있는 것을 누구에게 어떻게 분배하는가 하는 문제, 곧 지극히 정치적인 문제다." 박근영, 〈미학은 감각적 경험을 분배하는 체제다〉, 대담 참조.

페브르가 말한 동일자의 권력에 강제로 분류되지 않고 차이가 이해되고 실현되는, 살아 있음으로써 접근 가능한 체험공간 혹은 재현공간과도 연계되어 사유될 수 있다. 무엇보다 동시대적 의미의 커뮤니티는 다양한 정서적 정체성들이 구축되고 상상되며 서술되고 재기억되는 트랜스로케이션translocation이다. '고정된 장소'로서가 아닌 유동적인 무엇이다. 나아가 미적 공동체는 치안의 질서에서 정치를 만들어 내는 인간들 사이의 공동체이며, 그 인간들이 스스로를 주체로 세울 수 있게 해 주는 새로운 감각의 공동체이다. 여기서 정치란 자신들에게 할당된 자리에서 벗어나 자신들의 목소리를 자유롭게 내는, 이미 정해진 사회질서를 거스르는 행위이다. 정치란 합의와 유지가 아니라 불화와 이견이 드러나는 과정인 것이다.

정치의 본질은 불일치다. 불일치는 이해나 의견 다툼이 아니다. 그것은 감각적인 것과 그 자체 사이의 틈을 현시하는 것이다. 정치적 현시는 보일 이유가 없었던 것을 보게 만드는 것이다. 그것은 한 세계를 다른 세계 안에 놓는 것이다.[25]

같은 맥락에서 공동체란,[26] 인간들이 삶을 영위하는 데 있어 가시적 형태가 규정되어 있는 제도와 체계로서의 공통 세계가 아니다. 융합을 향한 기획의 대상이 아니다. 동일성 지배 바깥의 공동체, 차이의 공동

---

25 자크 랑시에르,《정치적인 것의 가장자리에서》, 양창렬 옮김, 길, 2013, 226쪽.

26 미적 공동체는 기존의 감각적인 것의 나눔, 분배를 재구성하는 정치에 바탕을 두고 자신과 타자 사이의 차이 불일치를 인지하고 있는 공동체로서 '차이'와 '동일성'을 동시에 사유한다.

체에 다름 아닌 것이다. '감각적인 것의 나눔'의 존재 방식과 점유/전유 방식의 구성·재구성을 통해 변화하는 공동체, 가능성의 공동체, 진행 중의 공동체를 일컫는다. 공통의 감정으로 형성된 집단성을 공유하는 공동체가 아니라 기존의 체제와 단절하고 분할하는 분리의 공동체이자 동시에 접합하고 공유하는 새로운 정치적 감각공동체로서, 일치와 불일치가 공존하는 '따로 또 같이being together and apart'의 공동체인 것이다. 이때 예술은 감각의 공동체가 지니는 짜임 관계를 만드는 대표적인 형식이 된다.

결국 동시대 축제의 존재 가치 역시 '정치적 현시'를 통한 분리와 접합의 감각적 공동체, 미적 공동체의 가능성을 여는 장이어야 한다는 점이다.

맺으며; 불가능성의 사유, 윤리

그 어떤 것도 사유의 불가능성에 방치되어서는 안 됩니다. … 사유 불가능하다고 단언한 것에 맞서기를 바란다면, 사유의 임무는 그것을 사유하는 것입니다.[27]

전 지구적 자본주의의 승리, 자본주의는 모진 역경에도 불구하고 결과적으로 다른 가능성이 존재한다는 사유의 힘을 파기했고, 그 흔적조

---

27   알랭 바디우, 《우리의 병은 오래전에 시작되었다》, 이승재 옮김, 자음과모음, 2016, 16~17쪽.

차 없애 버렸다. 자본주의의 체계적 대안이 있다는 발상을 가능한 완전히 근절하는 것이 그들 꼭두각시 필진들의 '도덕'인데, 위의 인용구는 바로 그 단일성, 자본주의의 주관적 승리의 핵심에 대한 사유를 독려하는 언급이다.[28]

이 글은 동시대 자본주의에서의 도시와 그 공간의 중요성에 주목하는 가운데, '도시에 대한 권리'를 주장하며 도시공간에 대한 도시민의 참여를 선언한 르페브르의 사유를 기반에 두고, 축제가 그러한 정치적/미학적 가능성의 유의미한 장이 될 수 있음을 살펴보고자 했다. 르페브르는 자본주의의 생산관계가 재생산되는 곳이 도시이자 공간이기에 그에 대한 변화도 그로부터 발생한다고 보았으며, 도시에 대한 권리는 도시의 물리적 공간에 대한 권리만이 아닌 도시정치적 공간에 대한 권리라고 주장했다. 그는 도시의 주인이 누구인지를 환기하면서 도시 거주자들의 공동작품인 도시공간에 대한 일상적 향유와 사용의 권리를 주장하며, 동시에 참여의 권리, 전유의 권리 그리고 차이의 권리를 제시하고 공간에 대한 '작품' 창조의 권리를 강조하였다. 이에 따라 이 글은 도시를 전유하는 형식으로서의 축제와 그 위상에 주목하여, 시민 참여나 혹은 실제 거주자가 퍼포머가 되는 국내외 축제 사례를 구성적으로 취하여 공간의 기호와 규율의 경계 해체, 예술가와 일반 시민의 관계 변위, 소유와 공유 혹은 사적 공간과 공적 공간, 그리고 삶과 예술의 경계 유희로 운위되는 도시축제를 탐색하였다.

또한 이 글은 축제와 그 공동체 예술의 의미가, 도시민의 권리로서

---

28 알랭 바디우, 《우리의 병은 오래전에 시작되었다》, 30~31쪽 참조.

도시공간이라는 '작품'에 참여하고 그것을 전유하는 몸적 경험으로 인해 상실한 창조력을 재생하여 결과적으로는 개인 삶의 재생과 도시공동체의 재생이 맞닿는 데 있다고 보았다. 물론 이때의 공동체는 동질화된 도시공간의 매끈함에 틈을, 불화를 드러내는 정치적 현시의 장이자, 동시에 접합하고 공유하는 새로운 정치적 감각공동체를 말한다. 이렇듯 신자유주의의 강령인 소유적 개인주의를 변위dislocation시키는 역동적 공동체를 환기하여 축제 혹은 예술의 실재적 윤리를 포착하고자 하였다.

참고문헌

강현수,《도시에 대한 권리》, 책세상, 2010.

_____, 황현태 외 엮음,《도시와 권리》, 라움, 2012.

김동일 외,《공간에 대한 사회인문학적 이해》, 라움, 2017.

김동완 외, 서울대학교 SSK동아시아도시연구단 기획,《공공공간을 위하여》, 동녘, 2017.

김성도,《도시인간학》, 안그라픽스, 2014.

그램 질로크,《발터 벤야민과 메트로폴리스》, 노명우 옮김, 효형출판, 2005.

데이비드 하비,《희망의 공간》, 최병두 외 옮김, 한울, 2001.

_____,《반란의 도시》, 한상연 옮김, 에이도스, 2012.

류정아,《축제인류학》, 살림, 2003.

_____,《축제이론》, 커뮤니케이션북스, 2013.

스튜어트 엘든,《앙리 르페브르 이해하기》, 전국조 옮김, 경성대출판부, 2018.

알랭 바디우,《우리의 병은 오래전에 시작되었다》, 이승재 옮김, 자음과모음, 2016.

앙리 르페브르,《현대세계의 일상성》, 박정자 옮김, 기파랑, 2009.

_____,《공간의 생산》, 양영란 옮김, 에코리브르, 2011.

_____,《리듬분석》, 정기헌 옮김, 갈무리, 2015.

이미순,《축제가 도시브랜드를 만날 때》, 새로미, 2014.

자크 랑시에르,《해방된 관객》, 양창렬 옮김, 현실문학, 2008.

_____,《감성의 분할》, 오윤성 옮김, 도서출판b, 2008.

_____,《문학의 정치》, 유재홍 옮김, 인간사랑, 2011.

_____,《정치적인 것의 가장자리에서》, 양창렬 옮김, 길, 2013.

최재정,《도시를 읽는 새로운 시선》, 홍시, 2015.

최준란,《책문화공간과 도시재생 : 홍대앞 책문화 공간을 중심으로》, Huine, 2017.

김민지, 〈도시공간과 실천적 일상전술의 예술적 실행〉,《현대미술학논문집》16, 현대미술학회, 2012.

자크 랑시에르, 〈미학은 감각적 경험을 분배하는 체제다〉, 대담: 최정우, 정리: 박근영,《시사 IN》2008년 12월 09일자.〈https://www.sisain.co.kr/news/articleView.html?idxno=3396〉(검색일: 2019. 08. 21)

박지선,〈야만적인 예술의 힘으로 도시를 오염시키다: 알토페스트〉,《연극평론》92, 2019.

허순자,〈이머시브 연극(Immersive Theatre)의 장소성과 관객의 공간 이동성 – 펀치드렁크의 〈슬립 노 모어〉를 중심으로〉,《연극교육연구》29, 한국연극교육학회, 2016.

Heddon, Deidre, *Autobiography and Performance*, New York: Palgrave Macmillan, 2008.

Machon, Josephine, *(Syn)aesthetics: redefining visceral performance*, Basingstoke : Palgrave Macmillan, 2011.

Machon, Josephine, *Immersive theatres: intimacy and immediacy in contemporary performance*, Hampshire: Palgrave Macmillan, 2013.

Turner, V., *Celebration: Studies in Festivity and Ritual*, Washington, DC: Smithsonian Institution Press, 1982.

Ulrike, Garde. Meg, Mumford, *Theatre of Real People*, London: Bloomsbury, 2016.

White, Gareth, "On Immersive Theatre," *Theatre Research International,* Vol 37, 2012.

Irvine, Samantha.〈Samantha Irvine mkshft.org/minto-live〉(검색일: 2019. 08. 21)

쿠바 한인 100년의 오디세이

: 재미 쿠바 한인의 연속(돌발)적 트랜스내셔널
  모빌리티 경험을 중심으로

배진숙·김재기

이 글은 《다문화사회연구》 제14권 제3호(2021)에 게재된 원고를 수정 및 보완하여 재수록한 것이며, 2018년 대한민국 교육부와 한국연구재단의 지원을 받아 연구되었다(NRF—2018S1A6A3A03043497).

쿠바 한인 이주 100주년을 맞이하며

아픔의 큰길을 따라 / 12시 정오에 / 양지 바른 황무지로 / 일꾼들의 무리는 돌아온다. / 힘든 일터에서 / 기운 눈매를 하고 / 황색의 얼굴로 / 소탈한 한인들은 돌아온다. / 메마른 장화에서 / 용설란처럼 날카로운 / 유카탄의 한탄이 솟아난다. / 그들의 그림 같은 모습은 / 동양 꽃병의 / 얼굴들을 연상케 하네.[1]

하루 일과를 마치고 돌아가는 초기 쿠바 한인들의 모습을 담은 이 시는 쿠바 카르데나스 출신 시인 익나시오 페레스 레케나Ignacio Perez Requena의 〈옛 큰길〉이다. 이들 노동형 한인디아스포라들은 한반도에서 쿠바로 바로 건너간 것이 아니었다. 디아스포라 중에는 모국을 떠나 처음 이주해서 살던 나라에 계속 머무르지 않고 다른 나라로 연쇄적 이주serial migration를 감행하는 이들도 있다. 1905년 조선을 떠나 멕시코로 향했던 한인들 중 일부가 1921년 쿠바로 재이주re-migration하여 쿠바 한인 이민사회를 형성하였고, 2021년 '쿠바 한인 이주 100주년'을 맞이하였다.

본 글은 한인디아스포라 이주사에서 중요한 이주 형태지만 연구가 미진하였던 디아스포라의 재이주 현상에 주목한다. 초국가적 이주가 양 국가 간에 일회적으로 발생하는 단선적인 과정에 그치지 않고, 모국을 포함하여 3개 이상의 국가에 걸쳐서 1차 이주가 재이주나 순환이주 형태로 발전하기도 한다. 디아스포라의 이주는 한 세대 또는 여러 세대

---

1 Ruiz, R. & Lim Kim, M., *Coreanos en Cuba*, 2000. (라울 루이스 & 마르타 림 김,《쿠바의 한인들》, 조갑동 옮김, 서울: 자유미디어, 2021.)

에 걸쳐서 연쇄적인 이주로 이어지기도 하고, 이 과정에서 국적 · 문화
· 인종정체성이 더욱 다양화되며 유동적 의미를 갖게 된다.[2] 한 번 이
상 이주하면서 여러 다른 정착지와 의미 있는 관계를 맺게 되는데, 이
현상은 지정학적 환경의 결과이고 사회적 유동성의 전략이며 또한 역
사적 사건에 의해 추동되기도 한다.[3]

　중남미로 떠난 한인들은 그들의 출발 시기에 따라 다음과 같이 분류
할 수 있다. 첫째 1900년대 멕시코와 쿠바로 떠난 조선인들, 둘째 1960
년대 브라질과 아르헨티나 등으로 이주한 농업이민자, 셋째 1970년대
산업화 이후 좀 더 나은 환경을 찾아 개인의 발전과 자녀들의 교육 목
적으로 이주한 자들이다.[4] 본 글은 이 중에서 첫 번째 시기에 속하는 중
남미 초기 한인들과 그 후손들의 한반도-멕시코-쿠바-미국으로 수세
대에 걸쳐 발생한 초국적 이산과 모빌리티mobility 경험에 천착한다. 중
남미 초기 한인들은 '생존'을 위한 일자리를 찾아 멕시코와 쿠바 내에
서도 여러 지역으로 부단히 이동할 수밖에 없었으며 다양한 모빌리티
시스템,[5] 이주중개인 혹은 이주네트워크를 통해서 국경을 넘나들었다.

2　배진숙, 〈모빌리티 극대화 전략으로서의 재이주: 파독광산근로자의 캐나다 진출과
　한인사회에의 기여〉, 《다문화와 평화》 15(1), 2021, 29~58쪽; Bae, J. S., "New York
　Koreans from Latin America: Education, Family, and Class Mobility," Journal of British and
　American Studies 30, 2014, pp. 393-414; Bae, J. S., "Secondary Migration and Workplace
　Language Use among Korean Immigrants from Latin America," Multi-Cultural Contents
　Studies 20, 2015, pp. 161-189.

3　구은숙, 〈중국계 쿠바인의 이주 역사와 디아스포라 정체성: 크리스티나 가르시아의 《원
　숭이 사냥》〉, 《현대영미소설》 20(3), 2013, 157~180쪽; Siu, L., Memories of Future Home:
　Diasporic Citizenship of Chinese in Panama, Stanford University Press, 2005.

4　허성태 · 임영언, 《글로벌 디아스포라와 세계의 한민족》, 북코리아, 2014.

5　모빌리티 시스템은 기차 · 자동차와 같은 모빌리티 테크놀로지와 철도 · 역 · 도로 · 정
　거장 등의 인프라로 이루어진 복합물로서, 이동에 대한 예측과 반복을 가능하게 한다.

즉, 20세기 초에 멕시코를 거쳐 쿠바로 이주한 한인들과 그 후손 중 일부는 쿠바혁명Cuban Revolution(1953~1959)을 비롯하여 차후 여러 가지 사유로 미국을 비롯한 타국으로 다시 한 번 재이주를 감행했다.

　모빌리티는 이동하거나 이동할 수 있는 능력을 뜻하며, 계층 이동과 관련된 '사회적 모빌리티' 혹은 이민 등 다른 형태의 반영구적인 지리적 이동을 의미한다. '더 나은 삶'을 찾기 위해, 또는 가뭄 · 박해 · 전쟁 · 굶주림 등에서 벗어나기 위해 국가 간 또는 대륙 간 이동이 발생한다.[6] 다양한 모빌리티는 새로운 것이 아니라 역사적 과정에서 중요한 현상이었다. 비록 공동체의 디아스포라화diasporization가 새로운 것은 아니지만 그 과정에서 나타나는 유동적 특성은 현재 더욱 분명히 드러난다. 이주, 디아스포라화, 유동적 시민권에 대한 분석은 민족 · 소수민족 · 공동체 그리고 구획되고 정적인 국가 범주에 대한 많은 사회과학적 비판에서 중요하게 다루어진다.[7]

　전 세계 한인디아스포라 관련 연구는 지역별로 편차가 있고 상대적으로 중남미 한인들에 대한 다각도의 연구가 미흡하다. 중남미 초기 한인 이주와 관련해서 한인들의 멕시코로의 1차 이주, 다시 멕시코에서 쿠바로의 2차 이주에 대해서는 어느 정도 연구가 진행되었지만,[8] 쿠바 한인들의 미국으로의 재이주, 그리고 미국 내 쿠바 한인들의 현황에 관

Urry, John, *Mobilities*, Cambridge: Polity, 2007. (존 어리,《모빌리티》, 강현수 · 이희상 옮김, 서울: 아카넷, 2014.)

6　Urry, John, *Mobilities*, 2007.

7　Urry, John, *Mobilities*, 2007.

8　서성철, 〈쿠바 한인이민사〉,《이베로아메리카硏究》11, 2000, 137~159쪽; 안금영, 〈쿠바 한인 이민과 한인 사회〉,《중남미 한인의 역사》, 과천: 국사편찬위원회, 2007a, 58~85쪽.

한 심층적 연구는 전무하다.

이러한 배경 하에 본 연구에서는 쿠바 한인들의 미국으로의 재이주 현상과 다국적 경험에 주목한다. 연쇄적인 이주의 배경과 경로, 쿠바에서 미국으로의 재이주 경험, 재미 쿠바 한인들의 민족·인종적 정체성, 한국·쿠바 문화에 대한 지식 및 관심도, 혼종적 정체성, 사회적 관계에 대해 살펴볼 것이다. 또한 쿠바 한인에 대한 전반적인 이해 제고를 도모하고, 이들과 재미 한인사회뿐 아니라 모국과의 교류와 네트워크 활성화 방안에 대해서도 제언하고자 한다. 전 세계 디아스포라 가운데서도 쿠바 한인들은 유례를 찾아볼 수 없을 정도로 독특한 역사를 가지고 있다. 20세기 초 멕시코로 단 한 차례만 한인들의 해외이민이 이루어졌고, 이후 냉전 시기 동안 이들은 모국과 단절되고 고립되었다. 디아스포라적 접근을 통해 글로벌한 층위에서 분산된 쿠바 한인들의 '잊혀진 forgotten' 역사를 복원하여 현재 시점에서 디아스포라적 재결합을 도모하고자 한다.

미국의 쿠바인 디아스포라

미국의 이민법Immigration and Nationality Act에서 명시하고 있는 '난민'의 정의는 '자신의 국적국 밖에 있는 자로서 또는 국적국이 없는 자로서, 인종, 종교, 국적 또는 특정 사회집단의 구성원 신분 또는 정치적 견해 등을 이유로 박해를 받을 우려가 있다는 충분한 근거가 있는 공포로 인하여 자신의 국적국의 보호를 받을 수 없거나 또는 그러한 공포로 인하여 국적국의 보호를 받는 것을 원하지 아니하는 자'이다.[9] 난민을 보호하고 수용하는 것은 미국 기본 가치의 표현이자 대외정책 추진의 중요한 수단이었다.[10]

역사적으로 수백만의 난민이 자국의 분쟁을 피해 미국으로 이주했다. 1970년대 중반 동남아시아 지역에서 미군 철수가 시작된 이후 동남아시아 난민이 미국으로 대량 이주했고, 1980년대에는 중미인들이 지역 분쟁을 피해 미국으로 건너갔다. 특히 난민의 '피난처'로서 미국과 관련된 주요 이민자 집단이 1960년대 쿠바의 공산화혁명 이후 대거 밀려든 쿠바 이민자 물결이다. 이로 인해 미국 내 이민자들의 국적 기원, 인종 및 민족적 구성비가 크게 변화하였다.[11]

적어도 30만 명의 쿠바인이 미국을 비롯하여 스페인 · 푸에르토리코 · 베네수엘라 · 멕시코 등 다른 중남미 국가나 캐나다 · 독일 · 이탈리아 · 프랑스 등 유럽 국가로 이주한 것으로 추정된다.[12] 이처럼 쿠바를 떠난 이민자 중 상당수가 미국에 안착하였고, 미국 센서스의 2018년 ACS 통계에 따르면 미국 내 쿠바계(쿠바 출생자 포함)는 약 270만 명에 달한다.[13]

9   장은영, 〈미국의 난민인정 절차와 정착지원〉,《월간 복지동향》210, 2016, 28~34쪽.

10 이금순, 〈미국의 난민정책〉,《北韓》307, 1997, 178~179쪽.

11 김연진, 〈미국 이민의 이미지와 이민의 나라 미국: 시사 잡지 표지(1965-1986)를 통해 본 이민의 이미지를 중심으로〉,《미국사연구》26, 2007, 159~189쪽.

12 Duany, J., "Cuban Migration: A Postrevolution Exodus Ebbs and Flows," *Migration Information Source*, July 6, 2017, Retrieved from https://www.migrationpolicy.org/article/cuban-migration-postrevolution-exodus-ebbs-and-flows

13 Blizzard, B. & Batalova, J., "Cuban Immigrants in the United States," *Migration Information Source*, June 11, 2020, Retrieved from https://www.migrationpolicy.org/article/cuban-immigrants-united-states-2018

쿠바인의 미국 이주는 피델 카스트로의 공산화혁명에 대한 반감에서 비롯되었다고 할 수 있다. 특히 쿠바혁명 전에 중상층 이상에 속했던 이들이 공산화로 인해 기존에 누리던 경제적 이권을 위협받자 자신들의 자유와 재산을 지키기 위해 미국으로 망명하였다. 미국 정부는 미국으로 이주한 쿠바인들을 정치적 난민으로 규정하고 '쿠바인 정착법 Cuban Adjustment Act'을 제정하여 이들이 미국 사회에 잘 정착할 수 있도록 돕는 등 매우 관대한 태도를 보였다.[14]

일반적으로 미국 내 쿠바인들은 다른 히스패닉 유권자보다 더 보수적인데, 이는 카스트로 하의 공산정권을 탈출하여 미국에 정착한 그들의 정치적 신념과 관련되어 있다고 할 수 있다. 그런데 이런 쿠바 이민자들의 보수적 성향이 세대교체와 더불어 점차 변화하였다. 쿠바 이민자 2세대 혹은 3세대는 이전 세대보다 미국인으로서의 정체성이 훨씬 강하며, 카스트로 독재정권에 대한 거부감은 약하고 오히려 쿠바에서의 경제적 기회에 훨씬 더 큰 관심을 가지고 있다.[15]

다음으로 재미 쿠바 한인의 초국적 모빌리티 경험에 대한 역사적 배경으로 시기별 쿠바인들의 미국 유입에 대해 좀 더 자세히 살펴보자. 두아니J. Duany는 쿠바혁명 이후 쿠바인들의 미국으로의 대형 탈출 사태를 다섯 개의 이주 물결로 구분하여 설명한다.[16]

첫번째 시기Historical Exile(1959년 1월~1962년 10월)인 쿠바혁명 직후 이민

---

14 성주옥, 《미국 히스패닉 집단 내 정치적 태도의 차이 분석》, 이화여자대학교 석사학위 논문, 2013.

15 김동수, 〈미국의 대(對)쿠바 정책 전환의 결정 요인 분석: 북미관계에 대한 함의〉, 《민족연구》 68, 2016, 218~235쪽.

16 Duany, J., "Cuban Migration: A Postrevolution Exodus Ebbs and Flows," 2017.

표 1 쿠바혁명 이후 미국으로의 쿠바인들의 주요 이주물결

시기	기간	주요 사건	해외이주 쿠바인(명)
Historical Exile (Golden Exile)	1959년 1월~1962년 10월	쿠바혁명에서 쿠바미사일 위기까지	248,100
Freedom Flights	1965년 12월~1973년 4월	카마리오카Camarioca항 폐쇄에서 항공 운송 중단까지	260,600
Mariel Exodus	1980년 4~9월	마리엘항Mariel Harbor 개방에서부터 폐쇄까지	124,800
Balsero Crisis	1994년 8-9월	쿠바 정부의 이주 금지 해제에서 쿠바·미국 정부의 쿠바인 이주 협약 체결까지	30,900
Post-Soviet Migration	1995년 5월~2017년 1월	'젖은 발, 마른 발' 정책 시행에서부터 폐지까지	649,700

출처: Duany, 2017, p.3 표 번역 및 재구성

세력은 혁명과 카스트로 체제에 반대하는 사람들로, 미국에서는 이들을 사회주의 체제에 반대하는 정치적 난민 혹은 망명으로 받아들였다. 쿠바의 중상류층(엘리트 및 부르주아계급) 출신이 다수였으며, 주로 교육수준이 높은 백인 출신이 많았다. 현재 이들의 대다수는 플로리다에 거주하면서 소규모 자영업이나 전문직에 종사하고 있다. 초기 쿠바 망명자들은 미국에 자리를 잡은 뒤 후속이민을 유인하는 기반이 되기도 하였다.[17]

혁명 초기부터 쿠바 정부는 해외이주emigration를 정치적 반대 세력과 잉여노동력을 국외로 송출하는 기제로 활용하였는데, 두 번째·세 번째·네 번째 시기가 그에 해당한다. 두 번째 시기에는 쿠바 정부가 1965년 마탄사스 북부의 카마리오카항을 개방하여 쿠바를 떠나고자 하는 4,500명의 쿠바인을 방출하였다. 차후 쿠바와 미국 정부가 협상하

---

[17] 전기순, 〈미국 내 히스패닉 인종의 사회적 현황과 문화적 정체성〉, 《라틴아메리카연구》 16(1), 2003, 259~294쪽.

여 미 정부 재정으로 1965년 12월에서 1973년 4월까지 약 26만 명의 쿠바인을 쿠바 바라데로에서 미국 마이애미로 수송하였다.

다음으로 1980년과 1994년의 쿠바 난민 탈출은 카스트로가 방조한 것으로 일종의 망명 문호의 고의적인 개방이었다.[18] 세 번째는 일명 '마리엘 대탈출Mariel Exodus' 사태이다. 1980년 몇몇 쿠바인이 아바나의 페루 대사관 정문을 트럭으로 부수고 들어가 망명을 요청한 이후 12만 4천여 명이 쿠바를 떠났다. 카스트로는 마리엘항구를 개방하고 해외에 거주하는 친지가 있다면 쿠바를 떠나도 된다고 허용하였다. 이때 범죄자와 정신병 이력이 있는 쿠바인들이 같이 방출되었다. '마리엘리토스Marielitos'라고도 명명되는 이들은 앞선 시기의 쿠바 망명자들에 비해서 젊고, 흑인의 비율이 높았으며, 교육수준이 낮고 계층적으로 노동자층이 많았다.[19]

네 번째 시기인 1994년 경제위기 때도 비슷한 일이 있었다. 1991년 소련 붕괴로 경제적 지원을 받을 수 없게 된 쿠바는 장기간 불황의 늪에 빠졌다. 1994년 8월 쿠바 정부는 해안 경비를 중지하고 또 한 번 해외이주를 원하는 쿠바인들을 떠날 수 있게 했다. 한 달 여간 약 3만 명의 쿠바인이 쿠바를 떠났는데, 수많은 쿠바인이 뗏목과 보트를 타고 플로리다로 흘러오자 당시 클린턴 정부는 협상을 시도하였다. 쿠바의 해안 경비 회복을 약속받고 쿠바와 미국 정부의 합의에 따라 합법적인 비자를 발급받아 미국으로 이주할 수 있는 쿠바인의 수를 한 해 2만 명으로 정했다.[20]

---

18 이자경, 《멕시코 한인 이민 100년사: 에네켄 가시밭의 100년 오딧세이 (上, 下)》, 한맥 문학 출판부, 2006.

19 Duany, J., "Cuban Migration: A Postrevolution Exodus Ebbs and Flows," 2017.

20 김기협, 〈'이민의 새물결' 샌포드 웅가 지음〉, 《중앙일보》 1996년 3월 17일자.

다섯 번째 시기에는 1995년 이른바 '젖은 발, 마른 발Wet foot, dry foot' 정책이 제정되어 2017년까지 시행되었다. 미국 땅에 성공적으로 도착한 모든 쿠바인은 난민으로 수용되었지만 바다에서 적발된 쿠바인은 쿠바로 송환되었다.[21] 수천 명의 쿠바인이 중남미 여러 나라를 통해 육로로 미국 입국을 시도하였다. 2014년 12월 17일 미국과 쿠바 양국 정상은 국교 정상화를 선언했고,[22] 2017년 오바마 행정부는 '젖은 발, 마른 발' 정책을 폐지하고 무비자 쿠바인을 전부 쿠바로 돌려보냈다.

쿠바 이민자들은 미국으로 이주한 시기에 따라 사회경제적 배경이나 정치 성향 면에서 차이를 보인다. 쿠바혁명 이후 초기 이민자들은 정치적인 이유와 혁명의 급진화로 인해 박탈당한 사회경제적 지위를 유지하기 위해 쿠바를 떠난 반면 대다수의 후속이민자들, 특히 1980년대 이후에는 경제적 이유로 미국으로 온 쿠바인이 많았고, 쿠바에 남겨진 가족을 돕기 위해 이주를 하기도 하였다.[23]

미국의 쿠바인 관련 기존 연구의 특징 중 하나는 1960년대 혁명 직후 미국행 쿠바 이민이 대규모로 발생한 이래 '백인' 학자, 작가만을 위주로 마이애미 디아스포라에 관한 분석에 초점을 맞췄다는 점이다. 중류층 이상의 경제적 기반과 반공산주의적 정치적 성향으로 인해 쿠바계

---

21 송평인, 〈카스트로와 김일성의 차이〉,《동아일보》2016년 11월 29일자.

22 송기도, 〈미국은 왜 쿠바를 끌어안았을까〉,《인물과 사상》204, 2015, 143~155쪽.

23 Eckstein, S. & Barberia, L., "Grounding Immigrant Generations in History: Cuban Americans and their Transnational Ties," *International Migration Review* 36(3), 2002, pp. 799-837; Perez, R. M., "Cuba No; Miami Sí: Cuban Americans Coping with Ambiguous Loss," *Journal of Human Behavior in the Social Environment* 25, 2014, pp. 50-66; Portes, A. & Bach, R. L., *Latin Journey: Cuban and Mexican Immigrants in the United States*, Berkeley, CA: University of California, 1985.

이민자들은 마이애미 사회에 쉽사리 편입할 수 있었고, 다른 이민자들과는 비교할 수 없이 견고하고 부유한 망명 공동체를 형성했다.[24] 하지만 점차 쿠바계 미국인의 인종·사회경제적 배경이 다양화되었고, 아프로 쿠바인Afro-Cuban과 중국계 쿠바인들에 관한 연구도 소수 진행되었다.

이은아는 에벨리오 그리요Evelio Grillo의 《쿠바 흑인, 미국 흑인Black Cuban, Black American》(2000)과 두 편의 영화 〈쿠바의 뿌리/브롱스 스토리 Cuban Roots/Bronx Stories〉(2000), 〈문라이트Moonlight〉(2017)를 중심으로 아프로 쿠바계들의 다중적 정체성에 대해 고찰하고, 이들이 미국의 인종차별적 분위기에 저항하고 적응하는 모습에 대해 분석하였다.[25] 이에 따르면, 미국으로 이주한 아프리카계 쿠바인들은 미국에서 스페인어를 사용하는 것과 검은 피부를 지녔다는 점이 상충하면서 정체성의 혼란을 느낀다. 아프리카계 미국인들에게 스페인어를 사용하는 흑인은 진정성 없는 존재로 인식되었고, 반면 스페인어를 사용하며 쿠바성을 유지하기 위해서는 인종적 정체성을 거부해야 한다는 데 내적 중압감을 느낀 것이다.

중남미 국가에서 미국으로 재이주한 아시아계 이민자들이 다수 존재함에도, 미국의 인구조사나 고정된 인종적 인식과 틀에서는 중남미 출신 아시아계들의 2차 이주를 제대로 설명하지 못했다. 최근에야 미국 학계와 다양한 분야에서 중남미에서 미국이나 캐나다로 재이주한 아시아인들의 복합적 정체성 형성에 관심을 가지고 탐구하기 시작했고, 이

---

24 이은아, 〈미국 아프로쿠바계 이민자의 다중적 정체성〉, 《世界文學比較研究》 64, 2018, 309~328쪽.
25 이은아, 〈미국 아프로쿠바계 이민자의 다중적 정체성〉, 2018.

들의 혼혈 정체성, 언어적 혼종, 독특한 이주사에 주목하고 있다.[26] 카스트로 혁명 후 중국계 쿠바인 수천 명이 쿠바를 탈출해서 한때 아바나 차이나타운의 소규모 상점들이 해체를 맞기도 했으며,[27] 반면 미국에서는 중국 소상공인들이 유입되어 뉴욕 맨해튼 어퍼웨스트사이드 주변에 '치노 라티노 식당Chino-Latino restaurant'이 생겨났다. 이들은 쿠바에서와 마찬가지로 저렴한 중국 및 쿠바 음식을 제공했다. 미국 인류학자 록 시우Lok Siu는 중국계 쿠바인들의 음식점이 "뉴욕시의 도시 경관 내에서 독특한 민족요리와 문화 공간"을 표상하고 있다고 주장한다.[28]

구은숙은 쿠바계 미국 작가 크리스티나 가르시아Cristina García의《원숭이 사냥Monkey Hunting》(2003)을 세계화 현상을 재현하는 아시아계 글로벌 서사의 한 예로 간주한다.[29] 이 소설은 19세기 중반 쿠바에 온 중국인 계약노동자의 세대를 걸쳐 지속되는 이주의 역사를 통해 다양한 중국인 디아스포라의 삶을 재현하고, 남미로 이동한 중국인 이주 역사와 이 과정에서 이루어진 아프리카인과 아시아인의 만남에 주목한다. 4세대에 걸친 가족사를 통해 디아스포라들이 연쇄적으로 다른 지역으로 이동하면서 다양한 인종과 문화유산을 협상해 가는 역동적인 과정을 여실하게 보여 주고, 디아스포라들이 시대와 역사의 피해자가 아니

---

26 Bae, J. S., *Korean Immigrants from Latin America: Fitting into Multiethnic New York*, Lanham: Lexington Books, 2021; López, K., "Fried Rice and Plátanos," *ReVista: Harvard Review of Latin America*, December 1, 2018, Retrieved from https://revista.drclas.harvard.edu/fried-rice-and-platanos/

27 이자경,《멕시코 한인 이민 100년사: 에네켄 가시밭의 100년 오딧세이 (上, 下)》, 2006.

28 Siu, L., *Memories of Future Home: Diasporic Citizenship of Chinese in Panama*, 2005.

29 구은숙,〈중국계 쿠바인의 이주 역사와 디아스포라 정체성: 크리스티나 가르시아의《원숭이 사냥》〉, 2013.

라 계속적으로 자신들의 정체성을 구성하고 선택하며 적극적으로 자신의 운명을 개척한 행위주체임을 강조한다.

본 연구는 록 시우의 연구, 크리스티나 가르시아의 소설 주제와 유사한 맥락에서 그동안 연구가 매우 미진하였던 아시아인의 쿠바 이주, 그리고 미국으로의 재이주 현상에 주목한다. 시우와 가르시아가 다른 유형의 글쓰기를 통해 중국계 쿠바인 디아스포라의 이주사와 문화를 재조명했다면, 본 글은 연구가 전무했던 한국계 쿠바인의 한국에서 멕시코, 멕시코에서 쿠바, 그리고 쿠바에서 미국으로 세대에 걸쳐 이루어진 연쇄적 이주와 정착 경험을 고찰하고 미국 내 쿠바 한인들의 현황을 살펴본다.

멕시코 · 쿠바 한인

1904년 국제이민 브로커 마이어스John G. Meyers는 일본 대륙식민합자회사와 연계하여《대한일보》와《황성신문》에 대대적인 멕시코 이민 모집 광고를 냈다. 4년간의 계약 기간 동안 높은 보수와 여러 가지 편의를 제공한다는 내용이었다.[30] 그에 따라 모집된 1,033명의 한인이 1905년 인천항에서 멕시코로 송출되었다. 1천여 명의 한인이 멕시코 노동이민을 선택한 이유는 경제적인 요인, 일본을 위시한 열강들의 침략이 가속화됨에 따른 국내 정치 상황의 혼돈, 하와이 이민의 성공적인 선례가 빈곤한 한인들을 고무시켰기 때문이다.[31] 멕시코로 떠난 한인들은 유카탄반도의

---

30 한국이민사박물관,《에네켄에 담은 염원: 꼬레아노의 꿈》, 한국이민사박물관, 2019.
31 이종득, 〈멕시코 한인 이민자들의 성격과 정체성 변화: 농장생활(1905-1909)을 중심으

메리다에서 20여 곳의 에네켄henequen 농장으로 분산되어 계약노동에 종사하게 되었다.[32] 한인들은 멕시코에 도착하고 나서야 거짓광고에 속았다는 것을 알게 되고 극심한 노동착취와 경제적 곤경을 겪는다. 노예와 다름없는 4년간의 계약이 끝난 1909년부터 한인들은 '생존'을 위한 새로운 일자리를 찾아 멕시코 전역으로 끊임없이 이동하게 되고, 1921년에는 이들 중 약 300명이 더 나은 삶을 찾아 쿠바로 재이주하였다.

사탕수수에 기초한 제당산업은 1925년경까지 쿠바 수출의 핵심으로서 경제성장의 기초가 되었는데 이로 인해 노동력이 부족했다. 이에 1902년과 1925년 사이에 중국, 유럽, 여타 남미 국가 등지에서 유입된 외국인노동자가 100여 명에 달했다. 멕시코에서 쿠바로 향한 한인들의 재이주도 애초에는 이러한 쿠바의 외국인노동력 수요에서 비롯되었다.[33]

쿠바로 먼저 이주한 한인 중 이해영이란 사람이 1920년 쿠바 마나티의 사탕수수농장과 계약을 맺은 뒤 멕시코 각지에서 한인들을 모집하였다. 쿠바는 "마치 천국과 같고 꿈의 나라이며 얼마나 풍요한지 사탕수수 자르는 사람들은 '양복에 넥타이'를 메고 일하며, 물 대신 우유를 마시고 맥주는 얼마든지 있다"고 소개하였다. 한 쿠바 후손의 회고에 따르면 그의 조부모가 멕시코에서 "쿠바에는 대학도 있고 더 발전되었다고 하여 자손들의 교육을 생각하고" 쿠바로 재이주를 했다고 한다.[34]

하지만 한인들이 멕시코에서 쿠바에 도착했을 때는 국제 설탕 가격

로), 정경원 외, 《멕시코 쿠바 한인 이민사》, 한국외국어대학교 출판부, 2005, 31~64쪽.

32　안금영, 〈쿠바 한인 이민과 한인 사회〉, 2007a.

33　안금영, 〈쿠바 한인 이민사(1921-1964)〉, 정경원 외, 《멕시코 쿠바 한인 이민사》, 한국외국어대학교 출판부, 2005, 247~302쪽.

34　Ruiz, R. & Lim Kim, M., *Coreanos en Cuba*, 2000.

이 폭락하여 경제 상황이 나빠졌고 원래 일하기로 했던 농장에서 한인들의 고용을 거부했다. 결국 소수의 한인들은 멕시코로 다시 돌아갔고, 쿠바에 남은 한인들은 마나티와 주변 지역의 공장이나 농장에서 낮은 임금을 받고 일하거나 타 지역으로 떠나야 했다.[35] 그러다가 일자리를 찾아 마탄사스 지방 엘 볼로의 에네켄농장으로 가게 되어 그곳에서 한인들이 모여 살게 되었다. 한인들의 거주지역은 점차 카르데나스와 아바나 등 쿠바의 타 지역으로도 분산되었고, 1950년경에는 한인들이 에네켄농장에서의 노동 외에도 수도 아바나로 이주하여 공장에 취업하거나 소규모 자영업에 종사했다.

한인들이 쿠바에 도착한 직후 재쿠바 일본영사관이 한인들을 일본의 재외국민으로 등록할 것을 요구하자, 한인들은 이에 대항하여 멕시코에서와 마찬가지로 '대한인국민회 쿠바(마탄사스) 지방회Asociación Nacional Coreana'를 설립하였다. 또한 1920년대와 1930년대에 마나티, 카르데나스, 아바나 등지에도 지방회를 설립하고 민성국어학교, 홍민학교, 진성국어학교를 세워 한글을 가르쳤다.[36]

하지만 쿠바 정부가 1930년대 경제공항을 극복하고자 자국의 중산층과 노동자들에게 유리한 보호정책을 펼치면서 외국인의 노동을 금지하는 차별적인 노동정책을 취했다. 이후 1940년 쿠바 헌법이 개정되어 쿠바 태생이 아닌 외국인도 국적을 취득할 수 있게 되자, 한인들은 노동 정지로 인한 경제적 어려움에서 벗어나기 위해 쿠바 국적을 취득하기 시작했다. 1959년 쿠바혁명 이후에는 한국과 미국한인회와의 교류

---

35 안금영, 〈쿠바 한인 이민사(1921-1964)〉, 2005.
36 한국이민사박물관,《에네켄에 담은 염원: 꼬레아노의 꿈》, 2019.

가 단절되면서 쿠바 한인들은 한민족으로서의 의식과 생활문화를 유지하기 힘들게 되었다.[37] 1959년 피델 카스트로가 쿠바혁명에 성공하게 되자 일부 쿠바 한인들은 미국으로 망명하였다.

기존 중남미 한인 이민에 관한 선행 연구는 '민족 독립운동의 연장선상에서 접근하는 역사적 시각'과[38] '한인들의 생활사를 중심으로 접근하는 인류학적 관점'에서 주로 연구되었다.[39]

한국 독립운동의 특징 중 하나가 바로 한인사회가 있는 대부분의 나라에서 독립운동이 벌어졌다는 것으로,[40] 멕시코·쿠바 한인들의 독립운동에 관한 연구도 진행되었다. 안금영은 초기 멕시코와 쿠바 한인들의 이민 배경과 과정, 그리고 정착 과정에서 한인들의 구심점이 되어준 국민회 조직의 역할에 대해 고찰하였다.[41] 멕시코·쿠바 한인들은 미국의 한인들과 긴밀한 유대관계를 맺고 있었으며 어려운 경제 상황에도 독립자금을 모금하여 고국의 독립운동을 지원하였다. 미국 국민

37 허성태·임영언,《글로벌 디아스포라와 세계의 한민족》, 2014.

38 김재기, 〈북미지역 쿠바한인 독립운동 서훈 미전수자 후손 발굴연구〉,《한국보훈논총》 17(1), 2018, 1~22쪽; 김재기·임영언, 〈쿠바한인 디아스포라의 독립운동 재조명과 정부 서훈 문제〉,《한국보훈논총》 16(1), 2017, 9~28쪽; 안금영, 〈중미지역 초기 한인 사회에 있어서 국민회의 역할〉,《스페인라틴아메리카연구》 5(2), 2012, 49~69쪽.

39 안금영, 〈1940년대 이후 쿠바의 사회변화와 한인 후예의 삶〉,《스페인어문학》 31, 2004, 347~362쪽; 안금영, 《쿠바 한인 이민과 한인 사회》, 2007a; 안금영, 〈쿠바 한인공동체 활성화를 위한 한인후예 인구조사〉,《스페인어문학》 43, 2007b, 317~362쪽; 이남섭, 〈남미의 아시아 소수민족과 멕시코 초기 한인사회의 비교연구: 이주과정과 사회문화적 영향을 중심으로〉,《在外韓人研究》 10(1), 2001, 215~274쪽; 이종득, 〈멕시코 한인 이민자들의 성격과 정체성 변화: 농장생활(1905-1909)을 중심으로〉, 2005.

40 배진숙, 〈초국적 역사문화의 계승과 확산: 재미한인들의 3.1운동 및 대한민국임시정부 수립 100주년 기념사업〉,《在外韓人研究》 49, 2019, 71~104쪽.

41 안금영, 〈중미지역 초기 한인 사회에 있어서 국민회의 역할〉, 2012.

회의 지도로 산하 지방회를 구성하여 한인들의 권익 보호와 상부상조, 조국의 독립해방을 위해 활동하였다.

김재기·임영언은 이스라엘 정치학자 가브리엘 셰퍼Gabriel Sheffer의 모국 없는 디아스포라Stateless diaspora의 관점에서 쿠바 한인 1세대 디아스포라들의 독립운동자금 모금운동을 중심으로 초국적 민족운동에 관해 분석하였다.[42] 또한 김재기는 쿠바 지역에 거주하고 있는 서훈 미전수 독립운동가 후손 발굴을 위한 최근의 노력 과정과 이를 위한 정책 제언을 하고 있다.[43]

또한 20세기 초 한인들의 쿠바 이주가 멕시코 이주와 연계되어 파생된 재이주였다는 점에서 양국의 이주사와 생활사적 측면, 한인 후손의 정체성 등을 포괄적으로 다룬 연구가 진행되었다.[44] 인류·사회학적으로 쿠바 한인의 실태와 정체성에 관한 연구는 2000년대 초반 중남미 지역 연구자들에 의해서 이루어진 이후 거의 답보 상태였다. 그러다가 김재기·임영언의 연구가 비교적 최근인 2016년 쿠바 한인 후손 약 1천 명의 인적사항에 대한 정보를 제공하고 있고,[45] 노용석·이정화의 연구는 현지 조사 자료를 활용하여 멕시코·쿠바 한인들의 모국과의 연계성에 관해서 고찰하였다.[46]

---

42 김재기·임영언, 〈쿠바한인 디아스포라의 독립운동 재조명과 정부 서훈 문제〉, 2017.

43 김재기, 〈북미지역 쿠바한인 독립운동 서훈 미전수자 후손 발굴연구〉, 2018.

44 김기현, 〈멕시코 한인 후손들의 정체성 연구: 현황과 정책대안: 유카탄 지역〉, 2005.; 이자경, 《멕시코 한인 이민 100년사: 에네켄 가시밭의 100년 오딧세이 (上, 下)》, 2006; 정경원, 〈설문 조사 분석을 통한 쿠바 한인 후손들의 정체성 실태 연구〉, 《스페인어문학》 33, 2004, 477~494쪽.

45 김재기·임영언, 〈쿠바한인 디아스포라의 독립운동 재조명과 정부 서훈 문제〉, 2017.

46 노용석·이정화, 〈멕시코-쿠바 에네켄 한인 이주민 후손의 모국 연계성 연구〉, 《민족문

하지만 쿠바에서 미국으로 재이주한 한인들을 대상으로 이들의 이주와 정착 경험에 관해 실증적 연구를 진행하거나 심층적으로 분석한 학술 연구는 거의 전무하다. 다만 미주언론에 간헐적으로 미국의 쿠바 한인 가족을 소개하는 기사가 게재되었고,[47] 이자경의 연구에서 멕시코 한인 이주사와 연계하여 쿠바혁명 이후 미국으로 이주한 쿠바 한인의 사례를 소개하고 있다.[48] 1960년대 망명 대열에 나선 그룹은 대부분 쿠바의 부르주아계급으로 그 가운데 아바나에서 사업으로 성공했거나 자녀가 미국 동포와 혼약을 맺은 소수의 한인 가족들이 먼저 합류했다고 한다.

미주언론 기사나 이자경의 연구는 쿠바 한인들의 재이주와 관련하여 쿠바혁명 이후 1960년대에 공산정권을 피해 온 경우에 주로 초점을 두고 있다.[49] 하지만 본 글에서는 쿠바 한인들이 정치적 이유뿐 아니라 경제적인 이유, 결혼, 유학, 가족 초청 등을 계기로 비교적 최근까지도 미국으로 이주하고 있다는 점에 주목한다. 또한 기존 문헌에서는 쿠바 한인 개인이나 일가족 단위로 각각의 사례를 개별적으로 소개하고 있는데 반해, 본 연구는 재미 쿠바 한인들의 경험을 포괄적으로 아우르면서 다각적으로 분석하고자 한다.

화논총》 77, 2021, 6~32쪽.

47 정연화, 〈쿠바 한인 일가족 100명 LA거주〉,《미주중앙일보》 2005년 5월 24일자; 조셉박, 〈고국 그리며 부른 애니깽 후손의 애국가〉,《한국일보 애틀랜타》 2015년 1월 28일자.

48 이자경,《멕시코 한인 이민 100년사: 에네켄 가시밭의 100년 오딧세이 (上, 下)》, 2006.

49 이자경,《멕시코 한인 이민 100년사: 에네켄 가시밭의 100년 오딧세이 (上, 下)》, 2006; 이자경, 〈멕시코-쿠바 한인 후손들과 김치의 정체성〉, 박채린 외,《김치, 한민족의 흥(興)과 한(恨)》, 세계김치연구소, 2016, 229~306쪽.

재미 쿠바 한인 연구참여자 정보

본 연구는 문헌자료 조사로 '미국의 쿠바인 디아스포라', '멕시코·쿠바 한인', 그리고 '재이주 현상'과 관련된 미주한인 신문기사, 통계, 저서와 논문 등의 다양한 자료를 활용하였다. 또한 본 연구의 핵심 연구방법으로 2021년 3월부터 7월 사이에 재미 쿠바 한인을 대상으로 온라인 설문조사를 실시했는데 총 14명이 참여하였다. 본 연구는 모집단을 대표할 정도로 의미 있는 규모의 표본을 확보하고 결과를 분석하는 양적 연구가 아니라 질적 연구방법에 충실한 연구이다. 쿠바 한인들에 관한 학문적, 정책적 관심을 환기시키기 위해서 작성한 도입적 성격의 연구이며 더욱더 많은 후속 연구로 파생될 수 있을 것이다.

코로나19로 인해 미국 현지 조사가 불가능한 상황에서 단답형이 아닌 개방형질문open-ended question들로 구성된 서면 인터뷰를 실시하였다. 연구참여자의 응답 내용을 토대로 다양한 주제어를 도출하여 일련의 범주를 기준으로 구체화, 재조직, 개념화하여 자료를 분석하였다.

연구 대상은 20세기 초에 멕시코를 거쳐 쿠바로 이주했던 한인들의 후손으로서 현재 미국에 거주하고 있는 20세 이상의 한국계이다.[50] 본 연구에서는 한국인 혈통이 절반(1/2), 쿼터(1/4), 1/8 등 혼혈 정도와 상관없이 '한국계'로 간주한다.

연구참여자 모집은 공동필자(김재기 교수)가 수년간 멕시코·쿠바 현

---

[50] 연구대상자 모집 문건에 연구참여자 자격 요건으로 다음 3가지 사항을 명시하였다. ① You must be over the age of 20.; ② You must be a descendant of Koreans who immigrated to Cuba in the early 1900s.; ③ You must currently reside in the U.S.

지를 방문하여 독립운동가 발굴과 서훈 전달을 위해 노력하며 구축한 온·오프라인 인적 네트워크를 활용하였다. 또한 관련 페이스북 그룹에 직접 게시물을 올려서 홍보하고, 연구참여자들의 소개를 받아 '눈덩이 표집법snowball sampling'을 함께 이용하였다. 자발적으로 참여 의사를 밝힌 대상자에게 이메일로 설문지와 연구참여 동의서를 전송하였다. 설문지 상단에 연구 목적과 내용에 대한 개관, 참여자의 개인정보 보호에 대해 안내하는 내용을 포함하였다. 설문지 질문과 응답은 영어로 작성되었으며 참여자의 답변은 한국어로 번역하여 본 글에 기술하였다.

설문의 주요 질문은 〈표 2〉에서와 같이 크게 5개 범주로 구성되었다. '연구참여자의 기본 인적사항', '가족 관련 정보', '민족·인종적 정체성'(본인이 자각하는 정체성, 타인들이 규정하는 정체성, 정체성 변화 등), '한국·쿠바 문화에 대한 지식 및 관심도'(음식 및 언어를 비롯한 양국 문화에 대한 노출 정도와 관심도 등), '사회적·초국적 관계'(한인 혹은 쿠바인 관련 단체 활동 여부, 한국 방문 여부, 쿠바와의 초국적 관계 등)에 관해서 질의하였다.

설문 답변에서 명확하지 않거나 미흡한 부분은 추가적인 이메일 서신과 페이스북 메신저를 통해 보완하였다. 재미 쿠바 한인에 대해 거의 알

표 2 설문지 주요 내용 (단위: 개)

	내용	질문 항목 수
1	연구참여자 인적사항	9
2	가족 관련 정보	9
3	민족·인종적 정체성	5
4	한국·쿠바 문화에 대한 지식 및 관심도	7
5	사회적·초국적 관계	6

려진 바가 없고 선행 연구가 매우 미진한 상황에서 실증적으로 수집한 자료 분석을 통해서 학문적 논의를 진행하는 귀납적 방법을 취하였다.

연구참여자는 성별로는 여성이 11명, 남성이 3명으로 여성이 많았다. 연령 면에서는 20대(2명), 30대(2명), 40대(1명), 50대(5명), 60대(1명), 70대(2명), 80대(1명)로 비교적 다양한 분포를 보였는데 50대가 가장 많았고 평균연령은 52세였다.

"20세기 초에 멕시코와 쿠바로 이주했던 한인들을 1세대라고 할 때 당신은 몇 세대에 속하나요?"라는 질문에 9명은 3세대, 5명은 4세대라고 응답했다.[51]

미국에서 태어난 응답자들의 조부모 혹은 부모의 미국 이주 시기는 1940년대 1명, 1950년대 3명, 1960년대 3명이었다. 쿠바혁명 전에 쿠바 한인 (조)부모 중 한 분이 하와이 출신 재미 한인이나 비한인 미국인과 국제결혼을 하여 이주했거나, 쿠바혁명 후인 1960년대에 가족 단위로 미국으로 망명한 경우였다. 그리고 쿠바에서 태어난 응답자의 미국 입국 시기는 1960년대 1명, 1980년대 1명, 2000년대 1명, 2010년대 4명이었다. 이들의 이주 시기와 이주 사유는 쿠바혁명 여파, 마리엘 대탈출, 경제적 이유, 결혼, 유학, 가족 초청과 관련이 있었다. 이들은 항공편, 선박편뿐 아니라 여러 중남미 국가를 연속적으로 거치면서 육로를 통해서 미국으로 건너오기도 하였다.

연구참여자의 출생지역을 보면 쿠바의 마탄사스(4명)와 아바나(3명)

---

51 설문지상의 해당 질문은 다음과 같다. "If your ancestors who first immigrated to Mexico and Cuba in the early 20th century were the first generation, do you know which generation you are?"

표 3 재미 쿠바 한인 연구참여자 정보

	이름 (성별)	출생 연도 (세대)	미국 입국 연도	출생지	현재 거주지	국적	최종 학력	직업
1	Melissa (F)	1963 (3세대)	1968	마탄사스 (쿠바)	윌밍턴, 노스캐롤라이나	미국인	고졸	식당 경영
2	Marisol (F)	1949 (3세대)	1980	마탄사스 (쿠바)	마이애미, 플로리다	미국인	고졸	은퇴 (전: 봉제, 병원사무)
3	Raul (M)	1941 (3세대)	2009	마탄사스 (쿠바)	마이애미, 플로리다	미국인	중졸	은퇴 (전: 목사)
4	Camila (F)	1996 (4세대)	2016	하바나 (쿠바)	휴스턴, 텍사스	쿠바인	고졸	소매판매업, 바텐더
5	Alicia (F)	1985 (4세대)	2016	마탄사스 (쿠바)	올랜도, 플로리다	쿠바인	고졸	무용수
6	Olivia (F)	1990 (4세대)	2017	하바나 (쿠바)	솔트레이크시티, 유타	쿠바인	대졸	기상학자, 스페인어 방송 기상앵커
7	Veronica (F)	1968 (3세대)	2018	하바나 (쿠바)	컬럼비아, 사우스캐롤라이나	쿠바인	고졸	배달업
8	Emma (F)	1969 (3세대)		마이애미, 플로리다	샌안토니오, 텍사스	미국인	대졸	부동산업
9	Sarah (F)	1964 (3세대)		티투스빌, 플로리다	웨스트콜럼비아, 사우스캐롤라이나	미국인	석사	음악목사
10	Nancy (F)	1956 (3세대)		LA, 캘리포니아	잭슨빌, 플로리다	미국인	고졸	방역업체 인사과장
11	Jane (F)	1966 (3세대)		뉴욕, 뉴욕	마이애미, 플로리다	미국인	대졸	은퇴 (전: 교정재활국)
12	Daniel (M)	1950 (3세대)		워싱턴디씨	펄 시티, 하와이	미국인	박사	치과의사
13	Jason (M)	1975 (4세대)		마이애미, 플로리다	LA, 캘리포니아	미국인	대졸	텔레비전 감독
14	Emily (F)	1994 (4세대)		샌디에이고, 캘리포니아	샌디에이고, 캘리포니아	미국인	박사	검안사

미국 출생자는 '미국입국연도'란에 미기입.

에서 태어났거나, 미국의 플로리다주(3명), 캘리포니아주(2명), 뉴욕주
(1명), 그리고 워싱턴DC(1명)에서 출생하였다. 현재 미국 내 거주지역
은 플로리다주(5명), 캘리포니아주(2명), 텍사스주(2명), 사우스캐롤라
이나주(2명), 노스캐롤라이나주(1명), 유타주(1명), 하와이주(1명) 등이
었다. 2014~2018년 기준 ACS 통계에 따르면 미국 내 전체 쿠바계 인
구의 지역적 분포는 플로리다주(77퍼센트)에 가장 많이 거주하고 다음
으로 텍사스주(4퍼센트), 뉴저지주(4퍼센트), 캘리포니아주(3퍼센트) 순
이었다.[52] 본 연구에 참여한 재미 쿠바 한인들도 본인 혹은 가족의 첫
미국 도착지, 출생지와 성장지, 현재 거주지가 상당수 플로리다에 집중
되는 경향을 보였다. 그리고 미국으로의 재이주 과정에서 쿠바 한인 연
결망뿐만 아니라 비한인 쿠바인 배우자나 친척의 인적 네트워크를 활
용하였고, 먼저 망명한 플로리다 마이애미의 쿠바인 커뮤니티로 편입
된 경우가 많았다. 이민자들은 일반적으로 같은 문화권 출신 구성원이
거주하는 미국 지역으로 이주하는 경향이 있다. 이는 거주국에서 이민
자의 적응, 행정적 절차, 사회 서비스, 고용 및 주거와 관련하여 도움을
줄 수 있는 동일한 문화권 출신 또는 가족구성원을 찾기 때문이다.[53]

국적 면에서는 쿠바 출생 7명 중 3명은 미국 국적을 취득하였고 4명
은 영주권을 소지하고 있었다. 미국 정부는 1966년 '쿠바인 정착법'을
제정하여 미국에 입국한 쿠바인에게 1년 1일이 경과하면 영주권을 부

---

52 Blizzard, B. & Batalova, J., "Cuban Immigrants in the United States," 2020.

53 Bonnin, R. & Brown, C., "The Cuban Diaspora: A Comparative Analysis of the Search
for Meaning among Recent Cuban Exiles and Cuban Americans," *Hispanic Journal of
Behavioral Sciences* 24(4), 2002, pp. 465-478; Portes, A. & Bach, R. L., *Latin Journey:
Cuban and Mexican Immigrants in the United States*, 1985.

여해 왔다. 이는 멕시코, 아이티, 필리핀 등 다른 국적의 사람들이 미국 영주권을 취득하는 데 수년에서 10년 이상 걸리는 것과 비교할 때 엄청난 특권이다.[54] 탈북민 관련 연구에서는 북미와 유럽의 '북한인권법 North Korean Human Rights Act' 제정이 탈북민들에게 전 지구적 차원에서 시민권을 획득할 수 있는 새로운 기회 구조를 형성하고 이들의 국제이주를 가능하게 하는 법적 토대와 정당성을 제공하였다고 한다.[55] 유사한 맥락에서 쿠바인들에게 주어지는 특혜로 인해서 미국 내 쿠바인들은 타 민족에 비해 비교적 안정적인 법적 지위를 확보하고 있는데 연구참여자들 또한 그러하였다.

최종학력은 연구참여자의 50퍼센트가 대학 졸업 이상(대학 졸업 4명, 석사 취득 1명, 박사 취득 2명)이었고 고등학교 졸업이 6명, 중학교 졸업이 1명이었다. 쿠바 출신들에 비해 미국에서 출생한 연구참여자들이 학력이 높고 전문직종에 종사하는 비율이 높았다. 연구참여자들의 이름은 개인정보 보호를 위해 모두 가명으로 처리하였다.

〈표 4〉에서와 같이 연구참여자 중 6명은 부모 양쪽이 한국계였고, 5명은 어머니쪽만 한국계, 3명은 아버지쪽만 한국계였다. 부모의 출생국은 대부분 쿠바였는데, 3세대로 친남매인 마리솔(1949년생)과 라울(1941년생)의 부모는 멕시코에서 태어나 어린 시절 쿠바로 이주하였다. 이외에 부모 중 한쪽이 미국(2명), 아르헨티나(1명), 한국(1명)에서 태어났거나 부모 양쪽이 미국에서 출생(2명)하였다.

54 송기도, 〈미국은 왜 쿠바를 끌어안았을까〉, 2015.
55 이희영, 〈국제 인권정치와 비국의 서사: 독일로 간 탈북 난민들의 삶에 관한 보고서〉, 김수철 외, 《모빌리티와 생활세계의 생산》, 서울: 앨피, 2019, 269~317쪽.

표 4 연구참여자 부모 정보

	이름	모 인종	모 국적	부 인종	부 국적	여타 부모 정보
1	Melissa	한인	쿠바인 ▶미국인	백인	쿠바인 ▶미국인	부모 양쪽 쿠바 출생. 쿠바의 직장에서 만났음. 멜리사는 1968년 부모와 같이 미국으로 망명.
2	Marisol	한인	쿠바인	한인	쿠바인	부모는 쿠바에서 만났고 미국으로 재이주하지 않았음. 쿠바에서 타계함.
3	Raul	한인	쿠바인	한인	쿠바인	부모 양쪽 멕시코에서 출생. 쿠바로 재이주하였고, 쿠바에서 만났음.
4	Camila	혼혈 한인	쿠바인	백인	쿠바인	부모 양쪽 쿠바에서 출생하여 만났음. 부모는 쿠바에 거주하고 있음.
5	Alicia	백인	쿠바인	혼혈 한인	쿠바인	부모 양쪽 쿠바에서 출생하여 대학교에서 만났음. 부모는 쿠바에 거주하고 있음.
6	Olivia	백인–한인 혼혈	쿠바인	백인	아르헨티나인	부모는 처음 쿠바에서 만났고 현재 쿠바에 거주하고 있음.
7	Veronica	한인	쿠바인	한인	쿠바인	부모가 쿠바 마탄사스에서 출생. 부는 타계. 모는 쿠바에 거주하고 있음.
8	Emma	한인	쿠바인 ▶미국인	백인	쿠바인 ▶미국인	부모 양쪽 다 쿠바 출생. 부모가 쿠바혁명 후 미국 망명하였고 엠마는 미국에서 출생했음.
9	Sarah	한인	쿠바인 ▶미국인	한인	미국인	모는 쿠바 출생. 부는 미국 하와이에서 태어나 플로리다에서 직장 다녔음. 부모가 펜팔로 교제 후 결혼하여 모가 1950년대 미국으로 이주하였음.
10	Nancy	한인	쿠바인 ▶미국인	한인	미국인	모는 쿠바 출생. 부는 하와이에서 태어나 로스앤젤레스에서 직장에 다녔음. 모의 사진을 보고 부가 결혼을 결심하였고, 1950년대 모가 미국으로 건너옴.
11	Jane	히스패닉계 백인	쿠바인	한인	쿠바인	부모 양쪽 다 쿠바 출생. 쿠바에서 어린 시절에 만났음. 부모가 1960년대 미국으로 망명. 제인은 뉴욕에서 출생.
12	Daniel	한인	쿠바인 ▶미국인	한인	조선인 ▶미국인	모는 쿠바 출생. 부는 한국 출생으로 하와이로 이주했다가 워싱턴DC에서 치과의사로 일했음. 재미 한인 목사 소개로 1948년 부와 결혼하기 위해 모가 미국으로 이주했음.
13	Jason	백인–한인 혼혈	미국인	백인	미국인	쿠바 출생 조부가 미국백인 조모와 결혼 후 1954년 미국으로 이주했음. 부모는 마이애미에서 처음 만났음.
14	Emily	필리핀인	미국인	한인	미국인	1962년 조부모가 카스트로 정권을 피해 미국으로 망명했음. 부모는 두 분 다 미국 출생. 남가주 소재 대학에서 처음 만났음.

국적에서 ▶은 귀화하였음을 명시함.

쿠바에서 미국으로의 재이주 동기와 경로

연구참여자 혹은 그들의 (조)부모가 쿠바에서 미국으로 이주한 동기와 경로를 '쿠바혁명 이전', '쿠바혁명 직후(1960년대)', '1980년 마리엘 대탈출', '2000년대 이후'의 네 시기와 계기로 구분하여 살펴보겠다.

쿠바혁명 이전

제이슨(1975년생)의 조부는 쿠바 출생 한인인데 쿠바를 방문했던 백인 미국인 조모와 결혼하여 1954년 미국으로 이주했다. 다니엘(1950년생), 낸시(1956년생), 사라(1964년생)의 사례는 쿠바혁명 전에 쿠바 한인, 미국 한인이었던 부모가 결혼을 통해 미국에서 결합한 경우이다. 연구참여자의 (조)부모인 쿠바 한인 2세대부터 쿠바 내에서 족외혼이 이루어지기도 했지만, 또한 초국적 노력을 통해 쿠바-미국 한인들 사이에 동족결혼을 시도했음을 알 수 있다.

다니엘, 낸시, 사라의 모는 공통적으로 쿠바에서 태어나 쿠바혁명 전인 1940~1950년대에 펜팔, 사진 교환, 혹은 재미 한인 목사의 소개로 미국에 거주하고 있던 한인과 결혼하게 되어 미국으로 건너갔다. 다니엘의 부는 한국 출생으로 하와이로 이주했다가 워싱턴DC에서 치과의사로 일했고 낸시와 사라의 부는 하와이에서 태어났지만 캘리포니아와 플로리다로 옮겨서 직장 생활을 하고 있었다.

아버지 친척이 쿠바를 방문했다가 어머니 사진을 가지고 와서 아버지께 보여 드렸어요. 그래서 아버지가 쿠바에 가서 어머니에게 프로포즈를 하고 쿠바에서 결혼하셨고, 하와이에서 결혼피로연을 한 후에 다시 로스

앤젤레스로 왔어요. 아버지는 로스앤젤레스에서 자동차 정비업에 종사하고 계셨어요. (낸시, 1956년생)

미국으로의 한인 이주는 1903~1905년 사이에 약 7천 명의 한인이 사탕수수농장 노동자로 하와이로 건너가며 시작되었고, 1910년부터 1924년에는 1천여 명의 사진신부들이 미국으로 이주하였다. 하와이 사탕수수농장 이민자들과 이들의 후손은 계약노동 이민자로 시작했지만 일정 시간이 흐른 뒤 곧 자유노동자의 위치로 향상된다. 그리고 이들 중 상당수가 미 본토로 이주하여 경제적 기반을 마련하며 미국 사회의 개방적인 성격으로 인해 수직적 신분 상승을 이루었다.[56]

초기 미국 한인사회와 쿠바 한인사회는 해외 한인 독립운동의 최고기관이었던 대한인국민회를 중심으로 긴밀하게 교류하였으며, 또한 종교적 인사를 비롯하여 개인 차원의 초국적 인적 교류 및 혼맥을 통한 네트워크가 형성되어 있었음을 알 수 있다. 1960년대 이전에 미국으로 건너간 한인들은 차후에 쿠바혁명 후의 후속이민의 기반이 되기도 하였다.

쿠바혁명 직후(1960년대)

쿠바혁명이 한인들에게 미친 영향은 계층에 따라 상이했으며, 쿠바혁명에 대한 한인들의 생각과 반응도 다양했다. 재미 한인 영화감독 김대실이 쿠바 한인들의 이야기를 담은 〈모국Motherland〉(2000)에서 쿠바

---

56 박영미, 〈하와이 한인이민과 비교한 멕시코 초기 한인 이민과정: 제물포항에서 유카탄 에네켄 농장으로(1904-1905)〉, 정경원 외,《멕시코 쿠바 한인 이민사》, 한국외국어대학교 출판부, 2005, 1~30쪽.

한인 후손인 마사와 토마스는 쿠바혁명에 대해 다음과 같이 논한다.[57]

우리 사회가 바뀌지 않았다면 저의 삶은 어땠을까 하는 생각을 종종 합니다. 전 혁명 때문에 지금 하고 있는 일을 할 수 있게 되었다고 생각해요. 많은 문제와 어려움이 있었지만 혁명이 일어났기 때문에 오늘날의 제가 있는 것입니다. 그렇지 않았다면 대학에도 진학할 수 없었을 것이고 대학 교수는 꿈도 꿀 수 없었을 거예요. (마사)

혁명 전에 우리는 아무것도 가진 것이 없었어요. 우리 주변에는 의사도 학교도 제대로 없었어요. 자원봉사자들이 이곳에 멋진 학교를 세웠고 우리는 의사에게 진료도 받을 수 있어요. 여전히 쿠바는 식량 부족으로 어려운데 우리는 교육이나 의료의 혜택을 누리고 살아요. (토마스)

쿠바혁명 이후 한인사회에는 명암이 엇갈리게 되었다. 혁명에 적극적으로 참여한 한인도 있었고, 외국인으로서 극도의 차별을 받고 있던 한인들이 쿠바인과 동등한 대우를 받고 일자리를 얻게 되었었다. 쿠바 이민 초기 거의 대부분의 한인들이 에네켄농장 노동자였으며 일부가 노동 주무원이었던 것에 반해서, 시간이 흐름에 따라 한인들 사이에도 다소간의 계층 분화가 생겼다. 카스트로는 대토지 소유제도 금지, 소작노동 금지, 그리고 개인 소유 토지가 일정한 규모를 넘지 못하도록 하는 토지

---

57 이경원 외, 《외로운 여정: 육성으로 듣는 미주 한인 초기 이민사: 하와이에서 유카탄, 쿠바까지》, 서울: 고려대학교출판문화원, 2016.

소유 제한 및 외국인과 공공회사의 토지 소유 금지법을 선포했다.[58] 혁명 이전에 부동산 소유와 사업 경영 등을 통해 경제적 성공을 거두었거나 바티스타 정권에 협조했던 한인들은 부르주아로 낙인찍혀 재산을 빼앗기고 쿠바 안에서 투옥되거나 추방당하는 등 여러 탄압을 받았다.[59]

쿠바혁명 직후 주로 쿠바의 엘리트 및 중상류층 출신들이 정치적 난민으로 미국으로 유입되었다. 이들의 쿠바 이탈 결정은 주로 사회경제적 모빌리티와 개인의 자유를 제한하는 공산주의 체제에 대한 반감이 동기가 되었다.[60] 미국 태생의 쿠바 한인 3세대인 엠마(1969년생)와 제인(1966년생)의 부모는 1960년대에 쿠바 공산정권을 피해 미국으로 왔다고 회고하였다. 또한 4세대인 에밀리(1994년생)의 조부모 가족도 쿠바에서 보석 가게를 했는데 모든 재산을 포기하고 미국으로 왔다고 한다.

> 할아버지 가족이 쿠바혁명 이후 1962년에 미국으로 오셨어요. 땅, 가게, 재산을 다 몰수당하신 후에 쿠바에서 미국으로 망명하셨어요. 공산정권을 벗어나고 싶으셨던 것 같아요. (에밀리, 1994년생)

연구참여자 중 멜리사(1963년생)는 쿠바 마탄사스에서 백인계 아버지와 한인 어머니 사이에서 태어났지만 1968년 쿠바혁명 후 먼저 미국으로 망명해 있던 고모의 도움으로 마이애미로 이주한다.

---

58 서성철, 〈쿠바 한인이민사〉, 2000.
59 안금영, 〈쿠바 한인 이민사(1921-1964)〉, 2005.
60 Queralt, M., "Understanding Cuban Immigrants: A Cultural Perspective," *Social Work* 29(2), 1984, pp. 115-121.

미국으로 간 쿠바인의 다수가 미국에서 계층하향화를 경험한다. 쿠바에서 변호사로 일했던 이민자가 마이애미에서 중고차 판매를 하거나, 쿠바에서 교사로 일했던 이민자가 뉴욕의 봉제공장에서 일하는 경우가 다반사였다.[61] 이와 유사하게 쿠바 태생 한인들도 미국 이주 후에 특히 이민 초기에는 "닥치는 대로" 일을 했다고 한다.

마이애미에 처음 도착했을 때는 부모님이 영어를 모르셨고 무슨 일이든 닥치는 대로 하셨던 것 같아요. 아버지는 처음에는 호텔에서 잡일을 하셨는데 미국 도착하고 3년 후에 아버지가 돌아가셨고 이모가 어머니에게 사무실 청소일을 소개해 주셨어요. 그 후에 어머니는 영어와 회계 관련 공부를 해서 좀 더 나은 일을 하셨던 것 같아요. 일반 회사에서 회계 관련 행정일을 하셨어요. (멜리사, 1963년생)

1980년 마리엘 대탈출

미국으로의 대규모 쿠바 이민은 쿠바혁명 이후 지금까지 지속되고 있지만, 역사적으로 대규모 이동이 이루어진 것은 1960년대 초 쿠바혁명 직후와 1980년 마리엘 대탈출 때를 꼽을 수 있다. 이전에 미국으로 유입된 쿠바 망명자들에 비해서 마리엘 이민자들은 흑인과 하층민의 비율이 더 높았고, 소수는 범죄나 정신병의 전력을 가진 이들도 있었다.[62]

3세대 쿠바 한인인 마리솔(1949년생)은 쿠바 마탄사스에서, 멕시코

---

61 Duany, J., "Cuban Communities in the United States: Migration Waves, Settlement Patterns and Socioeconomic Diversity," *Pouvoirs dans la Caraïbe* 11, 1999, pp. 69-103.

62 Queralt, M., "Understanding Cuban Immigrants: A Cultural Perspective," 1984.

에서 쿠바로 재이주한 한인 부모 사이에서 태어났다. 마리솔은 먼저 마이애미에 건너가 살고 있던 쿠바인 남자친구 가족의 도움으로 남자친구와 같이 1980년 쿠바를 떠났던 12만 4,800명의 마리엘 대탈출 물결에 포함되어 미국으로 오게 되었다.

마이애미 도착 후에는 남자친구 가족을 비롯한 다른 쿠바 이민자 그리고 쿠바에서부터 친분이 있었던 미국인 선교사 등의 도움으로 초기에 정착했다. "더 나은 삶"을 찾아 미국으로 건너왔고 은퇴 전까지 봉제공장 직원, 병원 행정직원으로 열심히 일했다고 한다.

저는 더 나은 삶을 살고 싶었고 부모님께 말씀을 드리고 1980년 남자친구와 같이 미국에 왔어요. 미국에 와서는 일하면서 학교도 다녔어요. 쿠바에서 봉제 관련 일을 했기 때문에 처음 미국에 와서는 수영복 만드는 공장에 다녔어요. 그 다음에는 여성정장 만드는 공장에서 일하게 되었어요. 그 공장에서 컴퓨터를 배우도록 했어요. 그런데 공장들이 다 문을 닫고 다른 나라로 가 버려서 2년 동안 무직 상태였는데 나중에는 사무행정 관련 공부를 했어요. 몇 년 전 은퇴 전까지는 병원에서 직원으로 일했어요. 병원 손님들 대부분은 라티노였어요. (마리솔, 1949년생)

뉴욕이나 로스앤젤레스의 코리아타운을 방문한 적이 있는지 묻는 질문에 마리솔은 부모님 생전에는 저축한 돈을 전부 쿠바 방문을 위한 여비와 쿠바에 남아 있던 가족들에게 송금하는 데 다 써 버렸기 때문에 어느새 70대에 이르렀지만 마이애미 외의 미국 타 지역은 별로 방문한 곳이 없다고 했다.

2000년대 이후

마리솔의 친오빠인 라울(1941년생)은 쿠바 한인 최초의 목사로 일하다가 2009년 은퇴한 후에야 마리솔의 초청으로 미국으로 이주하였다. 라울 외에 베로니카(1968년생), 알리시아(1985년생), 올리비아(1990년생), 카밀라(1996년생)는 2010년대 후반인 비교적 최근에 미국으로 이주하였다.

올리비아는 남편이 미국 대학에서 유학을 하게 되어 2017년에 같이 미국으로 왔다.

남편이 사우스플로리다대학 박사 과정에 장학금을 받고 입학하게 되어서, 2017년에 남편은 유학생 비자(F1), 그리고 저는 배우자 비자(F2)로 미국에 오게 되었어요. (올리비아, 1990년생)

그리고 베로니카는 미국에 살고 있던 쿠바 약혼자와의 결혼을 계기로 2018년에 미국에 왔다. 쿠바 아바나에 있는 미국대사관의 이민비자 서비스 중단으로 인해 미 국무부는 가이아나의 조지타운에 있는 미국대사관을 쿠바 거주자의 이민비자를 처리하는 주요 장소로 지정했다.[63] 베로니카도 조지타운에서 상당한 시간과 비용(2~3천 달러로 추정)을 소요하여 미대사관 인터뷰와 신체검사 등 수속 절차를 밟았다.

남편은 쿠바의 직장에서 만났는데 그 사람이 먼저 미국으로 갔다가 쿠

---

63 U.S. Embassy in Cuba: https://cu.usembassy.gov/visas/immigrant-visas/ (최종열람일: 2021년 8월 10일)

바를 다시 방문했을 때 저를 다시 만나기 시작했어요. 결혼을 하고 미국 비자를 2년 만에 받아서 2018년에 미국으로 왔어요. 미국 비자를 받기 위해서 가이아나의 조지타운에 가서 인터뷰와 신체검사를 받아야 했어요. 13일을 가이아나에서 보냈는데 비용이 많이 들었어요. (베로니카, 1968년생)

쿠바인들의 해외이주 경로를 보면, 쿠바에서 바로 미국으로 건너온 경우와 다수의 경유지를 거쳐서 입국한 경우가 있다. 스페인으로 건너 간 쿠바인 중 일부는 그곳에서 스페인계 디아스포라로서 스페인 시민 권을 취득하였고, 스페인에서 관광비자로 미국으로 입국하기도 하였 다.[64] 비교적 최근에 쿠바 출생 한인들이 미국으로 입국하는 방식에는 항공편 외에 육로를 이용하는 경우가 있었다. 쿠바 이주자들은 에콰도 르 등에서부터 버스나 기차를 타고 중미 국가를 거쳐 멕시코 국토를 종 단해 텍사스, 캘리포니아 국경을 넘기도 한다.[65] 알리시아와 카밀라는 각각 멕시코 국경을 통해서 2016년 미국으로 입국하였다.

약혼자와 쿠바를 떠날 때부터 최종 목적지는 미국이었어요. 여러 경유 국가를 거쳤는데 그곳에 예전부터 알고 있던 사람들은 없었고, 멕시코 외 에는 몇 달씩 체류하면서 미국행을 위한 여비를 마련하기 위해서 일을 했 어요. 저희 여정은 쿠바에서 처음에는 에콰도르로 갔고, 에콰도르 수도 키 토에서 반년 정도 일하면서 체류했어요. 거기서 다시 콜롬비아로, 콜롬비

64 Rimer, S., "Has Door from Cuba Been Held Open?," *The Brink*, August 26, 2015. Retrieved from https://www.bu.edu/articles/2015/cuban-immigration

65 권성근, 〈중남미 국가들, 쿠바 이주자 위기 해법 마련 … 쿠바인들 육로 이동 보장〉, 《뉴 시스》 2015년 12월 29일자.

아에서 파나마로 국경을 건넜어요. 파나마에서 두 달간 일하다가 코스타리카로 갔고 그곳에서 넉 달을 보낸 후에 멕시코행 비행기를 탔어요. 그리고 멕시코를 통해서 미국에 입국했어요. (카밀라, 1996년생)

쿠바는 1959년 혁명 이후 사회주의 블록, 특히 소련에 크게 의존하는 경제를 유지해 왔다. 1991년 소련 붕괴로 경제원조는 단절됐으며, 이에 앞서 동유럽 사회주의 블록의 붕괴로 쿠바는 거대한 시장을 잃었다. 주민 생활은 식량, 생필품을 배급제에 의존하고 있으나 만성적인 부족에 시달렸으며 에너지 부족으로 인한 전력난을 겪기도 하였다. 극도의 생활고는 주민들의 탈출로 나타났다.[66] 연구참여자들은 쿠바에는 "미래가 없어서", "자유와 더 나은 기회를 얻기 위해서" 미국으로 이주했다고 한다.

쿠바를 사랑하지만 쿠바에서는 젊은이들이 대학을 나와도 별다른 희망이 없어요. 식량을 비롯한 기본 생필품을 구하기가 힘들고, 휴가를 간다든지 차를 구입하는 것은 말할 것도 없이 가망이 없습니다. (베로니카, 1968년생)

저는 쿠바에 미래가 없기 때문에 쿠바를 떠났어요. 쿠바에 남아 있는 사람들은 떠날 수단이 없기 때문입니다. 쿠바에서의 생활은 열악한 조건과 더불어 안정된 삶을 살기 위한 기본 필수품도 부족하고, 쿠바 정부는 공개적으로 정부에 반하는 의견을 표현하는 사람을 억압합니다. (올리비아, 1990년생)

---

66   김승만, 〈북한탈출 귀순동포와 쿠바 난민〉, 《北韓》 274, 1994, 113~120쪽.

민족·인종정체성

초국가적 이주가 고향을 떠나 새로운 거주지로 이동하는 단선적인 과정이 아니라 후손들을 통해 연쇄적인 이주 현상으로 이어지고, 이 과정에서 문화와 인종정체성이 더욱 유동적이고 유연한 의미를 갖게 된다.[67]

연구참여자들의 민족 · 인종정체성은 성장환경과 언어를 비롯한 문화적 요인에 영향을 받기도 했지만, 외형적 요인의 영향도 큰 편이었고 〈표 5〉에서와 같이 그 범주가 다양했다. 일부 소수는 단일정체성을 가지고 있었지만 대부분은 이중적 · 다중적 정체성을 가지고 있었다. 쿠바 백인과 한인의 혼혈 배경을 가진 어머니와 아르헨티나인 아버지 사이에서 태어난 올리비아(1990년생)는 본인을 '백인 혹은 쿠바인White or Cuban'으로 인식하고 있었다. "한국인과 다르게 생겼고" 미국인들도 올리비아가 스페인어 액센트를 섞어서 영어로 말하기 전까지는 백인으로 생각한다고 한다. 이에 반해 에밀리(1994년생)는 어머니가 필리핀계이고 아버지는 쿠바 한인 후손인데 양쪽 부모의 배경을 다 수용하여 본인을 '필리핀-한국-쿠바계 미국인Filipino Korean Cuban American'으로 생각하고 있었다.

쿠바계로서의 정체성이 가장 미약한 연구참여자들은 하와이 출생 미국 한인과 쿠바 한인의 자녀들(다니엘, 낸시, 사라)이었다. 이들은 공통적으로 양쪽 부모가 한인이므로 전형적인 아시아인의 외모를 가졌

---

67 구은숙, 〈중국계 쿠바인의 이주 역사와 디아스포라 정체성: 크리스티나 가르시아의 《원숭이 사냥》〉, 2013; Siu, L., *Memories of Future Home: Diasporic Citizenship of Chinese in Panama*, 2005.

고 아버지 쪽은 쿠바 문화권이 아니었다. 이들은 어린 시절 가정 내에서 스페인어나 쿠바 문화에 덜 노출되었고, 스스로를 '아시아계 미국인Asian-American' 혹은 '한국계 미국인Korean-American'으로 생각하고 있었다.

이외 대부분의 연구참여자들은 표현은 다소 다양했지만 본인을 민족·인종적 면에서 '쿠바-한국인Cuban-Korean'이라고 인식하였다. 다인종 재미 한인multiracial Korean American 관련 기존 연구에 따르면, 다인종 한인들의 정체성은 항상 한 국가나 민족과 일치하지 않고 경계를 넘나드는 다층적인 소속감을 가지기도 한다. 이처럼 복합적 정체성을 보유하고 있으면서 일부는 어느 한쪽 인종에 치우치지 않고 다른 다인종 배경을

표 5 연구참여자들의 민족·인종정체성

	이름	스스로 인식하는 민족·인종정체성
1	Melissa	Cuban–Korean
2	Marisol	Cuban with Korean bloods
3	Raul	Korean–Cuban
4	Camila	Korean–Cuban
5	Alicia	Korean–Cuban American
6	Olivia	White or Cuban
7	Veronica	Cuban–Korean
8	Emma	Cuban–Korean American
9	Sarah	Asian–American
10	Nancy	Korean–American
11	Jane	Cuban, Korean biracial
12	Daniel	Korean–American
13	Jason	Cuban–Korean American
14	Emily	Filipino Korean Cuban American

가진 사람들과 가장 높은 친밀감을 느끼고 있었다.[68] 상기에서 하와이 출신 아버지를 가진 연구참여자들 외에 대부분은 어린 시절 가정 내 문화적 환경뿐 아니라 마이애미의 쿠바인 커뮤니티를 통해서 쿠바 이민자, 그리고 쿠바 문화와 스페인어를 쉽게 접했고 이로 인해 쿠바인 정체성이 강화되기도 했다고 한다.

> 마이애미는 작은 쿠바 같다고 생각했어요. 마이애미에서 자랐기 때문에 주위는 온통 쿠바인, 쿠바 음식, 쿠바 문화였고 일상적으로 접할 수 있었어요. 자연스럽게 쿠바 문화를 내면화하게 되었다고 생각해요. (엠마, 1969년생)

또한 한편으로는 마이애미 쿠바인 커뮤니티에서 멜리사의 경우와 같이 쿠바 한인 혼혈임에도 약간의 아시아적 외관으로 인해서 차별을 당하기도 했다고 한다.

> 다섯 살 때 미국으로 왔는데 중학교 때 친구들이 아몬드같이 생긴 제 눈 때문에 저를 '중국 애'라고 불렀어요. 어릴 때는 따돌림당하고 튀는 게 싫어서 한국적 배경을 부인했는데 나중에는 한국, 쿠바 양쪽 문화를 다 받아들이게 되었어요. (멜리사, 1963년생)

---

68 배진숙 · 김재기, 〈다인종 재미한인들의 온라인 커뮤니티 활동: '하프코리안닷컴 (HalfKorean.com)' 페이스북 그룹을 중심으로〉, 《디아스포라연구》 14(2), 2020, 161~202쪽.

'쿠바계' 정체성은 국가·문화적 정체성 혹은 라티노로서의 외모적 특징에서 기인하기도 하였는데, '한국계' 정체성은 강한 수준의 문화적 지식과 애착에 의한 것이라기보다는 조부모나 부모에게 전해 들은 이야기, 비교적 근래에 알게 된 선조들의 독립운동 관련 지식, 한국 대중문화, 한국 음식, 또는 아시아적 외모에 의해 촉발된 경우가 많았다.

쿠바에서 할아버지가 한국적인 전통과 조국에 대한 사랑을 이어 가기 위해 노력하신 이야기는 참으로 감동적이라고 생각해요. 저는 한국인이며 동시에 쿠바인인 것이 행운이라고 생각합니다. (멜리사, 1963년생)

하지만 연구참여자 대부분은 성장 시에 한국어, 한국 역사나 문화에 대해 체계적으로 배우고 접할 기회가 많지는 않았다고 한다.

타인에 의해서는 외관적 특징에 따라 혼혈, 라티노, 쿠바인으로 인식되기도 했지만 부모 양쪽이 한인인 경우에는 아시아인으로 주로 인식되었다. 최근까지도 중남미 지역의 아시아인 디아스포라의 존재와 역사에 대한 연구는 매우 미진하고, 이들은 미국의 고정적인 인종적 틀에 따라 외모 특징을 바탕으로 자동으로 아시아인 아니면 라티노로 인식된다.[69] 미국 사회에서 아시아적 외모와 라티노 문화 배경이 상충한다고 간주되기도 하며, 연구참여자 중에는 다인종 배경으로 인해서 "인종적으로 모호하다"는 취급을 받기도 했다고 한다.

---

69 López, K., *Chinese Cubans: A Transnational History*, Chapell Hill: The University of North Carolina Press, 2013; Siu, L., "Chino Latino Restaurants: Converging Communities, Identities, and Cultures," *Afro-Hispanic Review* 27(1), 2008, pp. 161-261.

사람들은 항상 제 가족 얘기를 듣거나 제가 스페인어를 하는 것을 보고 놀라곤 합니다. (낸시, 1956년생)

다른 사람들은 제가 인종적으로 모호하다고 생각하기도 해요. 혼혈 아시아인, 하와이 사람, 혹은 아시아계 흑인이라고 생각하는 사람들도 있어요. (엠마, 1994년생)

언어, 문화, 사회적 관계

언어는 민족정체성을 가늠하는 또 다른 중요한 척도이다. 한 민족의 민족성과 사회문화적 가치가 언어를 통해 전승되고 세대를 넘어서서 정체성을 확인하는 중요한 도구이기 때문이다.[70] 초기 쿠바 한인들에게 교육사업은 주요 정책 사업 중 하나였다. 쿠바에 정착하면서 어려운 생활에도 불구하고 1922년 2월 18일 마탄사스에 민성학교를 개교한 후 1929년 6월 29일 까르데나스에 진성학교를 설립하여 한글 교육을 시켰고, 1932년에 청년학원을 창립하여 2년 동안 한국 역사와 전인적인 독서를 통한 토론식 교육을 시켰다. 그 후 1937년 아바나에도 홍민국어학교를 세워 후손들이 한글 교육에 심혈을 기울였다.[71] 하지만 이러한 노력에도 불구하고 후속이민이 유입되지 않는 상황에서 이민 1~2

---

70 김기현, 〈멕시코 한인 후손들의 정체성 연구: 현황과 정책대안: 유카탄 지역〉, 정경원 외, 《멕시코 쿠바 한인 이민사》, 157~246쪽.

71 정경원, 〈설문 조사 분석을 통한 쿠바 한인 후손들의 정체성 실태 연구〉, 2004.

세대들이 돌아가시고 더욱이 혼혈이 가속화됨에 따라 한국어 전승은 어려웠고 한인 이주민들은 쿠바 사회에 점점 동화되어 갔다.

노용석·이정화는 현재 에네켄 한인 이주민의 대부분이 이주 3세대 이상이며, 이들은 자신들의 조상이 한국인이라는 사실은 인지하고 있지만 실질적으로 한국어와 한국 전통 등의 문화를 거의 공유하고 있지 못하는 세대라고 분석한다.[72]

연구참여자의 부모(2세대) 중에 간혹 부모들끼리 혹은 부모가 조부모와 한국어로 소통한 사례도 있지만, 대부분 어린 시절 가정 내에서 스페인어 혹은 영어를 주로 사용했다고 한다.

> 부모님은 집에서는 한국어로 가끔 대화를 하셨어요. 부모님은 한국어가 아주 유창하지는 않으셨던 것 같고 저희 형제는 집에서 스페인어로 대화를 했어요. 저는 지금 미국에서도 스페인어를 쓰고 있습니다. (베로니카, 1968년생)

> 어머니가 스페인어로 말씀하시면 우리 형제들은 영어로 대답했어요. 어머니는 쿠바에서 태어나셨는데 어릴 때 어머니도 외할아버지, 외할머니가 한국어로 말씀하시면 스페인어로 대답을 하셨대요. 지금은 일상생활에서 대부분 영어를 쓰지만 저처럼 스페인어와 영어, 이중언어를 구사할 수 있는 친구들과는 두 개 언어를 섞어서 사용해요. (엠마, 1969년생)

---

72 노용석·이정화, 〈멕시코-쿠바 에네켄 한인 이주민 후손의 모국 연계성 연구〉, 2021.

연구참여자 중에 3세대 라울(1941년생)은 엘 볼로 마을에서 형제들과 한국어를 배운 적이 있지만 지금은 가족, 음식 관련 한국어 단어만을 기억하고 있다.

어릴 때는 양쪽 조부모님, 부모님과 엘 볼로 마을에 다른 한인들과 모여 살았어요. 한국 사람들과 결혼한 멕시코인들도 있었어요. 주변 지역에는 다른 백인, 흑인 쿠바인들도 있었어요. 아버지가 에네켄농장에서 몇 년 동안이나 일을 하셨고 엘 볼로에서 제가 열두 살 될 때까지 살았는데 부모님과 함께 온 가족이 1953년에 아바나로 이사했어요. 엘 볼로에서 한국어를 배웠는데 큰누나는 한국어를 읽을 수 있을 만큼 배웠지만 전 충분히 배우지는 않았어요. (라울, 1941년생)

연구참여자 중에서 유일하게 한국어를 일정 수준 구사할 수 있는 올리비아(1990년생)는 쿠바에서 3년 동안, 그리고 한국에서 6개월간 한국어 공부를 했다고 한다. 이를 바탕으로 쿠바에서 한국 여행사 가이드로 일하기도 해서 한국어가 조금 유창해졌는데 미국에 온 이후에는 한인을 만날 기회가 없어 한국어를 잊어버리게 되었다고 한다.

이에 반해서 연구참여자들 사이에 스페인어 보유율은 높은 편이었다. 스페인어를 전혀 구사하지 못하는 응답자는 2명이었다. 대부분 스페인어가 모국어이거나 부모를 통해서 전수받았고 가정 내에서 영어가 주 언어인 경우에도 대가족 모임에서는 주로 스페인어를 쓰는 경우가 많아 항상 듣고 자랐기 때문에 자연스럽게 체화되었다고 한다.

어머니는 쿠바에서 태어나셔서 스페인어가 모국어였는데 집에서는 주로 영어를 사용했습니다. 하지만 외가 친척들 모임에서는 주로 스페인어가 사용되었고 자라면서 늘상 스페인어를 들었습니다. (낸시, 1956년생)

독일로 간 탈북 난민들의 경험을 조사한 이희영에 따르면, 탈북 난민들과 해당 지역사회가 상호작용하는 기본 요건은 한국어 사용 가능성이었다. 탈북 난민들은 한국어로 소통이 가능한 남한 출신 이민자 공동체 및 개인과 상대적으로 가까운 관계를 형성하였다.[73]

연구참여자의 대다수는 재미 한인들과 교류하거나 재미 한인 관련 단체 활동을 한 적이 없었다. 다만 한인교회, 한국 식당이나 여타 업체를 방문한 적이 있지만 한국어를 구사하지 못하기 때문에 재미 한인 커뮤니티에서 이방인 같다는 느낌을 받기도 하였다.

LA 코리아타운을 방문한 적이 있어요. 그리고 텍사스에서 찜질방에 간 적이 있는데 찜질방은 좋았지만 제가 한국어를 못하니까 한인사회에서 제가 이방인 같았어요. (엠마, 1969년생)

언어 문제가 있어요. 마이애미에 제가 사는 건물에 한국 사람 한 분이 이사를 왔는데 제가 한국어를 못해서 소통을 못했어요. 또 한국교회를 간 적이 있지만 한국어를 알아들을 수가 없었어요. (마리솔, 1949년생)

이에 반해서 연구참여자들은 스페인어 능력을 활용해서 라티노 방송

---

73 이희영, 〈국제 인권정치와 비국의 서사: 독일로 간 탈북 난민들의 삶에 관한 보고서〉, 2019.

국에 취업하거나 쿠바 출신뿐 아니라 멕시코 등에서 이주한 미국 내 다양한 중남미 국가 출신 이민자들과 원활하게 소통하고 친분을 맺기도 하였다.

음식은 어떤 문화의 관습과 일상을 가장 강하게 상징하는 요소인데,[74] 언어에 비해 식문화 면에서는 쿠바와 미국에서 한국 음식과 쿠바 음식을 가정에서 동시에 접한 경우가 더 많았다. 최근 이민자인 베로니카와 미국 출생인 엠마는 그들의 한국 음식 경험에 대해서 다음과 같이 술회한다.

쿠바에서 저희는 한국 음식을 먹었고 제가 아는 한국어 단어는 전부 음식 관련된 것들이에요. 집에서는 쿠바 음식을 주로 먹었지만 한국 음식도 먹었어요. 제 어머니는 거의 유일하게 고추장 만드는 법을 아셨고, 저와 제 동생은 젤리처럼 숟가락으로 고추장을 떠먹거나 빵에 발라서 먹었어요. (베로니카, 1968년생)

제가 농담 삼아 우리 집 식탁에는 '검은콩, 쌀, 김치'가 있다고 말하곤 했어요. 어머니는 쿠바 요리를 잘하셨는데 김치도 담그셨어요. 저는 김치 냄새가 이상해서 많이 안 먹었지만 만두는 좋아했어요. (엠마, 1969년생)

쿠바 초기 한인들은 백일, 첫돌, 결혼, 환갑을 기념하였고 설날, 추석 외에도 3·1절을 중요한 행사로 기념하였다.[75] 연구참여자 중에 소수는

---

74 노용석·이정화, 〈멕시코-쿠바 에네켄 한인 이주민 후손의 모국 연계성 연구〉, 2021.
75 안금영, 〈쿠바 한인 이민과 한인 사회〉, 2007a.

쿠바에서 돌잔치 · 회갑잔치에 참석한 적이 있고, 이러한 전통 관습이 미국 재이주 후에도 지켜지기도 했다. 쿠바 한인 3세대 엠마는 미국에서 태어났는데 가족들과 어머니 환갑을 기념했다고 한다. 하지만 대다수의 응답자는 한국 명절에 대해 잘 알지 못했고 전혀 기념하지 않았다.

글로벌 시대에 트랜스이주자는 여러 장소에 걸쳐 가족, 친구 또는 장소에 대한 소속감과 책임감을 복수적으로 소유하는 특성을 보인다.[76] 교통과 통신이 발달하면서 그리고 특정 사회, 정치, 경제적 조건 속에서 이주자의 소통은 하나의 로컬에 국한되지 않고 다수의 로컬에서 사회적 관계를 유지하고 있어 로컬리티의 의미는 훨씬 복잡해지고 해체되고 혼성화되는 특징을 보인다. 이주자는 단 하나의 로컬리티가 아니라 다수의 로컬리티 속에서 살고 있는 것이다.[77] 가상 이동, 상상 이동, 이동통신 이동 그리고 육체 이동이 국가 경계를 가로질러 실천되면서 사회관계는 이제 더 이상 한 국가 내에 국한되지 않는다.[78] 대다수의 연구참여자들은 쿠바에 부모 혹은 친척이 거주하고 있었고 일부는 쿠바를 방문하거나 송금을 하였으며, 페이스북을 통해서 소통하였다.

어머니, 동생, 사촌들, 조카들은 쿠바에 살고 있어요. 2년 전에 쿠바를 방문했습니다. 그리고 가끔 식구들에게 송금을 합니다. (베로니카, 1968년생)

76　Conradson, D. & McKay, D., "Translocal Subjectivities: Mobility, Connection, Emotion," *Mobilities* 2(2), 2007, pp. 167-174

77　염미경, 〈멕시코 이주와 현지 한인사회의 형성과 변화〉, 《재외한인연구》 30, 2013, 77~116쪽.

78　Urry, John, *Mobilities*, 2007.

연구참여자 중 3명은 한국을 방문한 적이 있는데 방문 이유는 친지의 결혼 외에 한국 정부 초청이나 지원으로 한국어를 배우러 간 사례와 독립유공자 후손 자격으로 방문한 것이었다. 대다수는 한국을 한 번도 방문한 적은 없지만 기회가 되면 선조들의 나라를 직접 방문하고 싶다고 강한 관심을 보였다.

제가 어릴 때는 북한이든, 남한이든 쿠바인들은 한국에 대해서 전혀 몰랐어요. 한 번은 남한 야구팀이 쿠바 야구팀을 이겼는데 그때부터 사람들이 한국이라는 나라가 있다는 것을 알게 되었어요. 성장하는 동안 한국에 대해 많은 정보를 얻지 못했지만 그래도 저는 항상 한국 문화와 사회에 자부심을 느꼈습니다. 제게 한국은 나의 뿌리이며, 그리고 아주 멀고 잘 모르지만 그래도 내 모국이라고 생각합니다. 언제 기회가 되면 한 번 방문하고 싶어요. (베로니카, 1968년생)

연쇄적 이주의 재조명과 디아스포라적 재결합 도모

본 글에서는 그동안 연구가 매우 미진하였던 재미 쿠바 한인들의 재이주 경험과 현황을 고찰하고 이들의 정체성과 한국과 쿠바 관련 양국 문화에 대한 지식과 관심도, 그리고 사회적 관계에 대해 살펴보았다. 주요한 연구 결과의 분석 및 요약은 다음과 같다.

첫째, 쿠바 한인들이 미국으로 이주한 동기와 경로를 '쿠바혁명 이전', '쿠바혁명 직후(1960년대)', '1980년 마리엘 대탈출', '2000년대 이후'의 네 가지 주요 시기와 계기로 구분하여 살펴보았다.

쿠바 한인들은 초국적 결혼이나 쿠바혁명에 대한 반감과 정치적 망명의 사유로 쿠바를 떠났고, 좀 더 최근에는 경제적 이유로 미국행을 택했다. 이주와 난민에 대한 기존 연구들이 지적하고 있듯이 정치적 목적의 난민과 경제적 목적의 이주민은 명확히 구별되기보다 서로 혼종적인 관계를 형성하고 있다.[79] 일부 연구참여자는 가족 초청과 유학을 계기로 미국으로 왔다고 한다. 이들은 국제적 모빌리티를 통해 새로운 장소에서 삶의 전망을 재구성하고자 하였다.

미국 연구와 관련하여 반구적hemispheric 관점의 연구는 새로운 방향을 제시하고 있는데 레반더 & 레빈Levander & Levine은 국가 형성이 단일 국가 내에서만 진행된 것이 아니라 북남미 전역에 걸쳐 국가 형성 과정에 상호 영향을 미쳤다는 점을 강조한다.[80] 본 연구는 이러한 반구적 관점에서 미주 한인사회의 초기 역사를 재조명하며, 쿠바와 미국으로의 한인 이주와 한인 이주사회의 형성이 독립적인 요인뿐 아니라 각각 연계되어 맞닿고 교차하는 측면에 주목했다.

쿠바의 에네켄농장과 미국의 사탕수수농장에서 일했던 미주 한인들과 그 후손들은 쿠바혁명 이전에 독립운동자금 모금, 종교행사, 결혼, 유학, 단기여행 등을 통해서 상호 교류하고 있었다. 디아스포라는 모국과만 연계되어 있는 것이 아니라 디아스포라 커뮤니티 간의 상호작용을 통해서 '초국적 민족공동체transnational ethnic community'를 형성하고 '민

---

79 이희영, 〈국제 인권정치와 비국의 서사: 독일로 간 탈북 난민들의 삶에 관한 보고서〉, 2019.

80 구은숙, 〈중국계 쿠바인의 이주 역사와 디아스포라 정체성: 크리스티나 가르시아의 《원숭이 사냥》〉, 2013; Levander, C. & Levine, R., *Hemispheric American Studies*, New Brunswick: Rutgers University Press, 2007.

족정체성ethnic identity'을 공공화하기도 한다. 20세기 초 나라를 잃어버렸던 때에도 쿠바 한인들은 어려운 경제적 상황에서 조국의 독립을 위해서 자금을 지원했으며, 대한인국민회를 중심으로 미국 한인들과 긴밀한 관계를 유지하였다. 이렇게 형성된 초국적 연결망을 활용하여 일부 쿠바 한인들의 미국으로의 재이주가 이루어지기도 했다.

미주 지역region에 존재했던 이들 초기 한인 이민자들의 한민족공동체는 쿠바 내 한인사회 붕괴와 주류사회로의 동화, 그리고 냉전 시기 한국과 재미 한인사회와의 단절로 인해서 소멸되었다. 쿠바혁명 이전에 연구참여자의 (조)부모는 주로 양국 한인들 간의 연계와 연결망을 통해서 미국으로 이주했지만, 쿠바 한인과 미국 한인의 교류가 미약했던 비교적 최근 미국으로의 재이주와 정착 과정에서는 친인척 외의 한인네트워크의 영향을 거의 받지 않았다. 또한 연구 결과에 따르면 현재 미국에 거주하고 있는 쿠바 한인들과 재미 한인사회와의 직접적인 교류, 혹은 한국과의 연계는 거의 이루어지고 있지 않았다.

다음으로, 이주 형태와 관련하여 한국에서 중남미, 그리고 중남미 지역 내에서의 이주 형태와 차후 쿠바에서 미국으로의 재이주 형태와 성격이 상이하다는 점을 지적하고자 한다.

초기 한인들이 한국에서 멕시코로 1차 이주하고, 다시 멕시코에서 쿠바로 재이주하는 과정에서 이들은 비교적 규모가 큰 '집단이주group migration'의 형태를 띠었다. 당시 국가 간 이동을 감행할 수 있는 개인 차원의 정보와 자원이 여의치 않았기 때문에 집단이주의 형태를 띨 수 밖에 없었을 것이다. 또한 이주를 기획하고 주동하는 존재가 따로 있어서, 1905년 한인 약 1천여 명의 멕시코행에는 이민 브로커 마이어스와 일본 대륙식민합자회사가 큰 역할을 했다. 그리고 1921년 멕시코에서 쿠바로 재이주를 결심하고 실천하는 데는 이해영과 쿠바에 먼저 가 있던 소수 한인들이 제공하는 허위 혹은 과대 정보에 의지할 수 밖에 없었다. 이로 인해 한인 이주자들은 중남미 국가로의 국제이주를 통해서 경제적 기회를 극대화하고 자본축적을 했다기보다는 계속적으로 극한의 노동환경과 경제적 곤경에 처하게 되었다. 하지만 시간이 지남에 따라서 쿠바 한인사회 내부에서도 경제적 분화가 진행되고 혼혈이 가속화됨으로 인해서 쿠바 한인사회로 동화하게 된다.

이에 반해, 쿠바에서 미국으로의 재이주에 있어서 쿠바 한인들은 한인이라는 공통분모에 의해 결집된 집단적 이주 형태를 띠었다기보다는 개인·가족 단위 이주를 감행한다. 그리고 쿠바혁명 이후에는 한인 친족네트워크뿐 아니라 족외혼 혹은 사적 인맥에 의한 비한인 쿠바인들의 이주네트워크에 더 영향을 받게 된다. 또한 재미 한인 커뮤니티보다는 스페인어 능력을 비롯한 라티노 문화권 배경과 연결망을 활용하여 플로리다를 재이주 목적지로 선호하는 경향을 보였다. 하지만 연구 결과에 따르면 한편으로 재미 쿠바 한인들은 미약하게나마 한국 문화에 관심을 보이고 스스로를 한인계로도 인식하고 있었다.

한국 정부 관계자들과 재미 한인사회는 미국 내 한국계 구성원의 다양성과 그들의 다양한 역사적 경험을 인정하고, 그 다양성을 발전시켜 한인사회 확장을 꾀할 필요가 있다. 한인으로서 강한 소속감을 강요할 수는 없겠지만 본인 스스로 원하는 후손은 한민족공동체로 적극적으로 포용해야 한다. 재미 쿠바 한인 상호 간에, 그리고 한국과 재미 한인사회와 유대감을 형성하고 상호 교류를 활성화할 수 있도록 노력을 경주해야 한다. 한국대사관과 문화원 등을 통해서 한국에 대한 이들의 문화적 이해와 관심을 제고하고, 이들에게 한국적 정체성을 심어 주기 위해 지원하는 방안이 필요하다.

본 연구는 쿠바 한인 이주 100주년을 기념하고 쿠바 한인들에 관한 학문적 · 정책적 관심을 환기시키기 위해 수행되었다. 쿠바 한인들은 특히 쿠바혁명 이후에 쿠바에서 미국을 비롯하여 다른 중남미 국가, 유럽 등 전 세계로 뻗어 나갔다. 독립운동의 공로를 인정받아 한국 정부로부터 서훈을 받은 쿠바 한인 후손 20여 명은 한국으로 귀환 이주하여 한국 국적을 취득하였다. 세대가 늘어남에 따라서 쿠바뿐 아니라 여러 국가에 쿠바 한인 후손의 수가 증가하고 있다. 그들은 연쇄적 이주 과정을 통해 새로운 정착지에서 삶을 개척해 나가며 새로운 복합적 정체성과 관계를 확립하여 왔다. 쿠바 한인들에 대한 실태 조사와 지역별 현황 파악이 이루어져야 할 것이며 한인 이주 역사를 제대로 발굴해 기록에 남길 수 있도록 학계와 한국 정부기관이 적극적으로 나서야 한다. 고령의 쿠바 한인 2~3세를 대상으로 잘 알려지지 않은 한인디아스포라의 쿠바 이주사 및 독립운동사를 복원하고 보존하기 위한 노력이 이루어져야 할 것이다. 적극적인 이주사 복원을 통해서 쿠바 한인 후손들에게 자신의 뿌리가 어디이며, 쿠바 한인 100년의 여정이 어떻게 진행되어 왔는지를 알려 주어야 할 것이다. 본 글은 쿠바 한인의 연쇄적 이주의 재조명을 통해 재외한인 이주와 정착에 대한 다각적이고 심층적인 이해에 기여할 수 있을 것이다.

참고문헌

성주옥,《미국 히스패닉 집단 내 정치적 태도의 차이 분석》, 이화여자대학교 석사학
　위 논문, 2013.
이경원 외,《외로운 여정: 육성으로 듣는 미주 한인 초기 이민사: 하와이에서 유카탄,
　쿠바까지》, 서울: 고려대학교출판문화원, 2016.
이자경,《멕시코 한인 이민 100년사: 에네켄 가시밭의 100년 오딧세이 (上, 下)》, 한
　맥문학 출판부, 2006.
한국이민사박물관,《에네켄에 담은 염원: 꼬레아노의 꿈》, 인천: 한국이민사박물관,
　2019.
허성태·임영언,《글로벌 디아스포라와 세계의 한민족》, 북코리아, 2014.

구은숙, 〈중국계 쿠바인의 이주 역사와 디아스포라 정체성: 크리스티나 가르시아의
　《원숭이 사냥》〉,《현대영미소설》20(3), 2013, 157~180쪽.
김기현, 〈멕시코 한인 후손들의 정체성 연구: 현황과 정책대안: 유카탄 지역〉, 정경원
　외,《멕시코 쿠바 한인 이민사》, 한국외국어대학교 출판부, 2005, 157~246쪽.
김동수, 〈미국의 대(對)쿠바 정책 전환의 결정 요인 분석: 북미관계에 대한 함의〉,
　《민족연구》68, 2016, 218~235쪽.
김승만, 〈북한탈출 귀순동포와 쿠바 난민〉,《北韓》274, 1994, 113~120쪽.
김연진, 〈미국 이민의 이미지와 이민의 나라 미국: 시사 잡지 표지(1965-1986)를 통
　해 본 이민의 이미지를 중심으로〉,《미국사연구》26, 2007, 159~189쪽.
김재기, 〈북미지역 쿠바한인 독립운동 서훈 미전수자 후손 발굴연구〉,《한국보훈논
　총》17(1), 2018, 1~22쪽.
김재기·임영언, 〈쿠바한인 디아스포라의 독립운동 재조명과 정부 서훈 문제〉,《한
　국보훈논총》16(1), 2017, 9~28쪽.
노용석·이정화, 〈멕시코-쿠바 에네켄 한인 이주민 후손의 모국 연계성 연구〉,《민족
　문화논총》77, 2021, 6~32쪽.
박영미, 〈하와이 한인이민과 비교한 멕시코 초기 한인 이민과정: 제물포항에서 유카
　탄 에네켄 농장으로(1904-1905)〉, 정경원 외,《멕시코 쿠바 한인 이민사》, 한국

외국어대학교 출판부, 2005, 1~30쪽.

배진숙, 〈초국적 역사문화의 계승과 확산: 재미한인들의 3.1운동 및 대한민국임시정부 수립 100주년 기념사업〉, 《在外韓人硏究》 49, 2019, 71~104쪽.

배진숙, 〈모빌리티 극대화 전략으로서의 재이주: 파독광산근로자의 캐나다 진출과 한인사회에의 기여〉, 《다문화와 평화》 15(1), 2021, 29~58쪽.

배진숙·김재기, 〈다인종 재미한인들의 온라인 커뮤니티 활동: '하프코리안닷컴(HalfKorean.com)' 페이스북 그룹을 중심으로〉, 《디아스포라연구》 14(2), 2020, 161~202쪽.

서성철, 〈쿠바 한인이민사〉, 《이베로아메리카硏究》 11, 2000, 137~159쪽.

송기도, 〈미국은 왜 쿠바를 끌어안았을까〉, 《인물과 사상》 204, 2015, 143~155쪽.

안금영, 〈1940년대 이후 쿠바의 사회변화와 한인 후예의 삶〉, 《스페인어문학》 31, 2004, 347~362쪽.

안금영, 〈쿠바 한인 이민사(1921-1964)〉, 정경원 외, 《멕시코 쿠바 한인 이민사》, 한국외국어대학교 출판부, 2005, 247~302쪽.

안금영, 〈쿠바 한인 이민과 한인 사회〉, 《중남미 한인의 역사》, 과천: 국사편찬위원회, 2007a, 58~85쪽.

안금영, 〈쿠바 한인공동체 활성화를 위한 한인후예 인구조사〉, 《스페인어문학》 43, 2007b, 317~362쪽.

안금영, 〈중미지역 초기 한인 사회에 있어서 국민회의 역할〉, 《스페인라틴아메리카연구》 5(2), 2012, 49~69쪽.

염미경, 〈멕시코 이주와 현지 한인사회의 형성과 변화〉, 《재외한인연구》 30, 2013, 77~116쪽.

이금순, 〈미국의 난민정책〉, 《北韓》 307, 1997, 178~179쪽.

이남섭, 〈남미의 아시아 소수민족과 멕시코 초기 한인사회의 비교연구: 이주과정과 사회문화적 영향을 중심으로〉, 《在外韓人硏究》 10(1), 2001, 215~274쪽.

이은아, 〈미국 아프로쿠바계 이민자의 다중적 정체성〉, 《世界文學比較硏究》 64, 2018, 309~328쪽.

이자경, 〈멕시코-쿠바 한인 후손들과 김치의 정체성〉, 박채린 외, 《김치, 한민족의 흥(興)과 한(恨)》, 세계김치연구소, 2016, 229~306쪽.

이종득, 〈멕시코 한인 이민자들의 성격과 정체성 변화: 농장생활(1905-1909)을 중심으로〉, 정경원 외, 《멕시코 쿠바 한인 이민사》, 한국외국어대학교 출판부,

2005, 31~64쪽.

이희영, 〈국제 인권정치와 비국의 서사: 독일로 간 탈북 난민들의 삶에 관한 보고서〉, 김수철 외,《모빌리티와 생활세계의 생산》, 서울: 앨피, 2019, 269~317쪽.

전기순, 〈미국 내 히스패닉 인종의 사회적 현황과 문화적 정체성〉,《라틴아메리카연구》16(1), 2003, 259~294쪽.

정경원, 〈설문 조사 분석을 통한 쿠바 한인 후손들의 정체성 실태 연구〉,《스페인어문학》33, 2004, 477~494쪽.

권성근, 〈중남미 국가들, 쿠바 이주자 위기 해법 마련 … 쿠바인들 육로 이동 보장〉,《뉴시스》2015년 12월 29일자.

김기협, 〈'이민의 새물결' 샌포드 웅가 지음〉,《중앙일보》1996년 3월 17일자.

송평인, 〈카스트로와 김일성의 차이〉,《동아일보》2016년 11월 29일자.

장은영, 〈미국의 난민인정 절차와 정착지원〉,《월간 복지동향》210, 2016, 28~34쪽.

정연화, 〈쿠바 한인 일가족 100명 LA거주〉,《미주중앙일보》2005년 5월 24일자.

조셉박, 〈고국 그리며 부른 애니깽 후손의 애국가〉,《한국일보 애틀랜타》2015년 1월 28일자.

Bae, J. S., *Korean Immigrants from Latin America: Fitting into Multiethnic New York*, Lanham: Lexington Books, 2021.

Levander, C. & Levine, R., *Hemispheric American Studies*, New Brunswick: Rutgers University Press, 2007.

López, K., *Chinese Cubans: A Transnational History*, Chapell Hill: The University of North Carolina Press, 2013.

Portes, A. & Bach, R. L., *Latin Journey: Cuban and Mexican Immigrants in the United States*, Berkeley, CA: University of California, 1985.

Ruiz, R. & Lim Kim, M., *Coreanos en Cuba*, 2000. (라울 루이스 · 마르타 림 김, 《쿠바의 한인들》, 조갑동 옮김, 서울: 자유미디어, 2021.)

Siu, L., *Memories of Future Home: Diasporic Citizenship of Chinese in Panama*, Stanford University Press, 2005.

Urry, John, *Mobilities*, Cambridge: Polity, 2007. (존 어리, 《모빌리티》, 강현수 · 이희상 옮김, 서울: 아카넷, 2014.)

Bae, J. S., "New York Koreans from Latin America: Education, Family, and Class Mobility," *Journal of British and American Studies* 30, 2014, pp. 393-414.

Bae, J. S., "Secondary Migration and Workplace Language Use among Korean Immigrants from Latin America," *Multi-Cultural Contents Studies* 20, 2015, pp. 161-189.

Bonnin, R, & Brown, C., "The Cuban Diaspora: A Comparative Analysis of the Search for Meaning among Recent Cuban Exiles and Cuban Americans," *Hispanic Journal of Behavioral Sciences* 24(4), 2002, pp. 465-478.

Conradson, D. & McKay, D., "Translocal Subjectivities: Mobility, Connection, Emotion," *Mobilities* 2(2), 2007, pp. 167-174.

Duany, J., "Cuban Communities in the United States: Migration Waves, Settlement Patterns and Socioeconomic Diversity," *Pouvoirs dans la Caraïbe* 11, 1999, pp. 69-103.

Eckstein, S. & Barberia, L., "Grounding Immigrant Generations in History: Cuban Americans and their Transnational Ties," *International Migration Review* 36(3), 2002, pp. 799-837.

Perez, R. M., "Cuba No; Miami Sí: Cuban Americans Coping with Ambiguous Loss," *Journal of Human Behavior in the Social Environment* 25, 2014, pp. 50-66.

Queralt, M., "Understanding Cuban Immigrants: A Cultural Perspective," *Social Work* 29(2), 1984, pp. 115-121.

Siu, L., "Chino Latino Restaurants: Converging Communities, Identities, and Cultures," *Afro-Hispanic Review* 27(1), 2008, pp. 161-261.

Blizzard, B. & Batalova, J., "Cuban Immigrants in the United States," *Migration Information Source*, June 11, 2020, Retrieved from https://www.migrationpolicy. org/article/cuban-immigrants-united-states-2018

Duany, J., "Cuban Migration: A Postrevolution Exodus Ebbs and Flows," *Migration Information Source*, July 6, 2017, Retrieved from https://www. migrationpolicy.org/article/cuban-migration-postrevolution-exodus-ebbs-

and-flows

López, K., "Fried Rice and Plátanos," *ReVista: Harvard Review of Latin America*, December 1, 2018, Retrieved from https://revista.drclas.harvard.edu/fried-rice-and-platanos/

Rimer, S., "Has Door from Cuba Been Held Open?," *The Brink, August* 26, 2015, Retrieved from https://www.bu.edu/articles/2015/cuban-immigration/

모바일 공동체, 권리 정동 윤리

2022년 2월 28일 초판 1쇄 발행

지은이 | 배진숙 · 정채연 · 김경민 · 이용균 · 이은정 · 김은하
　　　　정은혜 · 정의철 · 정미영 · 김숙현 · 김재기
펴낸이 | 노경인 · 김주영

펴낸곳 | 도서출판 앨피
출판등록 | 2004년 11월 23일 제2011-000087호
주소 | 우)07275 서울시 영등포구 영등포로 5길 19(양평동 2가, 동아프라임밸리) 1202-1호
전화 | 02-336-2776 팩스 | 0505-115-0525
블로그　| bolg.naver.com/lpbook12
전자우편 | lpbook12@naver.com

ISBN 979-11-90901-83-3